鄂尔多斯文献总目（1921—2021）初编 下

鄂尔多斯市民族事务委员会 组织
巴 音 主编
马春阳 副主编

广西师范大学出版社
·桂林·

AJ　自然科学

2009—2011年度科技创新成果汇编

神东煤炭集团公司　编

2012年7月

内容提要：本资料汇编了2009年以来神东煤炭集团公司广大科技工作者取得的高水平技术创新成果和五小成果。（其利格尔）

778乌审旗特大暴雨的成因与移置研究

778特大暴雨会战组、华东水利学院科技情报室　编

1979年7月

32开

内容提要：本资料以1977年8月1日17时—2日08时乌审旗特大暴雨为研究对象，研究了这类特大暴雨的成因和移置可能性分析。（荷梅）

草原建设的创举——乌审旗的草库伦

胡琏、巴拉吉尼玛　主编

远方出版社

ISBN 978-7-80595-777-7

2008年5月

32开　359页　35.00元

内容提要：本书以图文形式描述了当前内蒙古面临的形势和已有的基础，阐明了内蒙古"十五"期间乃至更长一个时期经济和社会发展的总体思路、建设重点和基本任务。（荷梅）

重新认识沙漠

王文彪　编著

内蒙古大学出版社

ISBN 978-7-5665-0149-3

2011年8月

16开　296页　128.00元

内容提要：本书阐明了沙漠形成的规律及人类活动的影响，并从人类文明兴衰与沙漠演变的过程中反思得到启示：无论是古人还是现代人，都是大自然的子孙，而不是大自然的主宰。人类若想保持相对于生态环境的优势，就必须调控自己的行为符合自然规律。人类调控自然的企图，通常只会破坏自己赖以生存的生态环境。一旦生态环境受到破坏，人类的文明也就随之衰落。鲜活的实践让我们清醒地认识到，必须要重新认识沙漠。我们要与沙漠和谐相处，用科学的态度善待沙漠，合理利用沙漠资源。科学技术的进步将有效提高资源利用率，沙漠绿色经济大有可为。（荷梅）

重新认识沙漠

王文彪　著

内蒙古大学出版社

ISBN 978-7-5665-0022-9

2011年8月

16开　297页　70.00元

内容提要：本书阐明了全球沙漠形成的规律及人类活动的影响，可作为沙漠治理、生态建设、沙产业开发及相关专业科研工作者的重要参考书。（嘎拉贝日汗）

达拉特旗耕地与科学施肥

杜占春　主编
中国农业出版社
ISBN 978-7-109-25675-0
2019年7月
16开　201页　80.00元

内容提要：本书共分八章，分别介绍达拉特旗自然与农业生产概况、耕地土壤类型及性状、耕地地力现状、耕地施肥现状、主要作物施肥指标体系建立、施肥配方设计与应用现状、主要作物施肥技术、耕地土壤改良利用与主要作物高产栽培技术。正文后附有耕地资源数据册、耕地资源图等。（荷梅）

大漠奇迹：亿利治沙哲学

王文彪　著
中信出版社
ISBN 978-7-5086-9880-9
2019年1月
32开　400页　58.00元

内容提要：本书就如何解决社区与自然环境之间的矛盾提供了及时、独到的见解，对于绿色经济如何恢复沙漠生态、提高人类福祉做出了详细的阐释。（荷梅）

地理环境演变研究的理论与实践——鄂尔多斯地区晚第四纪以来地理环境演变研究

史培军　著
科学出版社
ISBN 978-7-03-002226-4
1991年5月
16开　182页　12.30元

内容提要：本书在分析国内外有关地理环境演变研究文献的基础上，总结出地理环境演变研究之"要素论"和"综合论"两个基本观点，并将二者加以统一，提出地理环境演变研究的"系统论"观点。同时，书中还通过作者野外的考察与观测，采用现代遥感技术与测试手段，提取了鄂尔多斯地区晚第四纪以来地理环境演变之物理、化学、生物和物质文化方面的信息，再经分析，提出有关地理环境演变的大量证据。根据这些证据，又探讨了本区地理环境演变的一些重要问题，重建了晚第四纪以来本区地理环境演变的模式，预测了未来100年本区地理环境的演变趋势，分析了其对第一性生产力的影响程度和农牧交错地带分布变化的情况等。本书可供从事地理环境病变研究的科技工作者和大专院校有关专业的师生，以及当地管理部门的有关技术人员参考。（荷梅）

地学空间信息三维建模与可视化——鄂尔多斯盆地及相关领域的实践

焦养泉等　著
科学出版社
ISBN 978-7-03-016269-4
2006年1月
16开　219页　240.00元

内容提要：本书用最新的空间信息可视化技术，首次定量地表征了一个具有40万平方千米的大型整装盆地——鄂尔多斯盆地的三维地质结构，并将该方法成功地运用于地下水系统研究和资源量预测，这为地学三维可视化建模提供了一个范例。作者系统地总结了从信息采集、信息处理、信息管理，到三维模型构建、模型集成、模型校验，再到模型功能的深层次开发和应用等一整套研究思路与工作流程。（荷梅）

低渗透储层油藏描述核心问题研究——以鄂尔多斯盆地川口油田为例

张林等 著
石油工业出版社
ISBN 978-7-5021-9347-8
2013年1月
16开　156页　50.00元

内容提要：本书以鄂尔多斯盆地川口油田为例（井排距小，注采矛盾突出），从小层划分对比开始，进行了测井资料二次解释、构造、沉积相、储层非均性、基质、天然裂缝、人工裂缝、油田开发特征等方面的综合研究，在弄清低渗透储层注采核心矛盾及其机理的基础上，提出了稳产技术对策。（荷梅）

低渗透油藏复杂结构井开采技术与应用——以鄂尔多斯盆地吴起薛岔区为例

陈军斌等　编著
石油工业出版社
ISBN 978-7-5021-8937-2
2012年4月
16开　242页　58.00元

内容提要：本书从鄂尔多斯盆地吴起薛岔区的地质特性入手，详细介绍了复杂结构井的渗流机理和工程应用、钻井完井工艺技术、开采工艺和增产技术，以及在复杂结构井延长低渗透油田产业化示范的情况。本书可供从事油气勘探、油气开发的科研和生产人员参考，亦可作为石油工程专业师生的参考书。（荷梅）

低渗透油气田概论——迅速崛起的鄂尔多斯盆地

胡文瑞 著
石油工业出版社
ISBN 978-7-5021-7043-1
2009年3月
16开　249页　68.00元

内容提要：本书是一部以鄂尔多斯盆地低渗透油气藏开发为样本，专题论述低渗透油气田勘探开发及管理的著作。（库布其）

鄂尔多斯奥陶纪地层岩石岩相古地理

冯增昭等 著
地质出版社
ISBN 7-116-02545-6
1998年8月
16开　144页　38.00元

内容提要：作者依据大量的野外露头剖面资料、钻井剖面资料和地震剖面资料，运用综合地层学的方法，基本上解决了鄂尔多斯地区奥陶系以组为单位的划分对比问题；对该地区的各种岩石类型，尤其是各种白云岩，做了认真的岩石学、矿物学和地球化学分析研究，并对其形成机理进行了深入的阐述；用单因素分析综合作图法，编制出了该地区奥陶纪各期的单因素图29幅，定量岩相与地理图10幅，并对其古地理特征和演化进行了系统的论述。本书可供基础地质和油气勘探的科技人员和师生参考。（荷梅）

鄂尔多斯草原生态快速恢复技术研究与实践应用

杨永锋、胡卉芳 主编
中国农业科学技术出版社
ISBN 978-7-5116-4781-8
2020年9月
16开 312页 68.00元

内容提要：本书立足鄂尔多斯当地实际，收录了24篇20世纪60年代至今开展的草原生态恢复技术的调查研究论文和四篇项目实施报告，认真总结历史和现实几十年来草原生态环境保护建设的经验和教训。这些成果不仅在当时具有很强的指导意义，而且对目前及今后深入开展草原生态保护建设也具有学习参考价值。（荷梅）

鄂尔多斯草原与纳米结构SiO_2

李敏、钟永安 著
中国农业大学出版社
ISBN 978-7-81117-699-5
2009年7月
16开 183页 60.00元

内容提要：本书从作者半个多世纪草地科学研究和教学实践中，筛选和归纳出3项主要工作领域，收录了关于鄂尔多斯草原研究已发表和未发表的文章，特别是牧草生物化学纳米结构SiO_2的成果。（库布其）

鄂尔多斯地台西缘及南缘寒武纪地层及三叶虫动物群

袁金良等 著
科学出版社
ISBN 978-7-03-050419-7
2016年11月
16开 548页 278.00元

内容提要：本书详细记载陕西、山西、宁夏、内蒙古等地的7条寒武系剖面，系统描述三叶虫5目，28科93属，225种（未定种），其中10新属、1新亚属、50新种，自上而下可划分为14个三叶虫带。根据三叶虫属种的地质时限和地理分布，将本区的寒武系与国内外同期地层进行了精确对比，探讨了中朝地台西区寒武系岩相变化规律以及中朝地台区寒武纪三叶虫的分类及演化趋向。（荷梅）

鄂尔多斯地质韵语

杨俊杰 著
陕西旅游出版社
ISBN 7-5418-1955-7
2004年
32开 125页 19.80元

内容提要：本书收录了作者在进行鄂尔多斯盆地石油天然气地质勘探和理论研究时创作的诗词作品。（荷梅）

鄂尔多斯高原北部生态水文演变与水功能区管理红线

王芳、王琳 著
中国水利水电出版社
ISBN 978-7-5170-6093-2
2017年12月
16开 208页 88.00元

内容提要：本书介绍了鄂尔多斯高原北部半干旱区植被生态水文演变及机理，以及河流-含水层-湖沼湿地水文循环特点及河流水沙、含水层与湿地生态演变过程，分析了区域内存在的主要水生态问题等内容。（荷梅）

鄂尔多斯高原碱湖螺旋藻

乔辰、栗淑媛 著
科学出版社
ISBN 978-7-03-036976-5
2013年3月
16开 436页 128.00元

内容提要：本书是内蒙古农业大学螺旋藻课题组和合作单位十多年来研究工作的总结，较全面、系统地介绍了鄂尔多斯高原碱湖螺旋藻的发现、分类、形态解剖结构、生理生化、分子生物学、生物活性物质以及鄂尔多斯高原螺旋藻产业的发展和现状等内容，并附有260多幅插图和照片，是一部较全面介绍我国鄂尔多斯高原碱湖螺旋藻种质资源的开创性研究专著。（荷梅）

鄂尔多斯高原砒砂岩区植被时空格局与生态承载力

冯益明 主编
中国林业出版社
ISBN 978-7-5219-0981-4
2021年6月
16开 238页 80.00元

内容提要：本书重点介绍了关于鄂尔多斯高原砒砂岩区植被时空格局与生态承载力的研究成果，主要包括鄂尔多斯高原砒砂岩区植被时空格局与演变规律、砒砂岩区植被稳定格局形成机理、植被退化与土壤侵蚀互馈机制以及砒砂岩区生态承载力评价及其调控对策，为砒砂岩区生态治理和恢复提供科学依据。（荷梅）

鄂尔多斯高原维管植物

赵一之 编著
内蒙古大学出版社
ISBN 978-7-81115-015-8
2006年9月
16开 300页 38.00元

内容提要：本书是一部经过重新整理和研究后编写的鄂尔多斯高原维管植物名录，共有野生维管植物89科343属704种（栽培种除外），并在此基础上对其植物区系生态地理分布做了比较全面的分析研究。（荷梅）

鄂尔多斯高原盐沼湿地遗鸥繁殖地生态景观保护研究

刘文盈等 著

吉林大学出版社
ISBN 978-7-5601-7807-3
2011年10月
16开　176页　26.00元

内容提要：本书主要研究鄂尔多斯沙漠高原盐沼湿地遗鸥繁殖地的生态景观保护，主要阐述了湿地资源及研究的背景和意义，以及对鄂尔多斯高原盐沼湿地生态需水、生物多样性、生物群落结构与环境影响因子关系、生态景观研究结果的分析。（荷梅）

鄂尔多斯高原野生维管植物图鉴

闫志坚等　著
科学出版社
ISBN 978-7-03-051275-8
2016年12月
16开　418页　249.00元

内容提要：本书主要通过大量野外采集标本及实拍照片记录了鄂尔多斯高原野生维管植物共96科335属613种（包括亚种、变种和变型）。（荷梅）

鄂尔多斯古岩溶气藏地质特征及成藏富集规律

代金友、晏宁平　编著
石油工业出版社
ISBN 978-7-5183-0991-7
2016年1月
16开　231页　88.00元

内容提要：本书对鄂尔多斯古岩溶气藏碳酸盐岩高频旋回地层层序进行分析，建立小尺度、高精度的等时地层格架，分析古岩溶储层构造形态、沉积微环境、成岩储集相、岩溶古地貌的时序演化规划，研究有利沉积相带、有利局部构造、有利成岩相带、有利古岩溶地貌单元之间的时空共生关系，探讨古岩溶气藏碳酸盐岩储层流动单元刻画方法及其分布规律，总结气藏成藏条件，论述多期古岩溶作用机理及其叠加控藏机制，最终对古岩溶气藏地质特征和天然气成藏富集规律提出系统、科学、规律性的认识。本书可供从事古岩溶气藏油气勘探、地质特征、成藏富集规律研究工作的科研人员以及高等院校相关专业的师生参考使用。（荷梅）

鄂尔多斯花卉

丁崇明　著
内蒙古大学出版社
ISBN 978-7-5665-0015-1
2011年12月
16开　652页　380.00元

内容提要：本书从花卉起源、栽培简史、原产分布、观赏用途等方面入手，通过大量反复实践所凝聚成的文字和图片，从不同侧面翔实、形象、生动地展示了鄂尔多斯独特的花卉资源，内容充实，文字通畅，博采古今，征引中外，突出了时代特点、地域特色、专业特色，具有强烈的纪实性、文献性和知识性。（荷梅）

鄂尔多斯林业有害生物防治实务全书

刘朝霞　主编

中国农业科学技术出版社

ISBN 978-7-5116-0974-8

2012年12月

16开　510页　98.00元

内容提要：本书共分九章，介绍了鄂尔多斯及其森防工作概况、有关病理、昆虫及其防治等基础知识，收录了涉及林业有害生物防治的重要林业法律法规和规范性文件，书后附有国家印发的《林业有害生物防治技术标准》以及一些病虫害图谱。（荷梅）

鄂尔多斯蜜源植物

丁崇明　著

内蒙古大学出版社

ISBN 978-7-81115-708-6

2009年9月

16开　297页　480.00元

内容提要：本书分四部分。第一部分介绍了鄂尔多斯蜜源植物的开发利用、分类等。第二部分选收主要蜜源植物50种，详细地介绍了形态特征、生境分布等。第三部分选收辅助蜜源植物74科，402种。第四部分选收有毒蜜源植物7种。书中每种植物均附有彩色插图。（荷梅）

鄂尔多斯牧草生产与利用技术

李海军、高秀芳　主编

中国农业科学技术出版社

ISBN 978-7-5116-5341-3

2021年6月

16开　252页　60.00元

内容提要：本书紧密联系当前生产实际，在参考许多同行专家的著作和最新研究成果的基础上，总结、研究历年牧草生产与利用经验，本着理论联系实际、简明实用的原则，对牧草生产与利用实用性技术进行了较为系统的论述，并详细介绍了秸秆贮制等技术。（荷梅）

鄂尔多斯柠条

吕荣、魏裕峰　主编

内蒙古人民出版社

ISBN 978-7-204-09219-2

2007年12月

16开　156页　28.00元

内容提要：本书主要介绍了鄂尔多斯市的自然概况、地理位置、气候资源、矿产资源、柠条资源等。（荷梅）

鄂尔多斯盆地奥陶纪层序岩相古地理

付金华等　著

石油工业出版社

ISBN 978-7-5183-3672-2

2020年10月

16开　185页　120.00元

内容提要：本书以鄂尔多斯盆地奥陶系为研究对象，系统进行了奥陶系层序岩相古地理分析，提出了针对鄂尔多斯盆地地质条件的层序岩相古地理研究思路和方法。通过对奥陶系层序地层格架的建立，研究了以层序为单元的沉积相特征，采用单因素定量分析方法编制了岩相古地理工业图件，在此基础上恢复了奥陶系不同时期的岩相古地理特征，梳理出不同大地构造单元沉积环境的变迁史，总结了不同时空碳酸盐台地沉积模式，结合奥陶系成藏地质条件的分析，指出了碳酸盐岩天然气有利勘探层系和有利勘探方向。（荷梅）

鄂尔多斯盆地奥陶系沉积、古岩溶及储集特征

张锦泉等　著

成都科技大学出版社

ISBN 7-5616-2277-4

1993年6月

16开　7.50元

内容提要：本书系"七五""八五"国家油天然气总公司大中气田攻关项目的所属课题，是在与长庆石油勘探局石油普查大队合作完成的六个科研报告的基础上编写而成，其主要成果明确指出东台西槽、东升西降是鄂尔多斯地区沉积环境变迁的主要控制因素，发展和不平衡沉积体系的配置是沉积作用的主要特点，南北向中央隆降带的存在是区域古地理景观的主要格局。将鄂尔多斯早奥陶世沉四种沉积体系、15种相带，重新建立了东部克拉通内陆表海碳酸盐模变陡的碳酸盐缓坡模式以及西南缘、南缘的陆缘海镶边碳酸盐台地模式。（荷梅）

鄂尔多斯盆地奥陶系碳酸盐岩储层图集

侯方浩等　著

四川人民出版社

ISBN 7-220-05954-X

2002年7月

16开　179页　268.00元

内容提要：本图集分两个部分。第一部分对鄂尔多斯盆地的区域地质特征、地层划分及层序地层格架、盆地的沉积环境模式及岩相古地理进行了简要论述。第二部分为碳酸盐岩储层彩色照片图版，涵盖了鄂尔多斯盆地奥陶系的主要岩石类型、沉积、成岩构造、空隙结构及代表性取心井段典型结构剖面等。（荷梅）

鄂尔多斯盆地北部矿井沉积控压规律研究

申斌学等　著

应急管理出版社

ISBN 978-7-5020-8492-9

2021年5月

16开　179页　68.00元

内容提要：本书选取鄂尔多斯盆地北部葫芦素、门克庆、母杜柴登及纳林河二号矿等典型矿井为研究对象，着重对冲击地压形成的地质因素开展研究。从区域沉积地质背景角度去探索可能导致冲击地压的大能量矿震事件与覆岩的形成环境和时空分布规律之间的关联性，并以井田为尺度进行基于沉积地质条件的矿井冲击地压危险性宏观分区，对于制订有针对性的防冲方案、预测预报和预防冲击地压事故等具有重要的现实指导意义。（荷梅）

鄂尔多斯盆地北部天然气耗散与成岩成矿效应

张龙等 著

中国石化出版社

ISBN 978-7-5114-5729-5

2020年4月

16开 190页 68.00元

内容提要：本书以天然气与砂岩型铀矿共存富集的鄂尔多斯盆地北部为解剖地区，论述了研究区能源矿产形成富集的区域构造背景。（荷梅）

鄂尔多斯盆地储层横向预测技术

蒋加钰 著

石油工业出版社

ISBN 978-7-5021-5253-6

2005年6月

16开 213页 58.00元

内容提要：本书汇集了19篇论文，较系统地阐述了鄂尔多斯盆地岩性油气藏储层的地震预测技术系列及工作流程，同时也较系统地反映了20年来储层预测在鄂尔多斯盆地岩性油气藏勘探开发的作用与技术进步。（荷梅）

鄂尔多斯盆地大牛地气田水平井压裂技术进展

郑锋辉 编著

中国石化出版社

ISBN 978-7-80229-679-4

2008年7月

16开 260页 30.00元

内容提要：本书针对低压低渗气藏地质特点，介绍了压裂工艺研究与发展过程，对于类似油气藏的开发具有很好的借鉴意义。主要内容包括大牛地气田区域构造特征、气藏地质特点、压裂气藏工程研究、压裂液体系研究、压裂工艺技术、压裂过程诊断技术、压后效果评估等。（荷梅）

鄂尔多斯盆地大牛地气田致密砂岩气藏勘探与开发关键技术

郝蜀民等 著

石油工业出版社

ISBN 978-7-5183-0500-1

2014年12月

16开 434页 90.00元

内容提要：本书以鄂尔多斯盆地大牛地气田为例，以层序地层学、沉积学、天然气地质学、盆地分析等学科理论为指导，系统阐述了多学科勘探、开发大型致密-低渗透隐蔽性气田的关键技术，形成了以含煤岩系致密砂岩储层为目标的三维地震储层预测技术系列，从储层展布、厚度、物性、含气检测等方面进行了定性、定量预测评价；针对气田低压、低渗、低产、多层系的特点和难点，制定出立体开发的对策，形成了气藏精细描述、优化布井、产能评价、开发指标优化等技术；针对上古生界致密储层研究形成大型压裂技术，大规模水平井开发技术。本书适合于从事天然气勘探、开发的专业技术人员使用，也可供大专院校师生、科研院所相关人员参考。（荷梅）

鄂尔多斯盆地大牛地气田致密砂岩气成藏理论与勘探实践

郝蜀民等 著

石油工业出版社

ISBN 978-7-5021-8317-2

2011年8月

16开 301页 80.00元

内容提要：本书以鄂尔多斯盆地大牛地气田为例，论述了大牛地气田石炭—二叠系由海向陆地质演变过程中三大沉积体系天然气成藏规律、地质评价方法、有利勘探目标，提出了石炭—二叠系压力"封存箱"的成因与演化及其与天然气藏分布的关系。（荷梅）

鄂尔多斯盆地地质剖面图集

何自新等 主编

石油工业出版社

ISBN 978-7-5021-4774-8

2004年12月

8开 422页 560.00元

内容提要：本书以露头剖面由老到新的地层层序拍摄为主，以典型岩心及古生物照片结合石油、天然气地质特点和要求进行编排。（荷梅）

鄂尔多斯盆地低渗透储层特征及开发参数设计——以甘谷驿油田长6油层组为例

张新春 著

中国石化出版社

ISBN 978-7-5114-4687-9

2018年1月

16开 156页 58.00元

内容提要：本书依据储层岩石学、测井地质学、岩石物理学、三维地质建模技术及储层实验分析等技术，系统地研究了甘谷驿油田长6段储层的沉积特征、孔隙结构特征、非均质性特征、渗流机理及对注水开发的影响，唐80井区与唐114井区长6段储层受孔隙结构及储层物性的影响，不同的井组经过注水开发，后期的产能效果差别较大，并依据储层特征及地质综合建模分析，优化了唐80井区与唐114井区的注水井网部署，加大后期井网调整，实现高产能基础上的高效开发。（荷梅）

鄂尔多斯盆地低渗透油气田开发技术

王道富等 主编

石油工业出版社

ISBN 7-5021-4336-X

2003年8月

16开 311页 58.00元

内容提要：本书回顾总结了多年来对鄂尔多斯盆地低渗透油气田开发的实践、理论研究和工艺技术。通过这些实践经验和技术成果的总结，更好地认识和了解了低渗透油气田的开发过程，同时在技术处理和工艺方法上有较好的借鉴作用。（荷梅）

鄂尔多斯盆地低渗透油田地面工艺技术

文红星等 主编

石油工业出版社

ISBN 978-7-5183-0630-5

2015年4月

16开　316页　98.00元

内容提要：本书主要包括低渗透油田油气集输、采出水处理、清水处理等方面的工艺技术，通过这一系列工艺技术的应用，使鄂尔多斯盆地低渗透、超低渗透油田的开发更加高效、经济。同时通过对鄂尔多斯盆地低渗透油田地面工艺技术的总结，为国内外同类油田地面工艺提供宝贵经验。（荷梅）

鄂尔多斯盆地东北部层序地层及沉积体系分析——侏罗系富煤单元的形成、分布及预测基础

李思田等　编著

地质出版社

ISBN 7-116-01136-6

1992年11月

16开　194页　13.20元

内容提要：本书共分11章，包括思路和研究方法、地质背景、成因地层单元的划分、相和沉积体系、沉积及聚煤演化史、比较沉积学和过程分析、煤和沉积矿产资源潜力预测等。（荷梅）

鄂尔多斯盆地东北部延长组长9油层组成藏条件与成藏特征

时保宏　著

陕西科学技术出版社

ISBN 978-7-5369-6404-4

2015年4月

16开　120页　25.00元

内容提要：本书通过利用石油钻井、测井、录井及大量化验分析资料，对鄂尔多斯盆地东北部延长组长9油层组沉积特征、储层特征、油源条件、运移动力、运移动力及通道、流体性质、油藏类型、成藏机理和成藏模式进行了较系统的研究。（荷梅）

鄂尔多斯盆地东部奥陶系风化壳岩溶古地貌与储层特征

王建民　著

石油工业出版社

ISBN 978-7-5021-9905-0

2013年12月

16开　193页　50.00元

内容提要：本书介绍了鄂尔多斯盆地东部奥陶系碳酸盐岩风化壳的基本地质特征，建立了全区地层格架，落实了风化壳上、下地层的现今构造特征及古构造演化特点，并对风化壳古地貌进行了恢复，建立了盆地东部古岩溶发育模式，总结了岩溶储层发育的主控因素，并预测了古岩溶有利区带。（荷梅）

鄂尔多斯盆地东南部上古生界沉积储层与天然气富集规律

王香增等　著

科学出版社

ISBN 978-7-03-052018-0

2017年6月

16开　256页　268.00元

内容提要：本书以储层沉积学、石油地质学、测井地质学、层序地层学等

油气地质理论为指导，针对鄂尔多斯盆地"南油北气"分布格局的传统认知，综合运用露头、测井、岩心及大量分析化验等资料，对盆地东南部上古生界主力产层的沉积-储层-成藏进行了全面系统介绍，阐明了海陆变迁背景下层序格架内多物源供给储集砂体的宏观展布规律与微观储集特征，理清了控制储层成岩与主控因素，明晰了上古生界天然气的成藏特征和富集规律等。（荷梅）

鄂尔多斯盆地东南部延长组湖盆致密砂岩储层层序地层与油气勘探

谢渊等　著
地质出版社
ISBN 978-7-116-04126-4
2004年6月
16开　143页　40.00元

内容提要：本书以鄂尔多斯盆地东西部油气勘探程度相对较低的富县老城区延长组致密砂岩为研究对象，应用陆相层序地层学、储层沉积学、储层地质学及微量元素地球化学等理论和测试手段，系统研究了该区延长组沉积相、层序地层及储层特征，综合分析了致密砂岩储层的成因与分布和层序地层格架内生储盖组合特征及其分布、油气成藏条件及主要成藏模式，并对有利油气勘探区块进行了预测与评价，为该区延长组油气勘探的深入提供了重要的科学依据。（荷梅）

鄂尔多斯盆地东胜气田致密低渗透砂岩气藏精细描述

王国壮等　编著
石油工业出版社
ISBN 978-7-5183-4572-4
2021年4月
16开　184页　95.00元

内容提要：本书对鄂尔多斯盆地东胜气田主要含气层系盒1段、盒3段进行了系统的描述，主要内容包括小层划分与对比、沉积相及沉积模式分析、致密砂岩储层综合评价、单砂体精细识别及心滩砂体构型刻画技术应用、致密砂岩气藏特征及气藏类型划分、气藏高产气层地质特征及高产主控因素、气藏三维储层地质模型建立等。（荷梅）

鄂尔多斯盆地非地震油气勘探

王锡福、陈安福　主编
地质出版社
ISBN 7-116-01144-7
1992年12月
16开　256页　12.40元

内容提要：本书介绍了油气勘探样品采集、分析测试技术、数据处理方法、油气地球化学异常模式的建立等内容。（荷梅）

鄂尔多斯盆地构造体系控油作用研究

康玉柱、王宗秀　著
地质出版社
ISBN 978-7-116-08717-0
2014年2月

16开　182页　58.00元

内容提要：本书以地质力学理论为指导，采用野外地质调研与室内研究相结合，油气地质与地球物理相结合，盆地与造山带相结合的方式对鄂尔多斯盆地构造体系控油作用进行研究。（荷梅）

鄂尔多斯盆地构造演化与油气分布规律

杨俊杰　著

石油工业出版社

ISBN 7-5021-3801-3

2002年7月

16开　228页　55.00元

内容提要：本书是一部全面、系统研究鄂尔多斯沉积盆地石油、天然气地质的专著。全书分为八章。第一章和第二章分析区域构造体系对鄂尔多斯盆地的地质影响，论证构造演化，划分构造单元，总结油气地质基本特征。第三章、第四章和第五章总结构造、沉积作用与油气分布的内在规律，阐释油、气成藏机理，油、气富集条件与勘探方法，第六章、第七章、第八章回溯油、气勘探历程，总结油、气勘探技术，探讨油、气勘探方略及油、气地质学发展前景。（荷梅）

鄂尔多斯盆地古生界含油气岩系有机-岩石学研究及天然气生成条件与评价

贝丰、吴征等　著

成都科技大学出版社

ISBN 7-5616-3150-2

1995年9月

16开　152页　25.00元

内容提要：本书密切结合当前鄂尔多斯盆地找气的需要，围绕古生界天然气生成条件及资源评价，提出了新思路，引入了多项新技术、新方法，圆满完成任务，取得了丰富的研究成果：一、首次确认了下古生界碳酸盐岩系中具有还原-强还原沉积环境，有利于良好烃源岩发育。二、系统的有机地化研究揭示了奥陶系碳酸盐岩是一套良好烃源岩。三、确认原生-同层沥青的普遍存在，更从"生油-排烃"的真正烃源岩的意义上，直观、可信地证实了下古生界烃源岩的发育。四、首次通过正反演双向热史数值模拟和磷灰石-锆石径迹古地温，使得盆地古地温史恢复可信度大大提高。五、结合成熟度史模拟和成岩-成烃演化，提出了盆地下古生界奥陶系成烃演化模式。六、利用模糊判别原理对盆地奥陶系天然气生成条件进行了远景分区评价。七、根据研究成果对盆地下一步勘探方向和选区提出了具有实际意义的建议。（荷梅）

鄂尔多斯盆地黄土地区工程建设常见地质灾害研究

刘伟等　编著

中国建筑工业出版社

ISBN 978-7-112-23202-4

2019年5月

16开　268页　68.00元

内容提要：本书的主要内容包括鄂尔多斯盆地的地质概况、鄂尔多斯盆地黄土地区地质条件及常见灾害、黄土基本概念及性质、湿陷性黄土基本概念与特殊性质、湿陷性黄土浸水试验研究、湿陷性黄土地基处理方法、边坡工程概述、边坡破坏机理、黄土边坡治理方法、黄土滑坡基本概念与监测评价、工程实例、填方工程的概念及工程特点、填方地基变形机理、下覆地基及填筑土体变形形状试验研究、填方地基沉降数值模拟研究、填方地基变形机理及处理措施研究、填土边坡的稳定性分析、结论与展望。（荷梅）

鄂尔多斯盆地黄土塬三维地震综合解释关键技术

范久霄等　编著
石油工业出版社
ISBN 978-7-5183-4172-6
2020年12月
16开　144页　80.00元

内容提要：本书系统介绍了鄂尔多斯盆地南部黄土塬区地震资料存在的问题及地震资料评价标准，揭示了不同类型地震资料构造解释及储层预测难点，给出不同类型储层的岩石物理特征和地震反射特征，以及不同类型储层的储层预测方和不同资料品质区的断层及裂缝解释方，为鄂尔多斯盆地黄土塬区复杂地震资料及其他相似地震资料条件下的构造精细解释和储层有效预测提供参。（荷梅）

鄂尔多斯盆地靖边气田开发技术与实践

张振文等　主编
石油工业出版社
ISBN 978-7-5183-0386-1
2014年10月
16开　224页　90.00元

内容提要：本书根据靖边气田十多年来的开发实践，从理论、技术和管理等方面，系统总结了靖边气田开发过程中的高效开发技术，以及形成的一整套具有碳酸盐岩气藏开发特色的"靖边模式"，展示了其开发成果和技术进步，是下古生界低渗透气藏开发经验的结晶。（荷梅）

鄂尔多斯盆地聚煤规律及煤炭资源评价

王双明　主编
中国煤田地质总局　著
煤炭工业出版社
ISBN 7-5020-1353-9
1996年7月
16开　464页　99.00元

内容提要：本书全面系统地阐述了鄂尔多斯盆地地层发育特征及古生物特征，建立了完整的地层系统，特别对煤地层重点研究；运用新全球构的概念进行了构造单元划分；在以上基础上，运用现代沉积学基本理论，首次用沉积体系链的概念解释聚煤事件三个发展阶段的沉积环境；以创新的思路提出了煤炭资源综合评价的方法及参数，首次对研究区煤炭资源进行综合评价。（荷梅）

鄂尔多斯盆地矿产资源共生现状及油气开发战略

周荔青等　著
中国石化出版社
ISBN 978-7-5114-6116-2
2021年6月
16开　160页　168.00元

内容提要：本书针对鄂尔多斯盆地多种能源矿产资源叠置现状和赋存特点，划分了矿产资源叠置组合类型和六个协调勘查区域，分析了石油-煤炭、天然气-煤炭、煤-煤层气之间开采的相互影响因素，为多资源协调开发战略布局提供了基础。并提出了"油气与煤同采"关键技术方案，技术方案属全国首创。全书共八章，分别对鄂尔多斯盆地矿产资源的配置现状、共生模式以及油气资源的勘探开发思路、技术进行了系统阐述。（荷梅）

鄂尔多斯盆地煤系矿产赋存规律与资源评价

曹代勇、魏迎春等　著
科学出版社
ISBN 978-7-0306-0729-4
2019年4月
16开　313页　278.00元

内容提要：本书以鄂尔多斯盆地石炭纪-二叠纪煤系和侏罗纪煤系为目标，开展煤系矿产资源（以煤系气和煤中金属元素为主）综合研究，查明了鄂尔多斯盆地煤系矿产发育种类及时空分布特征，划分了煤系矿产共生组合类型。从煤系矿产形成的原生条件和后期构造-热演化控制的角度，揭示了鄂尔多斯盆地煤系矿产资源的赋存规律，建立了煤系矿产耦合成矿模式，评价了鄂尔多斯盆地煤系矿产资源潜力，估算了鄂尔多斯盆地煤系气和煤中金属元素等主要煤系矿产资源量，确定了鄂尔多斯盆地煤系综合矿产资源有利区。（荷梅）

鄂尔多斯盆地煤铀协调开采扰动岩层多场耦合特征

张通等　著
应急管理出版社
ISBN 978-7-5020-7738-9
2021年1月
16开　140页　32.00元

内容提要：本书基于煤铀赋存环境，对煤、砂质泥岩及砾岩进行微观孔隙形态及物质成分分析，完整砂岩、砂质泥岩，裂隙砂岩、砂质泥岩岩样及大尺度砾岩含水层多孔介质进行室内应力-渗流试验；结合数值模拟，模拟松散砂岩含铀含水层铀矿地浸开采中溶质化学反应-输运过程及单、双裂隙介质应力-渗流-溶质输运耦合过程；研发煤铀协调开采试验台、构建数值模型，分别运用透明材料、FLAC3D-CFD模拟器模拟煤铀共采、先铀后煤及先煤后铀开采情景，探索煤铀开采扰动岩层中应力场、裂隙场、渗流场及溶浸液化学反应-溶质输运耦合特征，提出煤铀开采走廊及煤铀隔离走廊技术概念，制定煤铀协调开采安全等级初步评价标准。（荷梅）

鄂尔多斯盆地南部奥陶系生物礁滩分布与油气地质意义

杨友运等　著
科学出版社
ISBN 978-7-03-062910-4
2019年11月
16开　364页　328.00元

内容提要：本书是在对我国鄂尔多斯盆地南部地区奥陶系生物礁滩详细研究的基础上总结、凝练、升华而成的。地质、测井、地震及地球化学分析的方法手段联合应用、穿插分析，首次系统地揭示了鄂南地区奥陶系生物礁滩的类型、特征、分布规律及其发育、分布的主控因素。（荷梅）

鄂尔多斯盆地南部复杂构造区致密油藏储层特征及渗流规律

何发岐等　编著
石油工业出版社
ISBN 978-7-5183-3875-7
2020年6月
32开　274页　78.00元

内容提要：本书系统介绍了鄂尔多斯盆地南部复杂构造区不同类型油藏微观孔隙结构特征和渗流机理；揭示了不同类型储层开发潜力，开发难易程度，分析水驱油特征及驱油机理；给出了不同类型储层合理开发技术及动用条件，为鄂尔多斯盆地致密油藏及其他相似油藏有效开发研究提供参考，具有指导借鉴意义。（荷梅）

鄂尔多斯盆地南部中生界成油体系

牟泽辉等　著
石油工业出版社
ISBN 978-7-5021-3322-1
2001年5月
16开　120页　20.00元

内容提要：本书系统地论述了鄂尔多斯盆地南部中生界成油体系特征，首次全面重点地论述了该地区三叠系延长组、延安组的沉积体系特征及展布规律、储层成岩作用及储集空间演化、成藏动力学背景，提出了适合于本区的储层参数预测方法及圈闭评价方法。（荷梅）

鄂尔多斯盆地南缘地质剖面图集

杨华等　主编
石油工业出版社
ISBN 978-7-5183-1406-5
2016年9月
8开　503页　600.00元

内容提要：本书收录了鄂尔多斯盆地南缘地区中新元古界、奥陶系海槽沉积、三叠系红岩和延长组长7段共49条野外露头剖面点。（荷梅）

鄂尔多斯盆地平凉期沉积构造演化及页岩气勘探潜力

邓昆等　著
科学出版社
ISBN 978-7-03-049575-4
2016年08月
16开　93页　59.00元

内容提要：本书系统阐述了鄂尔多

斯盆地奥陶纪平凉期沉积构造演化史，分析了平凉期页岩气富集地质条件，包括页岩的岩矿特征、发育规模、埋深、地球化学指标、微-纳米孔隙类型及页岩储层及含气性影响因素，与南方下志留统龙马溪组页岩气差异性开展讨论，介绍了平凉期页岩气勘探潜力。（荷梅）

鄂尔多斯盆地三叠纪延长组沉积期湖盆边界与底形及事件沉积研究

杨华 著

地质出版社

ISBN 978-7-116-05920-7

2009年1月

16开 153页 45.00元

内容提要：本书从华北板块出发，系统深入地研究了鄂尔多斯盆地三叠纪延长组沉积期湖盆边界、底形以及在湖盆沉积演化过程中所发生的浊流事件和地震事件所产生的事件沉积特征及其成因。（荷梅）

鄂尔多斯盆地三叠系延长组底面凹凸构造及其演化与油藏分布

高胜利、杨金侠 著

科学出版社

ISBN 978-7-03-055708-7

2017年12月

16开 126页 138.00元

内容提要：本书从鄂尔多斯盆地三叠系延长组湖盆沉积及沉降中心及其迁移规律研究入手，尽可能搞清楚其构造演化背景，研究延长组各小层沉积时期底面凹凸构造及其演化特征，考察大量生烃时期各小层底面凹凸构造面貌及其演化，探索各沉积层底面凹凸构造与油藏分布的关系，油气运聚动力特征。（荷梅）

鄂尔多斯盆地晚三叠世沉积地质与油藏分布规律

杨华、陈洪德、付金华 著

科学出版社

ISBN 978-7-03-034393-2

2012年6月

16开 335页 128.00元

内容提要：本书着眼于鄂尔多斯晚三叠世盆地延长组岩性油气藏勘探，介绍鄂尔多斯晚三叠世盆地延长组油气勘探的理论思想与技术方法，并从鄂尔多斯晚三叠世大型内陆湖盆沉积演化入手，从沉积学、层序地层学、古地理学、储层砂体精细描述以及岩性地层油藏成藏特征、油藏分布规律等方面进行综合分析和理论总结。（库布其）

鄂尔多斯盆地砂岩型铀矿成矿地质背景

金若时等 著

科学出版社

ISBN 978-7-0306-2247-1

2019年9月

16开 288页 258.00元

内容提要：本书主要分析研究了中国北方古生代末期古亚洲洋闭合后，中生代时期大陆内山盆形成过程中，盆地内沉积物质形成及时空演化为砂岩型铀矿成矿而提供的铀成矿有利环境条件。

通过对比研究大量铀、煤、油钻孔等实际资料，以沉积盆地为单元，充分运用地质原理及测试分析，研究了盆地的基础地质、地球物理、地球化学、遥感影像特征，并用以恢复认知沉积环境条件变化所带来的有利成铀地质背景。（荷梅）

鄂尔多斯盆地砂岩型铀矿成矿作用

金若时等　著
科学出版社
ISBN 978-7-03-065955-2
2020年9月
16开　309页　288.00元

内容提要：本书以鄂尔多斯盆地为研究对象，以盆地为整体单元来认识砂岩型铀矿形成的沉积环境；以矿集区为单元来分析铀矿的成矿规律；以典型矿床剖析为着力点，提炼流体-岩石相互作用成矿的控矿要素。分析铀矿形成的"源""运""储"过程，探索铀矿形成机理，揭示中国北方砂岩型铀矿形铀的超常富集机制。本书提出了"虹吸潟湖"原理和"循环脉动"机制，以及受盆地跌宕运动控制的砂岩型铀成矿模型，即跌宕成矿模型。（荷梅）

鄂尔多斯盆地陕北地区低渗透砂岩储层特征及油藏富集规律

马瑶、李文厚　著
中国石化出版社
ISBN 978-7-5114-5068-5
2017年2月
16开　168页　52.00元

内容提要：本书围绕当前石油领域热点方向——低渗透砂岩储层及油藏，选择油气勘探开发潜力大且综合研究程度相对较低的鄂尔多斯盆地陕北地区为研究目标，开展专业领域的系列研究，在运用优选实验分析技术综合分析储层特征的基础上，建立适用于该领域油气储层勘探评价的标准，明确该区油气富集规律。本书为低渗透油气藏勘探开发提供理论支撑，也为我国油气生产提供科学依据，有着重要的现实意义。（荷梅）

鄂尔多斯盆地深部流体地球化学研究

潘爱芳等　著
石油工业出版社
ISBN 7-5021-5441-8
2006年3月
16开　171页　30.00元

内容提要：本书从元素地球化学角度系统研究了鄂尔多斯盆地能源矿产分布与基底断裂的关系以及中生代以来深部流体活动及其对多种能源矿产成藏（矿）作用的贡献，探讨了深部流体在能源矿产成藏（矿）中的作用，提出和讨论了鄂尔多斯盆地成藏（矿）的地球化学标志，预测了盆地内多种能源矿藏成藏（矿）的有利区段。（荷梅）

鄂尔多斯盆地特低渗透油田开发

王道富　著
石油工业出版社
ISBN 978-7-5021-5961-0

2007年3月

16开　345页　98.00元

内容提要：本书结合鄂尔多斯盆地三叠系延长组特低渗透油藏的客观实际，系统讲述了低渗透油藏开发的理论和方法。通过对大量实例的分析，简明扼要地说明了特低渗透油田的地质特征、开发特征及注水开发中可能遇到的问题和处理，是对鄂尔多斯盆地特低渗透油田注水开发实践的总结。（荷梅）

鄂尔多斯盆地天然裂缝与注水诱导裂缝

曾联波、赵向原　著

科学出版社

ISBN 978-7-0306-1777-4

2019年7月

16开　272页　218.00元

内容提要：本书以鄂尔多斯盆地上三叠统延长组致密低渗透砂岩油藏为例，在研究天然裂缝的形成机理、主控因素与分布规律的基础上，重点介绍了注水诱导裂缝概念、形成条件、形成机理、控制因素及其识别与预测方法，探讨了致密低渗透油藏在注水开发过程中的裂缝动态变化规律及对开发的影响，成果对致密低渗透油藏中后期注水开发具有重要的指导作用。（荷梅）

鄂尔多斯盆地晚古生代以来古地磁研究

马醒华等　编著

地震出版社

ISBN 978-7-5028-0783-7

1992年12月

16开　99页　7.00元

内容提要：本书依据对在鄂尔多斯盆地的韩城、铜川等7条剖面144个采样点上采集的约1500个下二叠统至下白垩统样品进行测试和实验研究所得的数据，以世（统）为单位计算了古地磁极位置和采样地区古纬度，绘制了鄂尔多斯盆地晚古生代以来视极移曲线和地块古方位变化图，提出了华北地块运动模式，并通过与现有的华南地块资料的综合对比分析，提出华北地块与华南地块的碰撞在东部始于晚三叠世之前，全部拼合完成于中侏罗纪。（荷梅）

鄂尔多斯盆地西南部延长组致密砂岩储层微观特征

杨友运、赵永刚、陈朝兵　著

中国科技出版传媒股份有限公司

ISBN 978-7-03-065383-3

2020年6月

16开　364页　368.00元

内容提要：本书从致密砂岩的"骨架"、"空隙"（储层中所有空间）、"渗流"三个方面研究储层微观特征，通过长石颗粒溶解模拟、成岩作用与成岩相、孔隙结构参数非均质性等领域的精细研究，探索致密砂岩储层微观骨架、空隙、渗流的主要影响因素，系统地揭示了致密砂岩储层的微观特征及成因。（荷梅）

鄂尔多斯盆地西南部长8沉积相及砂体展布

国吉安、庞军刚 著

石油工业出版社

ISBN 978-7-5183-2978-6

2019年7月

16开 152页 49.90元

内容提要：本书以鄂尔多斯盆地西南部多物源交汇的三角洲相沉积为例，利用岩心、测井、岩矿分析等资料，开展物源体系研究，确定沉积环境和沉积相，重新认识研究区沉积体系，建立新的沉积模式；针对多期叠置的河道砂体，识别单砂体，并刻画单砂体的分布特征，分析叠置砂体发育特征与平面展布规律，分析砂岩储层特征及其对石油富集规律的影响。（荷梅）

鄂尔多斯盆地下古生界海相碳酸盐岩油气地质与勘探

付金华等 著

石油工业出版社

ISBN 978-7-5183-2667-9

2019年1月

16开 218页 150.00元

内容提要：本书综合运用露头、岩心、测井及大量分析化验等资料，针对鄂尔多斯盆地下古生界碳酸盐岩，围绕烃源岩发育特征及生烃潜力评价、储层发育特征、区带成藏、勘探与开发成果、天然气勘探技术等方面展开了全面系统的阐述，有力指导了盆地下古生界的油气勘探，实现了天然气地质理论认识的突破。（荷梅）

鄂尔多斯盆地延长组若干石油地质问题分析

刘化清等 著

科学出版社

ISBN 978-7-03-036204-9

2013年3月

16开 169页 98.00元

内容提要：本书避免了过去"就盆地来研究盆地"的老思路，以全新视角讨论了延长组沉积时期鄂尔多斯原型盆地分布、盆地构造属性及后期改造、盆地层序划分、湖盆底形及其对沉积的控制作用、天环凹陷形成与演化、延长组下组合成藏规律等困扰盆地中生界石油勘探的诸多地质问题，取得了一系列创新地质认识。（荷梅）

鄂尔多斯盆地延长组长7段沉积期深水重力流沉积特征及物理模拟实验

罗顺社等 著

石油工业出版社

ISBN 978-7-5183-4287-7

2021年1月

16开 136页 80.00元

内容提要：本书对鄂尔多斯盆地延长组长7段沉积期重力流沉积鉴别标志、沉积特征、重力流砂体形成过程、时空分布规律、主控因素等进行了详细探讨，对湖泊重力流沉积的理论研究及该区生油层内非常规油气勘探开发具有重大指导意义。（荷梅）

鄂尔多斯盆地油气成藏规律与主控因素

王毅等　著

石油工业出版社

ISBN 978-7-5183-1197-2

2016年5月

16开　192页　80.00元

内容提要：本书从鄂尔多斯盆地的石油地质学基本特征和油气成藏动力学背景入手，详细探讨了鄂尔多斯盆地下古生界、上古生界、中生界油气成藏规律和主控因素，对于深入开展鄂尔多斯盆地油气勘探和成藏研究有重要指导意义。（荷梅）

鄂尔多斯盆地长7致密油成藏机理与富集规律

白玉彬　著

石油工业出版社

ISBN 978-7-5183-0436-3

2014年10月

16开　138页　50.00元

内容提要：本书以鄂尔多斯盆地长7致密油为例，对长7致密储层成、岩演化和孔隙演化、致密机理和致密时间、成藏过程和成藏时间、致密与成藏的关系、成藏机理与成藏模式、富集规律与勘探策略等进行了较全面的探讨分析，指出长7致密油具有连续充注一期成藏、储层致密时间早于主成藏时间、生烃增压为石油运移主要动力、连通孔隙和微裂缝为主要运移通道、形成准连续型石油聚集的成藏模式、石油富集受烃源岩、储层及源储配置的综合影响。（荷梅）

鄂尔多斯盆地致密砂岩气藏储层精细表征

唐颖　著

中国石化出版社

ISBN 978-7-5114-5725-7

2020年5月

16开　144页　68.00元

内容提要：本书主要以鄂尔多斯盆地的苏里格气田为例，详细说明了致密砂岩气藏储层精细描述的技术、方法和成果。（荷梅）

鄂尔多斯盆地致密油勘探理论与技术

付金华　著

科学出版社

ISBN 978-7-03-057189-2

2018年5月

16开　336页　278.00元

内容提要：本书对照国内外典型盆地致密油地质特征，系统总结以鄂尔多斯盆地为代表的陆相致密油勘探地质理论重大突破和配套技术重要进展，包括区域地质特征、致密油大面积富砂机理、富有机质页岩形成机理等地质理论创新成果及水平井钻完井、测井、储层改造等重要配套技术进展，以推动国内致密油等非常规油气资源的规模勘探和效益开发。（荷梅）

鄂尔多斯盆地致密油气开发工程工艺技术

罗懿、李克智　编

中国石化出版社

ISBN 978-7-5114-2524-9

2014年1月

16开　286页　62.00元

内容提要：本书主要介绍如何解决致密油气开发过程中遇到的技术瓶颈问题，形成了适应鄂尔多斯盆地油气开发的特色工程工艺。本书主要内容代表了近年来中石化华北分公司工区致密油气开发生产实践中的工程工艺成果，涉及钻井、固井、完井、储层改造、测试、采油、采气等工程工艺技术。（荷梅）

鄂尔多斯盆地中部地区延长组低渗透致密岩性油藏评价

田东恩等　著

石油工业出版社

ISBN 978-7-5183-0684-8

2015年4月

16开　175页　50.00元

内容提要：本书以鄂尔多斯盆地中部地区延长组低渗透致密岩性油藏为重点解剖对象，系统分析了低渗透-特低渗透复杂岩性油藏的主控因素及其关键参数测井精细分析方法技术，内容涉及区域地质概况、地层划分与对比、微构造特征、沉积微相与砂体展布、储层特征、四性关系及测井解释模型、油气成藏主控因素分析等，为类似油藏的勘探开发，以及关键储量参数选取，提供了有效的理论参考和技术支撑。（荷梅）

鄂尔多斯盆地中部砂体流体-岩石相互作用及其储层效应

张瑞　著

辽宁科学技术出版社

ISBN 978-7-5591-0264-5

2017年8月

16开　127页　30.00元

内容提要：本书详细研究了鄂尔多斯盆地中部砂岩储层中多种成岩现象，以及利用这些成岩现象结合沉积相来预测有利储层分布区，是研究储层中流体-岩石相互作用的经典案例，可以作为石油地质专业的和高年级本科生的补充教材。（荷梅）

鄂尔多斯盆地中南部延长组致密砂岩储层质量差异研究

吴小斌　著

西南交通大学出版社

ISBN 978-7-5643-7396-2

2020年7月

16开　294页　68.00元

内容提要：本书利用地质、录井、测井和岩心等多元化的资料，深入研究了河流-三角洲以及深湖重力流不同沉积模式对致密砂岩沉积微相的影响，以及其空间分布规律的差异。同时，通过铸体薄片、扫描电镜、核磁共振和恒速压汞等精细的实验测试，对储层岩石学、孔隙结构，裂缝发育特性、敏感性以及渗流特性进行了详尽的描述。此外，还进一步探讨了砂体内部构成的非均一性。书中具体涵盖了野外露头调查、地层划分与对比、构造背景及微构造特征、沉积微相研究、储层质量特征研究等多个方面。（荷梅）

鄂尔多斯盆地周缘寒武系典型地质剖面图集

曾旭等 著

石油工业出版社

ISBN 978-7-5183-5086-5

2021年1月

16开 196页 200.00元

内容提要：本书详细收录了鄂尔多斯盆地周缘寒武系地质剖面的地理位置、观测路线，对观测到的地质剖面地层界线、接触关系及特征、构造现象和典型沉积现象，通过照片、素描、构型及模式图进行了详细展示，对于鄂尔多斯盆地油气勘探开发的重点地层选取了区域内典型探井进行地面-井下的对比、分析、研究，从而更加直观地了解鄂尔多斯盆地油气区地面与地下的地质关系。（荷梅）

鄂尔多斯沙地草原生态系统定位观测与研究数据集

高丽等 著

内蒙古大学出版社

ISBN 978-7-5665-0728-0

2014年12月

16开 126页 15.00元

内容提要：本书收集和整理了2008—2013年农业部鄂尔多斯沙地草原生态环境，重点定位野外科学观测试验站的长期观测数据。内容涵盖鄂尔多斯试验站数据资源目录、观测场和采样地信息、沙地草原生态系统气象、水分、土壤和植物等要素的监测数据。（荷梅）

鄂尔多斯深盆气研究

傅诚德 主编

石油工业出版社

ISBN 7-5021-3305-4

2001年4月

16开 244页 47.00元

内容提要：本书汇集了我国对非常规天然气藏"深盆气"的研究成果，通过对鄂尔多斯盆地地质构造演变，上古生界沉积与储层性质、生烃及其运聚、地层压力系统等方面的深入研究，揭示了深盆气的一般形成规律。（荷梅）

鄂尔多斯生态建设历程

奇海林等 编著

内蒙古人民出版社

ISBN 978-7-204-14342-9

2017年3月

16开 372页 40.00元

内容提要：本书以鄂尔多斯的生态环境为切入点，以中华人民共和国成立为起点，对鄂尔多斯地区的生态环境建设进行了概括性的梳理与回顾，全面分析了鄂尔多斯在生态环境建设方面的成就与不足。本书从文献资料、政策法规、组织架构、实践操作以及经验教训和实际成果等多个维度进行了深入研究，为相关政策制定和实践提供了一定的借鉴意义。（荷梅）

鄂尔多斯市居民健康教育知识手册

东胜区社区卫生服务中心 编

2007年11月

32开　116页

内容提要：本资料较为系统地介绍了什么是健康、如何掌握健康的方法和科学正确地保证健康等方面的知识，旨在引导人们树立"健康第一"的观念，掌握基本的健康知识，了解自我保健的方法，养成健康、科学、文明的生活方式和行为。本资料由健康行为、疾病防治、生活方式、人体健康、营养卫生、环境卫生、除害防病、妇幼保健、用药救护九个部分构成。（其利格尔）

鄂尔多斯市农作物绿色高产高效栽培技术

曹福中等　主编
内蒙古大学出版社
ISBN 978-7-5665-1346-5
2017年12月
16开　236页　30.00元

内容提要：本书共九章，分别为玉米绿色高产高效栽培技术、小麦绿色高产高效栽培技术、水稻绿色高产高效栽培技术、马铃薯绿色高产高效栽培技术、黍稷绿色高产高效栽培技术、谷子绿色高产高效栽培技术、向日葵绿色高产高效栽培技术、胡麻绿色高产高效栽培技术、苜蓿绿色高产高效栽培技术等内容。（荷梅）

鄂尔多斯市气象灾害防御规划

王前　主编
气象出版社
ISBN 978-7-5029-5674-5
2013年2月
16开　93页　68.00元

内容提要：本书通过对鄂尔多斯市近40年气候资料的对比分析，系统总结了全市气象灾害的时空分布、灾害指标、风险区划等规律，并提出了不同灾害、不同行业、不同区域的防御对策以及组织管理、基础建设和保障措施等方面的内容。（库布其）

鄂尔多斯市森林资源动态

鄂尔多斯市林业局　编

内容提要：本资料介绍了鄂尔多斯市森林资源简介并列举了2000—2008年全市森林总面积增长曲线图、2008年底各旗区森林总面积柱状图、2000—2008年全市森林覆被率增长曲线图、2008年底各旗区森林覆被率柱状图等森林总面积、森林覆盖率曲线图。（其利格尔）

鄂尔多斯市土地资源与利用

徐进才、刘治平　主编
内蒙古人民出版社
ISBN 978-7-204-14323-8
2017年1月
16开　456页　76.00元

内容提要：本书共分为10章，分别是环境条件与土地资源利用、土地资源开发利用简史、土地利用现状分类、土地调查、土地资源及利用现状、土地权属、土地资源评价、土地利用规划、土地资源开发利用战略与对策、土地资源利用管理等内容。（荷梅）

鄂尔多斯市应对新型冠状病毒感染的肺炎疫情法治防控四十诀

中共鄂尔多斯市委全面依法治市委员会办公室、鄂尔多斯市司法局　编

2020年2月

32开　30页

内容提要：本资料主要内容由政府防控篇、企业防控篇、居民小区防控篇、个人防控篇、其他防控篇等部分组成。（嘎拉贝日汗）

鄂尔多斯水利志

鄂尔多斯市水利局　编

中国市场出版社

ISBN 978-7-5092-1918-8

2021年1月

16开　898页　480.00元

内容提要：本书全面记载了鄂尔多斯市境内水利机构建设、水利规划、黄河治理开发、农田水利、牧区水利、防汛抗旱、城市供水、工业供水、生态工程建设、水资源管理等各方面历史与现状。（荷梅）

鄂尔多斯退牧还草快速恢复草原生态技术

杨永锋、胡琏　主编

内蒙古人民出版社

ISBN 978-7-204-10553-3

2010年12月

16开　278页　80.00元

内容提要：本书分上、下两编，内容包括：鄂尔多斯市自然经济概况、鄂尔多斯市实施退牧还草工程概述、退牧还草工程设计、退牧还草工程监理、退牧还草工程软件开发及其应用、草原围栏封育技术、草地补播改良技术、灌木草地建设技术等。（荷梅）

鄂尔多斯晚三叠世盆地沉积层序与油气成藏

杨华等　著

地质出版社

ISBN 978-7-116-05490-5

2007年9月

32开　166页　30.00元

内容提要：本书探讨了鄂尔多斯晚三叠世盆地的沉积层序、沉积体系、成因相、岩相古地理时空演化与油气成藏。（荷梅）

鄂尔多斯西缘前陆盆地油气地质

陈孟晋等　编著

石油工业出版社

ISBN 7-5021-5843-X

2006年12月

16开　299页　44.00元

内容提要：本书重点对鄂尔多斯西缘前陆盆地的构造演化及多期构造运动对沉积体系的改造进行了系统研究，深入探讨了不同时期储层发育的控制因素及成藏控制条件，并对鄂尔多斯西缘前陆盆地含油气地质特征进行了系统总结。（荷梅）

鄂尔多斯西缘与西南缘深部结构与构造

李清河等　著

地震出版社
ISBN 7-5028-1641-0
1999年10月
16开　258页　25.00元

内容提要：本书系统、详尽地介绍了在鄂尔多斯西缘及西南缘开展人工地震测深、大地电磁测深、重力剖面、大地热流值观测、重磁反演、人工地震和天然地震联合三维反演等深部地球物理探测结果，地震波、重力、电磁与地热等多种地球物理资料联合反演与解释方法，总结研究了该区地壳上地幔结构的特征，对深部地球物理模型进行了地质解释，探讨了该区地球动力学机制及其演化过程，研究了强震形成的深部环境和介质条件。本书是研究区第一部较为系统、详尽介绍深部地球物理探测、深部结构、构造的专著，可供地质、地震、石油等系统的科研人员参考。（荷梅）

鄂尔多斯园林植物

吴剑雄　编著
鄂尔多斯市园林绿化研究所　编
内蒙古人民出版社
ISBN 978-7-204-10797-1
2014年1月
16开　778页　680.00元

内容提要：本书共收录鄂尔多斯境内可用于园林绿化的本土植物382种，其中木本植物134种、草本植物248种(含草质藤木)；另收录了近年来引种表现较好的外来园林植物58种（含品种）。书中详细介绍了园林植物的种名、学名、别名、形态特征、产地分布、生态习性、园林应用、繁育栽培等。（荷梅）

鄂尔多斯植物资源

丁崇明　著
内蒙古大学出版社
ISBN 978-7-5665-0016-8
2011年12月
16开　670页　218.00元

内容提要：本书列举了5大类27小类资源植物，计111科491属1195种植物，其中904种配有彩图。全书共分六章，主体正文列述了各植物的分类、学名、别名、蒙古语名、形态特征、生境与产地，用途方面按食用、药用、工业用、环境和种质分类，重点叙述其利用部位、营养价值、有效成分、理化性质及开发利用等内容。（荷梅）

鄂尔多斯周缘活动断裂系

国家地震局《鄂尔多斯周缘活动断裂系》课题组　编
地震出版社
ISBN 7-5028-0120-0
1988年8月
16开　352页　10.00元

内容提要：本书论述了鄂尔多斯周缘活动断裂系的形成与结构、晚第四纪至现代的断裂活动方式与强度，分析了强震区的发震构造条件与大地震重复问题，探讨了鄂尔多斯地区的深部构造及岩石圈动力学特征。（荷梅）

鄂托克前旗野生鸟类

吴佳立 主编
鄂托克前旗林业局
鄂托克前旗森林公安局
16开

内容提要：本资料收录鄂托克前旗境内157种野生鸟类的摄影作品，附有对应所属目、科及生活习性等方面的简介。（荷梅）

鄂托克生物资源

巴特尔 编著
内蒙古人民出版社
ISBN 978-7-204-09019-8
2007年4月
24开 368页 120.00元

内容提要：本书包括内蒙古鄂托克旗境内的野生动植物图片近500幅，记录了植物320种、野生动物20余种。（荷梅）

鄂托克树魂

苏雅拉 主编
华文出版社
ISBN 978-7-204-11037-7
2011年3月
8开 168.00元

内容提要：本书介绍了鄂托克境内的43株古树名木，记录了这些树木的生长历史和传奇故事。（荷梅）

鄂托克野生鸟类

奇·达来、伊·巴图达来 编著
内蒙古人民出版社
ISBN 978-7-204-11706-2
2012年7月
16开 248页 168.00元

内容提要：本书包括鄂托克草原上的鹛鹩目、鹈形目、鹳形目、雁形目、鸡形目等18目40科136种鸟类照片。（荷梅）

恩格贝沙漠科学馆展区巡览

恩格贝沙漠科学馆展览设计组 著
科学普及出版社
ISBN 978-7-110-07534-0
2011年7月
12开 60页 168.00元

内容提要：本书分走进恩格贝、与沙漠和谐相处等两册，以图文形式向读者讲述了20年来恩格贝由干旱不毛之地变为沃土的真实故事。（荷梅）

恩格贝生态示范区品牌建设及文化产业发展研究

王光文 著
内蒙古人民出版社
ISBN 978-7-204-12406-0
2013年12月
16开 144页 28.00元

内容提要：本书是内蒙古自治区哲学社会科学规划项目"文化产业与沙产业融合发展研究——以恩格贝生态示范区为例"的阶段成果，以恩格贝生态示范区为研究对象，对区域生态建设中的恩格贝现象进行了全面探讨。作者采用

了个案研究法，通过不断收集和分析调查数据，从现象中抽象出概念，进而归纳出范畴及其相互关系，以此构建出新的理论。（荷梅）

防治荒漠化中的绿色鄂尔多斯

王湛清等 著
内蒙古人民出版社
ISBN 978-7-204-14860-8
2017年7月
16开 227页 30.00元

内容提要：本书讲述了近20年来，鄂尔多斯人战天斗地，紧紧结合当地自然生态条件的特点，把治理沙区生态与广大农牧民的生产、生活兼顾起来，特别是企业集团涉足和做大做强林沙草产业，走出了一条人与自然和谐相处的新路的故事，对全国其他地区防治荒漠化、搞好生态建设具有很好的借鉴和参照作用。（荷梅）

风沙危害及其治理

王文彪 编著
内蒙古大学出版社
ISBN 978-7-81115-981-3
2010年12月
16开 332页 68.00元

内容提要：本书以回顾历史、面对现状、展望未来的学术思想，阐明了风沙灾害自古以来就是西北、华北、东北西部经常遇到的自然灾害。本书在总结人类历史发展和沙漠演变规律的基础上，介绍了风沙灾害产生的原因、环境、危害范围以及对人类生存环境的种种影响，并根据风沙运移规律及原理，向读者介绍我国防沙治沙工程体系中生物与工程措施相结合的技术和成功模式。同时，也展示了我国确立以重点工程为主体，调动全社会参与的积极性，形成了全社会防沙治沙的良好社会氛围。（荷梅）

高分辨率层序地层学与河流相储层流动单元研究——以鄂尔多斯盆地大牛地气田为例

唐民安 著
地质出版社
ISBN 978-7-116-05751-7
2008年7月
16开 176页 35.00元

内容提要：本书以致密天然气储层为研究对象，详细介绍了冲积河流相的层序划分对比、沉积相精细分析、储层综合预测、储层非均质性分析、流动单元识别与评价的基本原理与研究方法。（荷梅）

跟踪鄂尔多斯天然气

孙万祥 编著
内蒙古人民出版社
ISBN 7-204-06518-2
2004年1月
32开 298页 26.00元

内容提要：本书是内蒙古第一部记叙天然气方面人和事的著作。本书内容有鄂尔多斯天然气、煤层气的形成、勘探、开发、利用的历史进程和灿烂前景等相关内容。对那些为鄂尔多斯天然气产业奠基做出贡献的人们，作者以饱满的热情、流畅的文笔进行赞美和讴歌。（其利格尔）

杭锦传统畜牧业

巴拉登　著
内蒙古文化出版社
ISBN 978-7-5521-0586-5
2014年3月
32开　176页　26.00元

内容提要：本书根据作者多年从事畜牧业的工作经验，对牲畜的养殖、生活习性、饲养、四季转场等诸多方面进行了详细介绍，其中很多名词术语、传统用具都已失传，此书对于年轻人了解传统畜牧业具有实用价值。（荷梅）

河套平原与鄂尔多斯高原盐碱地常见植物图谱手册

王婧、逄焕成　主编
中国农业科学技术出版社
ISBN 978-7-5116-3403-0
2018年8月
16开　414页　280.00元

内容提要：本书参考《中国植物志》分类系统，重点描述了59科182属316种河套平原和鄂尔多斯高原盐碱地常见植物的科学名称、形态特征、生长环境等，配以植物图像，为该区盐碱地植物种质资源研究、保护和盐碱地改良利用提供数据和材料支持。（荷梅）

河套人

中国科学院古脊椎动物与古人类研究院、鄂尔多斯文化新闻出版广电局、中共乌审旗委员会、乌审旗人民政府　编
2018年
16开　74页

内容提要：本资料主要由河套遗址、河套人化石之研究、河套之文化、与河套人伴生的动物群、河套人的生活情形、余论等六个章节组成。（荷梅）

环境微生物学实验基础

肖亦农等　主编
中国建材工业出版社
ISBN 978-7-5160-2182-8
2018年5月
16开　104页　26.00元

内容提要：本书共七章，主要内容为微生物形态观察与测定技术、培养基制备和灭菌消毒技术、微生物的分离与培养技术、环境因素对微生物生长的影响、环境微生物的丰度与多样性分析、微生物与环境监测和微生物菌种保藏技术。（荷梅）

荒漠化防治

王文彪　编著
内蒙古大学出版社
ISBN 978-7-5665-0146-2
2011年11月
16开　280页　128.00元

内容提要：本书以回顾历史、面对现状、展望未来的学术思想，阐明了风

沙灾害自古以来就是三北地区经常发生的自然灾害。本书概述了风沙灾害产生的原因以及对人类生存环境的种种影响，并根据风沙运移规律及原理，向读者介绍我国防沙治沙工程体系中生物与工程措施相结合的技术和成功模式。（荷梅）

黄河上中游地区内蒙古自治区鄂尔多斯市机械化造林总场天然林资源保护工程实施方案

内蒙古自治区鄂尔多斯市人民政府　编
2001年3月
16开　56页

内容提要：本资料主要内容包括基本概况、工程实施的基本思路与主要目标、森林分类经营区划、天然林禁伐与森林资源管护、公益林建设、富余人员分流安置与企业养老保险社会统筹、工程配套基础设施建设、工程资金投入估算与效益分析、工程组织管理与保障措施。（其利格尔）

黄土高原地区综合治理开发研究：内蒙古伊金霍洛旗自然资源开发利用与土地沙漠化防治

邸醒氏、杨根生等　编著
科学出版社
ISBN 978-7-03-002293-9
1991年2月
16开　187页　14.00元

内容提要：本书分析了伊金霍洛旗的自然资源特点和社会经济状况；介绍了各种产业结构的现状及其发展，社会经济近期发展目标，近期优先发展的项目以及土地沙漠化及其防治。通过科学分析，提出对该县自然资源的合理开发利用与土地沙漠化防治意见。（荷梅）

计划生育工作手册（一）

伊克昭盟计划生育处　编
1984年11月
32开　124页

内容提要：本资料由政策部分、资料部分、常识部分三个部分组成。（嘎拉贝日汗）

健康膳食常识

鄂尔多斯市食品药品监督管理局　宣
32开　22页

内容提要：本资料包括《维多利亚宣言》、五谷杂粮小常识，包括（糙米、燕麦、荞麦等小常识、如何选购西瓜、豆类小百科等膳食养生知识）。（其利格尔）

健康长寿之秘

吴凤海　编著
内蒙古新闻出版局
内新图准字〔1998〕13号
1998年
32开　194页　18.00元

内容提要：本书主要从人的寿命、饮食、运动、情绪、睡眠、药物等方面讲述了健康长寿的秘密。（其利格尔）

康复普及读物（五）——成人智力障碍的康复

韦小满、曾晨　编著
伊金霍洛旗残疾人联合会　编
32开　55页

内容提要：本资料主要内容有成人智力障碍的基础知识、康复基础知识、生活自理能力训练、社会生活能力训练、就业能力训练等。（嘎拉贝日汗）

科技规划与计划

于宏义　著
1985年11月
16开　64页

内容提要：本书内容有优势协调发展战略与科技规划、科技规划的组织和编制、规划计划预算系统、评价预测科技优先发展领域、落实规划的基本措施、科技规划方法困难讨论等。（嘎拉贝日汗）

科普知识汇编

伊克昭盟畜牧兽医草原科学研究所　编
1992年
16开　97页　1.45元

内容提要：本书分为畜牧部分、兽医部分、草原部分、其他四个部分，旨在开展实用新技术的推广应用和技术咨询，满足广大农牧民牧业生产需求。（嘎拉贝日汗）

库布齐沙漠自然环境与综合治理

杨文斌等　主编
内蒙古大学出版社
ISBN 7-81074-825-4
2005年6月
16开　285页　40.00元

内容提要：本书在总结库布齐沙漠植被建设成果的基础上，从库布齐沙漠自然环境特征、沙漠演化与沙漠文化的关系、防沙治沙理论基础和技术原理，以及新技术应用和沙漠资源合理利用等方面，系统论述了库布齐沙漠植被恢复的综合技术途径和模式，对全面认识了解库布齐沙漠的形成、演化及其植被恢复技术具有参考价值。（荷梅）

库布齐沙漠综合治理技术集成与示范建设科技支撑项目可行性研究报告

内蒙古林业科学研究院　编
2004年1月
16开　33页

内容提要：本资料是以内蒙古鄂尔多斯市造林总场调查数据为依据编制而成的。主要内容包括总论、项目建设的必要性及可行性、项目区基本情况、林业生态建设现状与存在问题、科技支撑指导思想与目标、科技支撑示范类型与重点、科技支撑示范项目规划、科技支撑主要内容、投资估算及资金筹措、投资估算金额、科技支撑项目案、项目承担单位基本情况等。（其利格尔）

绿水青山都是歌——画说鄂尔多斯市生态文明建设

中共鄂尔多斯市委员会宣传部、鄂

尔多斯市林业局、鄂尔多斯市农牧局、鄂尔多斯市水务局　编

12开　98页

内容提要：本资料是由中共鄂尔多斯市委员会宣传部、鄂尔多斯市林业局、鄂尔多斯市农牧局、鄂尔多斯市水务局主办编辑的画册，共有林业生态、草原生态、水生态、林沙生态、城乡绿化五个部分。（嘎拉贝日汗）

毛乌素沙地乌审旗境内NDVI与环境因子的尺度响应

秦艳、胡永宁　著

中国农业科学技术出版社

ISBN 978-7-5116-2847-3

2016年12月

32开　186页　30.00元

内容提要：本书以地处毛乌素沙地腹地的内蒙古自治区乌审旗为研究对象，筛选出适宜当地的气候因子空间化插值方法并分析其年际变化的周期性振荡特征。（荷梅）

毛乌素沙区自然条件及其改良利用

北京大学地理系、中国科学院自然资源综合考察委员会、中国科学院兰州沙漠研究所、中国科学院兰州冰川冻土研究所　编

科学出版社

13031·2431

1983年11月

16开　210页　11.70元

内容提要：本书是毛乌素沙区综合考察研究成果，分别阐述了该区自然概况、风沙来源和沙漠化问题、农业气候与气候资源、水文特征及水资源评价、植被和植物资源、土壤地理与土壤资源、土地类型和分等、农林牧生产现状、生产发展方向和改良利用分区九个论题，附有五十万分之一的毛乌素沙区影像地图（卫星照片）、流沙分布与造林现状图、潜水水文图、潜水水化学图、植被类型图、土壤类型图、土地类型图、土地分等图、土地利用图及改造利用分区图十幅图，是我国区域沙漠学研究较为系统全面的一部著作。（嘎拉贝日汗）

木都柴达木村人居环境整治宣传手册

木都柴达木村　编

2019年3月

32开　82页

内容提要：本资料包括村规民约、《鄂尔多斯市农村牧区人居环境治理条例》、《鄂尔多斯市农村牧区人居环境整治三年行动方案（2018年—2020年）》、《嘎鲁图镇农村牧区人居环境整治三年行动方案（2018年—2020年）》、《木都柴达木村"最美庭院"大评比实施方案》等人居环境整治内容。（其利格尔）

内蒙古鄂尔多斯地区主要农作物病虫草鼠害发生与控制

刘茂荣等　主编

中国农业出版社

ISBN 978-7-109-28019-9

2021年3月

16开　184页　108.00元

主要内容：本书根据鄂尔多斯市农作物种植特点，主要介绍了玉米、小麦、马铃薯及向日葵历年来病虫草鼠害的发生危害特点与综合防治技术措施。本书共10章，主要内容包括玉米病害发生与防治、玉米虫害发生与防治、小麦病害发生与防治、小麦虫害发生与防治、马铃薯病害发生与防治、马铃薯虫害发生与防治、向日葵病害发生与防治、向日葵虫害发生与防治、鼠害发生与防治。（荷梅）

内蒙古鄂尔多斯高原自然资源与环境研究

李博　主编

内蒙古草场资料遥感应用考察队伊克昭盟分队　编

科学出版社

ISBN 7-03-001822-2

1990年8月

16开　225页　15.90元

内容提要：本书是一本较全面地反映鄂尔多斯高原自然资源与环境的专著。作者通过对该区进行全面野外考察，并应用卫星遥感技术，对该区的自然地理环境进行了全面、系统分析。（荷梅）

内蒙古鄂尔多斯市第三次农牧业气候资源与区划

王前　主编

气象出版社

ISBN 7-5029-4174-6

2006年8月

16开　106页　128.00元

内容提要：本书利用3S高新技术，使用1971—2000年气候整编资料和农牧业资料，分析了气候资源的分布规律，提出了主要农作物的区划，对气象灾害进行了风险评估。（荷梅）

内蒙古鄂尔多斯遗鸥国家级自然保护区总体规划

国家林业局调查规划设计院、内蒙古鄂尔多斯遗鸥国家级自然保护区管理局　编

2001年7月

16开　101页

内容提要：本资料由基本概况、保护区现状评价、总体布局、规划内容、重点建设工程、投资概算、组织机构及人员配置、实施规划的保障措施、效益评价等内容组成。（嘎拉贝日汗）

内蒙古沙漠资源

王文彪　编著

内蒙古大学出版社

ISBN 978-7-5665-0148-6

2011年4月

16开　312页　128.00元

内容提要：本书从重新认识沙漠的角度介绍沙漠中的自然资源，并提出开发利用沙漠资源的最佳途径，在科学治理、保护沙漠的同时，提高沙漠资源效

益。本书主旨是利用广袤的沙漠中各种宝贵的风力、光热、动植物、土地、旅游等资源，其潜力至今尚未开发出来，正等待着高科技手段的运用与开发。（荷梅）

内蒙古沙漠资源及开发利用

王文彪　编著
内蒙古大学出版社
ISBN 978-7-81115-980-6
2011年4月
16开　371页　75.00元

内容提要：本书介绍了内蒙古沙漠、沙地中的自然资源，并指出开发利用沙漠的最佳途径，应该在科学治理、保护沙漠的同时，提高沙漠的资源效益。宗旨是提高广袤的沙漠中各种宝贵的风力资源、光热资源、植物资源、旅游资源等的利用效率。（荷梅）

内蒙古西部资源富集区土地生态安全研究——以鄂尔多斯市东胜区为例

周瑞平、包宝荣　著
科学出版社
ISBN 978-7-0306-2322-5
2019年10月
16开　204页　118.00元

内容提要：本书重点阐述20多年来东胜区的土地利用结构、布局变化、驱动机制、未来变化趋势，以及土地景观生态变化、土地生态安全状况，同时从聚落变化、矿山地质环境保护治理、土地生态环境质量评价、城市建成区扩展、城乡建设用地适宜性评价、闲置用地和征地区片价测算七个方面进行了专题研究。（荷梅）

内蒙古伊克昭盟地区沙质荒漠化与综合治理技术

杨根生、吕荣　主编
中国环境科学出版社
ISBN 978-7-80135-670-5
1998年12月
16开　101页　15.00元

内容提要：本书分为自然环境与社会经济条件、沙质荒漠化、沙质荒漠化土地的治理、强沙尘暴（黑风暴）的防治沙产业建设五章。（荷梅）

内蒙古准格尔旗农业资源及合理开发利用研究

李宽厚　主编
内蒙古人民出版社
ISBN 7-204-04051-1
1998年8月
32开　136页　16.00元

内容提要：本书是研究内蒙古准格尔旗农业资源的可供农、林、牧、水及土地管理部门等方面工作提供参考的自然科学类图书。本书在对内蒙古准格尔旗自然条件、土地资源、土壤资源、草场资源、水力资源、农业后备资源及土地侵蚀沙化调查研究的基础上，提出了合理开发利用研究意见，并对农业资源综合开发指明了发展途径。（其利格尔）

区域地质综合研究的方法与实践——鄂尔多斯盆地-秦岭造山带地质野外实习指导书

周鼎武等 编
科学出版社
ISBN 7-03-010316-5
2002年6月
16开 347页 50.00元

内容提要：本书以近年来鄂尔多斯盆地-秦岭造山带的区域地质研究取得的最新成果为基础，对区域地质的发展演化进行了研究。（荷梅）

全民健康生活方式营养健康科普

鄂尔多斯市科学技术协会、鄂尔多斯市卫生健康委员会、鄂尔多斯市营养学会 编
32开 31页

内容提要：本资料围绕建设"健康中国2030"的目标，找准营养科普工作的方向和着力点，普及科学知识，弘扬科学精神，传播科学思想，倡导科学方法，更好地服务于老百姓的生产生活，鄂尔多斯市营养学会希望把膳食指南搬到老百姓的餐桌上，让营养饮食真正走进老百姓当中去。（其利格尔）

全球论沙

王文彪 主编
内蒙古大学出版社
ISBN 978-7-5665-0147-9
2012年5月
16开 254页 128.00元

内容提要：本书以库布其国际沙漠论坛为主线，着重介绍了论坛的背景、宗旨、使命，并对前三届论坛进行了概述。该论坛为中国、国际组织和相关国家的政府要员、商业领袖和专家学者提供了一个以"沙漠·生态·新能源"为主题的高层对话平台，旨在唤起各国政府和民众呵护地球，关爱家园，保护生态，防治荒漠化，开发利用新能源。（荷梅）

沙漠地区药用植物资源

王文彪 主编
内蒙古大学出版社
ISBN 978-7-5665-0328-2
2013年3月
16开 568页 118.00元

内容提要：本书详细介绍了沙漠地区宝贵的药用植物资源及其特征、分布、分类等，收集、整理药用植物306种，按其功能分类为解表药、清热药、镇咳平喘药、理血药等18类。（荷梅）

舍饲养畜配套技术

王玉文 主编
内蒙古鄂尔多斯市伊金霍洛旗。农业科技成果转化资金项目组 编
16开 83页

内容提要：本资料是为了科学、有序地实施好国家重点支持的项目"半农半牧区舍饲畜牧业规范化饲养模式研究"而专门编制，其主要内容就是围绕舍饲养畜这一主题，汇集了与之相配套的各类"种、养、加"适用技术。（其

利格尔）

社区气象灾害避险指南

东胜区气象局　编
气象出版社
ISBN 978-7-5029-4340-0
2007年8月
32开　44页　8.00元

内容提要：本书主要由预警知识篇、灾前——未雨绸缪篇、灾中——应急避险篇、灾后——伤害急救篇、突发气象灾害预警信号名称、图标和标准等内容组成。（嘎拉贝日汗）

神东煤炭分公司综采设备主要技术图纸彩绘手册

神东煤炭分公司教育培训中心　编
2007年8月
8开　138页

内容提要：本资料分综采设备主要技术图纸彩绘手册和连采设备主要技术图纸彩绘手册。连采设备主要技术图纸手册包括12CM-15连续采煤机、12CM-27连续采煤机、锚杆机、运煤机、梭车、铲车、1030给料破碎机、安控移动变压器、国产移动变压器、CHP11、CHP33开关、常州联力组合开关等主要设备的结构原理图和电气原理图。（其利格尔）

沙·梦

王文彪　主编
中国摄影家协会、北京亿利文化艺术有限公司　编
2013年7月
12开　194页

内容提要：本资料是一部画册，主要记录了25年来库布其沙漠的变迁。（嘎拉贝日汗）

实用养生学

吴凤海　著
远方出版社
ISBN 7-80595-944-7
2005年12月
32开　320页　35.00元

内容提要：本书是作者集20余年临床工作经验、科普教育知识、名人养生方法和健康四大基石的内容及相关资料，并借鉴相关文献，总结整理的养生学作品，全面介绍了饮食、运动、心理平衡及生活方式，生活习惯等与养生的密切关系以及如何掌握实用的养生方法，增强人们的养生保健意识，丰富养生知识，学习养生方法。（其利格尔）

食品安全知识

鄂尔多斯市食品药品监督管理局　宣
32开　22页

内容提要：本资料对食品危害来源、识别以及防范的知识做了简单介绍，旨在普及食品安全常识和法律知识，提高公众食品安全意识，增强食品生产经营者的食品安全法规观念，倡导安全科学饮食的新风尚。（其利格尔）

蔬菜栽培管理技术

鄂尔多斯市经济作物工作站 编

2016年4月

16开

内容提要：本资料主要写了辣椒栽培管理技术、茄子栽培管理技术、架豆栽培管理技术、甘蓝栽培管理技术。（其利格尔）

鼠疫防控技术操作手册（试行）

32开 18页

内容提要：本书主要包括灭鼠、灭蚤、健康教育、医务人员培训、动物鼠疫监测预警、疫情风险评估方案、疫情报告制度、鼠疫综合干预措施等鼠疫防控技术操作内容。（其利格尔）

水保、工程测量、水资源评价培训

杭锦旗税务和水土保持局 编

2016年1月

16开 265页

内容提要：本资料主要内容由水保篇、工程测量部分、水资源评价培训三个部分组成，分别介绍了水土流失成因及防治、水土保持方案、测量学的基本知识、测量学的任务和作用、水准测量、角度测量、水资源评价等内容。（嘎拉贝日汗）

苏里格气田储层动态评价与开发技术

刘占良 著

石油工业出版社

ISBN 978-7-5183-0589-6

2014年12月

16开 321页 160.00元

内容提要：本书系统总结了苏里格气田投产以来的勘探开发成果，对低渗透-特低渗透致密砂岩气储层动态评价、储量动态变化及开发工艺等开展研究，对致密砂岩储层、薄层砂岩储层压裂改造、水平井开发、排水采气等气藏开发工艺进行探索实践，对我国致密砂岩气勘探开发有重要的借鉴意义。（荷梅）

苏里格气田开采特征与动态描述

中国石油长庆油田分公司勘探开发研究院 编

石油工业出版

ISBN 978-7-5183-3944-0

2020年5月

16开 216页 150.00元

内容提要：本书以中国陆上最大也是最典型的致密砂岩气田——苏里格气田为研究对象，系统总结了致密砂岩气藏开采特征及有效储层建模、井网优化、产能评价及递减分析等动态描述方法，促进我国强非均质致密砂岩气藏规模效应开发和高效管理，为国内外同类气藏的高效开发提供有效借鉴。（荷梅）

苏里格致密砂岩气储层定量表征

张吉等 著

石油工业出版社

ISBN 978-7-5183-3652-4

2019年11月

16开　264页　150.00元

内容提要：本书依托苏里格气田密井网试验区丰富的动静态资料，重点论述苏里格气田储层构型分析、干扰试验、水平井定量解剖、古露头统计、现代河流沉积观察，将今论古，定量表征了苏里格致密砂岩气藏储层，构建了苏里格气田河流相储层地质知识库。基于储层地质知识库，提出"确定与随机相结合、分级相控、动态约束"的有效储层建模思路，大幅提升了砂体规模、井间连通性和动态认识，建立了可靠的地质模型，为苏里格气田开展数值模拟和稳产技术研究提供了坚实的基础。（荷梅）

碳酸盐岩层序地层学——以鄂尔多斯盆地为例

魏魁生等　编著

地质出版社

ISBN 978-7-116-03254-1

2000年3月

16开　135页　28.00元

内容提要：本书主要内容包括碳酸盐岩沉积层序和体系域、鄂尔多斯盆地区域地质背景、鄂尔多斯盆地层序地层分析、鄂尔多斯盆地层序地层对比及海平面变化综合分析等。（荷梅）

乌审旗草业科技文集（一）

乌审旗草原学会、乌审旗草原站　编

1988年8月

32开

内容提要：本资料收录了草场资源及其利用、论述、飞播牧草、畜群草库伦、草原保护、试验研究等方面的32篇文章。（荷梅）

乌审旗药用植物

乌审旗林业局、乌审旗医药公司　编

1990年9月

16开

内容提要：本资料是为乌审旗广大乡村医生采集和使用本地区药草提供的参考资料。所搜集的主要为植物药草，考虑到实际需要，后面又附有21种动物药物。为便于识别和采集药草，每种药草都有植物形态简单描述。除了药草名称，还列有本旗俗名，即别名和蒙古语名、蒙药名的音译名。（荷梅）

西鄂尔多斯国家级自然保护区珍稀植物图谱

贾怀瑛　编

远方出版社

ISBN 7-80595-668-5

2007年7月

16开　195页　168.00元

内容提要：本书用学名、蒙古语名、别名分别介绍了保护区内珍稀、濒危植物的形态特征、地理分布、保护价值等，同时介绍了保护区内的人文景观和自然景观。（库布其）

西鄂尔多斯几种荒漠灌木的生物生态学特性研究

张颖娟 著

内蒙古大学出版社

ISBN 978-7-81115-960-8

2013年3月

16开 136页 18.00元

内容提要：本书介绍了西鄂尔多斯地区的建群种和珍稀濒危种的生物生态学特性，重点针对珍稀濒危种及其近缘广布种的形态特点、繁殖特性、种群更新及种群遗传结构等进行论述，旨在为西鄂尔多斯地区物种保护和资源合理开发利用提供科学依据和生态学理论基础。（荷梅）

新家庭计划——家庭发展能力建设

阿勒腾席热镇卫生和计划生育办公室 编

32开

内容提要：本资料介绍了新家庭计划和家庭发展能力建设的概念，包括家庭保健、科学育儿、家庭文化、养老照护、致富发展等五项家庭计划内容。（其利格尔）

新家庭计划——家庭发展能力建设系列读本（家庭文化篇）

伊金霍洛旗卫生和计划生育局 编

32开 48页

内容提要：本资料简述了礼仪文化、正确的生活方式、中餐具的使用等内容。（其利格尔）

新家庭计划——家庭发展能力建设系列读本（科学育儿篇）

伊金霍洛旗卫生和计划生育局 编

32开 23页

内容提要：本资料简述了婴幼儿发展、家庭适应两部分内容。

信息概论

乔凤鸣 著

中国文联出版社

ISBN 7-5059-3337-X

1999年6月

32开 292页 25.00元

内容提要：本书主要介绍了什么叫信息、人类对信息的认识、经济信息的主体、信息与决策等内容。（库布其）

薛家湾供电区电业志

乌若思 主编

远方出版社

ISBN 7-80595-557-3

2003年5月

16开 346页 90.00元

内容提要：本书是以供电为主线的电业志书，分供电，用电，农电，安全，科技，教育，企业管理，党群工作，多种经营与职工生活，供电区等篇章，最后一节为人物，介绍了内蒙古电力公司薛家湾供电局各方面的发展情况。（库布其）

伊金霍洛旗国营霍洛林场森林经营方案（2018—2025）

北京中林国际林业工程咨询有限责任公司 编

2019年3月

16开

内容提要：本资料包括林场森林经营方针、经营目标、经营项目及其年度安排等内容，是林场未来八年发展的指导性文件，也是未来八年伊金霍洛旗林业局各相关科室以及霍洛林场开展森林经营工作的重要依据。（其利格尔）

伊克昭盟水资源评价及利用

王子光 主编

伊克昭盟计划委员会、伊克昭盟水利处 编

1994年5月

16开 112页

内容提要：本资料是对鄂尔多斯高原的天然水资源及其利用条件、开发利用现状及供需预测所做的宏观分析和研究成果。（荷梅）

以绿塑旗 绿色矿山建设

伊金霍洛旗自然资源局 编

16开 36页

内容提要：本资料收集了伊金霍洛旗伊泰、神东等煤矿有关以绿塑旗、绿色矿山建设的图片。（其利格尔）

饮食与健康

王文明 编集

内蒙古人民出版社

ISBN 978-7-204-09436-3

2008年8月

32开 396页 32.00元

内容提要：本书是一本科普作品集，分食话食说、生活顾问、食物相克等内容。（其利格尔）

中国地质工作报告 第二类 矿产普查勘探 第4号 内蒙伊克昭盟鄂托克旗棹子山煤田卡布其井田地质

中华人民共和国地质部全国地质资料局 主编

地质出版社

1957年12月

16开 144页 8.50元

内容提要：本书根据1954年华北地质局205勘探队年终报告整理压缩而成，主要包括区域地质、井田地质、水文地质等章，选用图片22种，99幅。（荷梅）

中国北方侏罗系（Ⅴ）鄂尔多斯地层区

袁效奇等 著

石油工业出版社

ISBN 7-5021-4026-3

2003年3月

16开 162页 40.00元

内容提要：本书系统地对研究区36条有代表性的剖面进行了观察和古生物、岩矿等分析样品的详细采集，对一些存在问题较大或有争议的剖面进行了实测。内容包括侏罗系分布特征及分层

地区、岩性与岩相特征、生物群及其地质时代、地层划分与对比等。（荷梅）

中国生态系统定位观测与研究数据集·草地与荒漠生态系统卷：内蒙古鄂尔多斯站（2004—2006）

董鸣　编
中国农业出版社
ISBN 978-7-109-16240-2
2011年12月
16开　496页　40.00元

内容提要：本书主要内容有鄂尔多斯站主要数据资源目录，观测场地和样地信息，近年承担水分、土壤、大气和生物监测任务的数据资源目录及示例，以鄂尔多斯站为依托发表的研究论文目录等。（荷梅）

准格尔煤田含煤建造岩相古地理学研究

刘焕杰等　著
地质出版社
ISBN 7-116-00862-4
1991年8月
16开　128页　6.10元

内容提要：本书分七章，阐述了煤田地质概况、沉积体系及沉积模式、含煤建造岩相古地理研究方法、煤层的岩相古地理研究等方面的问题。（荷梅）

准格尔旗布尔陶亥治沙站森林经营方案

内蒙古自治区林业科学研究院　编
2018年6月
16开　79页

内容提要：本资料是以准格尔旗2011年森林资源二类调查数据为依据编制而成的，主要内容包括森林资源概况、森林经营分析评价、森林经营方针与目标、森林经营类型、森林经营类型组织、森林经营建设规模与安排、森林资源管理、森林资源保护、建设投资估算等。（其利格尔）

资源富集地区县域经济可持续发展研究——以内蒙古乌审旗为例

常亚平　著
中国经济出版社
ISBN 978-7-5017-8409-7
2008年5月
32开　210页　18.00元

内容提要：本书选择自然资源富集地区进行可持续发展的理论研究和实证分析，探索资源型地区的可持续发展的基本规律，对中西部资源富集地区的可持续发展，对丰富和发展可持续发展理论都具有重要意义。（库布其）

AK　综合性图书及资料

阿尔寨石窟回鹘蒙古文榜题研究

哈斯额尔敦等　著
纳·巴图吉日嘎拉等　译
内蒙古人民出版社
ISBN 978-7-204-09871-2
2010年8月
32开　304页　30.00元

内容提要：本书是一部关于内蒙古

自治区鄂尔多斯市鄂托克旗阿尔巴斯苏木阿尔寨石窟（即百眼窟石窟）第32号石窟内55幅明代初期回鹘蒙古文榜题的考辨释读的专著。内容分为忏悔文、三十五佛礼赞、二十一圣救度佛母礼赞、十六阿罗汉礼赞、优婆塞达摩多罗颂、四大天王偈颂五章。（荷梅）

阿尔寨石窟遗址保护资料汇编

阿尔寨石窟研究院　编
文物出版社
ISBN 978-7-5010-6412-0
2019年12月
16开　473页　580.00元

内容提要：本书全面梳理和总结此前的保护研究工作，对工程资料进行汇总，科学阐述阿尔寨文化的内涵和精华，能够为今后的学术研究、科研考古、保护发掘提供参考。（荷梅）

安全知识培训笔记

鄂尔多斯市西部安全生产培训中心　编
32开　40页

内容提要：本资料旨在提高员工的安全意识和自我保护能力，有助于员工了解和掌握必要的安全知识和技能，有助于提高其安全素质，减少生产过程中的安全事故和伤害。（嘎拉贝日汗）

百年光影——见证绿色乌审

郝翀、东格尔　主编
内蒙古人民出版社
ISBN 978-7-204-13716-9
2015年12月
16开　160页　380.00元

内容提要：本书以人物、场景为主体，以照片和文字为阐释手段，全景再现了19世纪至21世纪乌审百年的社会发展历程、百姓生活变迁、历史风云激荡、城市风貌演变，为广大读者认识乌审、了解乌审提供了丰富的图片资料和事实佐证。（荷梅）

边锋毅诗词选集

黄滔、巴德日夫　主编
内蒙古人民出版社
ISBN 7-204-08304-0
2017年12月
32开　32.00元

内容提要：本书是边锋毅的诗词选集，主要由节日放歌、情丝涌动、人生感悟、远年怀想、游山咏物、后记六部分组成。（嘎拉贝日汗）

包海山论文集

包海山　著
内新图准字〔2007〕37号
2007年10月
32开　28.00元

内容提要：本书阐述了作者关于社会发展战略的思考，强调以经济建设为核心，以基础建设为支撑的重要性，并分享了其深刻的理解和独特的见解。（荷梅）

保护和开发人类记忆——乔布英档案工作文选

乔布英 著
内新图准字〔2007〕37号
2007年7月
32开 358页 35.00元
内容提要：本书内容分为论文、讲话、调查报告 工作研究、文苑四个部分。（荷梅）

不惑之年话人生

齐剑君 著
远方出版社
ISBN7-80590-429-1
1998年9月
32开 221页 12.00元
内容提要：本书是作者40年人生经历的总结，也可以为年轻人"编导"人生。本书从立志与成才、学习与工作、修身与养性，乃至婚姻与家庭等诸多方面业已加以论述，无不给人以追求美好人生的启迪。（荷梅）

残疾人社区康复知识手册

伊金霍洛旗残联 编
32开 38页
内容提要：本资料是为配合创建社区康复示范区的需要而编写，以期进一步宣传和普及残疾人的康复知识。（嘎拉贝日汗）

草原集报文集

陶特格琪 主编

2006年7月
16开 162页
内容提要：本资料收录有关集报的文章，回顾了集报的经历、趣闻、收获和乐趣。（嘎拉贝日汗）

畅游美丽乡村乡约鄂尔多斯

鄂尔多斯市文化和旅游局 编
32开 124页
内容提要：本资料介绍了全市乡村旅游概况、鄂尔多斯市文化旅游服务监督电话、国家级乡村旅游村、自治区乡村牧区旅游星级接待户、东胜区乡村旅游、达拉特旗乡村旅游、伊金霍洛旗乡村旅游、乌审旗乡村旅游、杭锦旗乡村旅游、鄂托克旗乡村旅游、鄂托克前旗乡村旅游、准格尔旗乡村旅游等。（嘎拉贝日汗）

成吉思汗陵与鄂尔多斯

梁冰 著
内蒙古人民出版社
ISBN 7-204-00082-X
1988年1月
32开 140页 1.50元
内容提要：本书以翔实的史料、浓重的笔墨反映了成陵的历史变迁、达尔扈特人与成陵的特殊关系，以及鄂尔多斯在历史上的演变过程。（荷梅）

成吉思汗文化论集

陈育宁、奇·朝鲁 主编
内蒙古人民出版社

ISBN 978-7-204-07934-6

2006年7月

16开 345页 98.00元

内容提要：本书收录了韩儒林《论成吉思汗》，亦邻真《成吉思汗与蒙古民族共同体的形成（节选）》，赵秉昆、李桂枝《试论成吉思汗》，乌云巴图、葛根高娃《论蒙古族传统文化的基本精神》，欧军《论蒙古族传统文化的多元性》，马曼丽、安俭《从成吉思汗的成功看蒙古族的优秀思想文化传统》等论文。（荷梅）

成吉思汗箴言选辑

尹晓东 主编

内蒙古人民出版社

ISBN 978-7-204-13368-0

2015年5月

16开 176页 46.00元

内容提要：本书收入了经过考证的成吉思汗经典箴言300余条，内容涵盖了成吉思汗思想观念的各个方面，基本体现了成吉思汗箴言的原始性、真实性、可靠性和经典性，也是能成为研究和传承成吉思汗思想观念提供的依据。（嘎拉贝日汗）

成吉思汗陵史话

杨·道尔吉 著

内蒙古大学出版社

ISBN 7-81015-307-2

1993年4月

32开 156页 42.00元

内容提要：本书内容分为神秘的帝王陵、大汗的金身、八白室、鄂尔多斯、伊金霍洛三百年、重归鄂尔多斯等十二章。（荷梅）

城管宣传手册

伊旗规划城市管理监督大队宣

2010年3月

64开 22页

内容提要：本资料是由伊金霍洛旗规划城市管理监督大队发布的宣传手册。（嘎拉贝日汗）

传奇东胜

王宾 编著

中共鄂尔多斯市东胜区委员会 编

2009年

8开 95页

内容提要：本资料内容分为现代城市核心区、转型升级先行区、城乡统筹示范区、和谐社会样板区、宜居创业首善区五个部分，介绍了东胜区的发展成就。（荷梅）

创建全国文明城市市民手册

中共鄂尔多斯市东胜区委宣传部、鄂尔多斯市东胜区文明办 编

2011年

64开

内容提要：本资料的主要内容有创建全国文明城市常识、创建全国文明城市是一项惠民工程、倡导文明风尚提高市民素质、积极参与文明创建活动、未

成年人思想道德建设工作、市民在创建全国文明城市中的责任和义务等。（嘎拉贝日汗）

春华秋实

奇·朝鲁　主编
鄂尔多斯学研究会　编
内新图准字〔2007〕37号
2007年9月
32开　473页　35.00元

内容提要：本书选编了140余篇文章，分为领导寄语、专家寄语、工作纪实、地方学、文化长廊、和谐献言、经济、会员心声、读书随感、谈古论今、名家专访11个部分。（荷梅）

大鄂尔多斯

杨·道尔吉　著
远方出版社
ISBN 7-80595-784-3
2002年9月
32开　160页　16.00元

内容提要：本书是一部以15世纪末蒙古鄂尔多斯部落漂徙在蒙古高原的史实为背景，着力塑造了蒙克泰等英雄主义形象的长篇小说。内容分为神鹰、大鄂尔多斯、西域珍珠、大劫难、飘扬的苏鲁德、走出戈壁、悲壮的阿拉乌拉山七章。（荷梅）

达拉特发电厂志

《达拉特发电厂志》编纂委员会　编
远方出版社
ISBN 7-80595-557-3
1999年12月
16开　368页　450.00元

内容提要：本书是记述达拉特电厂发展历程的专业志，上限始于1985年，下限断在1998年底，内容分为建设、生产、科技　教育、管理、党群工作、多种经营、荣誉六章。（荷梅）

达拉特年鉴（2005）

达拉特旗史志征编办公室　编
内新图准字〔2005〕37号
2005年6月
16开　248页　158.00元

内容提要：本书记叙2004年度达拉特旗内经济社会各方面的发展情况，是一部集资料、信息、知识于一体的权威性工具书，也是编年体综合资料性年刊，采用分类编纂法，分为大事记、特载、概况、政治、经济、法制、军事、科教文卫、群众团体、金融保险、驻旗县处级单位、大中企业、乡镇苏木、表彰奖励人物、达拉特旗领导简介15个类目。（荷梅）

达拉特年鉴（2006）

达拉特旗史志征编办公室　编
内新图准字〔2006〕155号
2006年12月
16开　284页　158.00元

内容提要：本书是集知识、信息、实用、资料于一体的权威性的工具书。全书采用分类编纂法，分为大事记、特载、政治、经济、法制、军事、科教文卫、群众团体、金融保险、驻旗县处级单位、大中企业、苏木镇、领导简介13个类目。（荷梅）

达拉特年鉴（2007）

达拉特旗史志征编办公室　编
内新图准字〔2007〕174号
2007年12月
16开　300页　168.00元

内容提要：本书是集知识、信息、实用、资料于一体的权威性工具书，采用分类编纂法，分为大事记、特载、政治、经济、法制、军事、科教文卫、群众团体、金融保险、驻旗县处级单位、大中企业、苏木镇、社区、领导简介14个类目。（荷梅）

达拉特年鉴（2008）

达拉特旗史志征编办公室　编
内新图准字〔2008〕99号
2008年10月
16开　340页　178.00元

内容提要：本书是集知识、信息、实用、资料于一体的权威性工具书，采用分类编纂法，分为大事记、特载、政治、经济、法制、军事、科教文卫、群众团体、金融保险、驻旗县处级单位、大中企业、苏木镇、社区、领导简介14个类目。（荷梅）

达拉特年鉴（2009）

达拉特旗史志征编办公室　编
2009年10月
16开　340页　188.00元

内容提要：本书是集知识、信息、实用、资料于一体的权威性工具书，采用分类编纂法，分为大事记、特载、政治、经济、法制、军事、科教文卫、群众团体、金融保险、驻旗县处级单位、大中企业、苏木镇、社区、领导简介14个类目。（荷梅）

达拉特年鉴（2010）

达拉特旗史志征编办公室　编
2010年12月
16开　368页　198.00元

内容提要：本书是集知识、信息、实用、资料于一体的权威性工具书，采用分类编纂法，分为大事记、特载、政治、经济、法制、军事、科教文卫、群众团体、金融保险、驻旗县级单位、大中企业、苏木镇、社区、领导简介和科技人物15个类目。（荷梅）

达拉特年鉴（2011）

达拉特旗史志征编办公室　编
2011年12月
16开　208.00元

内容提要：本书是集知识、信息、实用、资料于一体的权威性工具书，采用分类编纂法，分为大事记、特载、政治、经济、法制、军事、科教文卫、群众团体、金融保险、驻旗县级单位、大中企业、苏木镇、社区、领导简介和科技人物15个类目。（荷梅）

达拉特年鉴（2012）

达拉特旗史志征编办公室　编

2012年12月

16开　372页　188.00元

内容提要：本书是集知识、信息、实用、资料于一体的权威性工具书，采用分类编纂法，分为大事记、特载、政治、经济、法制、军事、科教文卫、群众团体、金融保险、驻旗县级单位、大中企业、苏木镇、社区、领导简介14个类目。（荷梅）

达拉特年鉴（2013）

达拉特旗史志征编办公室　编

2013年12月

16开　305页　188.00元

内容提要：本书是集知识、信息、实用、资料于一体的权威性工具书，采用分类编察法，分为大事记、特载、政治、经济、法制、军事、科教文卫、群众团体、金融保险、驻旗县级单位、大中企业、苏木镇、社区、领导简介14个类目。（荷梅）

达拉特年鉴（2014）

达拉特旗史志征编办公室　编

2014年10月

16开　448页　188.00元

内容提要：本书是集知识、信息、实用、资料于一体的权威性工具书，采用分类编纂法，分为大事记、特载、政治、经济、法制、军事、科教文卫、群众团体、金融保险、驻旗县级单位、大中企业、苏木镇、社区、领导简介14个类目。（荷梅）

达拉特年鉴（2015）

达拉特旗人民政府　主办

达拉特旗史志征编办公室　编

2015年12月

16开　188.00元

内容提要：本书是集知识、信息、实用、资料于一体的权威性工具书，采用分类编纂法，分为大事记、特载、政治、经济、法制、军事、科教文卫、群众团体、金融保险、驻旗县级单位、大中企业、苏木镇、社区、领导简介14个类目。（荷梅）

达拉特年鉴（2017）

达拉特旗史志征编办公室　编

2017年12月

16开

内容提要：本书是集知识、信息、实用、资料于一体的权威性工具书，采用分类编纂法，分为大事记、特载、政治、经济、法制、军事、科教文卫、群众团体、金融保险、驻旗县级单位、大中企业、苏木镇、社区、领导简介14个类目。（荷梅）

达拉特年鉴（2018）

中共达拉特旗委档案局、达拉特旗史志征编办公室　编

2018年12月

16开

内容提要：本书是集知识、信息、实用、资料于一体的权威性工具书，采用分类编纂法，分为大事记、特载、政治、经济、法制、军事、科教文卫、群众团体、金融保险、驻旗县级单位、大中企业、苏木镇、社区、领导简介14个类目。（荷梅）

达拉特年鉴（2020）

中共达拉特旗委档案史志馆　编

陕西科学技术出版社

ISBN 978-75369-8251-2

2020年

16开　218.00元

内容提要：本书是集知识、信息、实用、资料于一体的权威性工具书，采用分类编纂法，分为大事记、特载、政治、经济、法制、军事、科教文卫、群众团体、金融保险、驻旗县级单位、大中企业、苏木镇、社区、领导简介14个类目。（荷梅）

达拉特旗五十年（1949—1999）

内蒙古达拉特旗统计局、达拉特旗计划委员会　编

内蒙古自治区新闻出版局

内新图准字（99）第97号

1999年9月

16开　168.00元

内容提要：本书以统计资料为主，配以部分专文、彩色图片、统计图表，包括全旗50年来各行各业、各条战线的资料，是一部认识和研究达拉特旗旗情，交流经济社会信息的资料工具书。（荷梅）

大漠明珠——乌审召

潘秀峰　编著

2009年

16开　54页

内容提要：本资料从沐浴金色阳光、创建美好家园、开发绿色工业、谱写悠扬牧歌、建设多彩文化、构建和谐民生六个部分介绍了乌审召镇。（荷梅）

大漠长歌——一部杭锦旗的近代生态百科全书

韩雄亮、杨智凯　编著

远方出版社

ISBN 978-7-5555-0994-3

2017年11月

16开　507页　89.80元

内容提要：本书讲述了13万杭锦人民创造的现代传奇，他们一起建设了穿沙路（从旗府锡尼镇穿越库布其沙漠到独贵塔拉镇，长约115千米，途经9个乡镇，惠及十多万人），铸就了攻坚克难、苦干实干的穿沙精神。（荷梅）

地方学研究（第一辑）

奇·朝鲁　主编

学苑出版社

ISBN 978-7-5077-5580-0

2018年9月

16开　384页　69.00元

内容提要：本书汇编地方学和地方

文化研究方面的文章，分为致辞讲话、地方学理论与实践、互联网+地方学、观察解读四个部分。（荷梅）

地方学研究（第四辑）

奇海林、杨勇　主编

学苑出版社

ISBN 978-7-5077-6132-0

2021年1月

16开　328页　58.00元

内容提要：本书主要记录了关于中国地方学与鄂尔多斯学、各地地方学科建设与应用实践的经验与体会，探索中国地方学新的发展方向与路径。（荷梅）

地方学与鄂尔多斯发展研讨会暨鄂尔多斯学研究会成立八周年庆典专辑

奇·朝鲁　主编

内蒙古自治区内部资料15-001/C

2010年10月

32开　245页

内容提要：本资料内容分为序、讲话、贺电，论文，地方学荟萃三个部分。其中论文部分共收录25篇论文，地方学荟萃部分收录了泉州学、扬州学和晋学三个机构的三篇文章。（荷梅）

第二届鄂尔多斯文化学术研讨会暨魅力鄂尔多斯高层学术论坛论文集

奇·朝鲁　主编

鄂尔多斯学研究会　编

内新图准字〔2007〕37号

2007年12月

32开　392页　40.00元

内容提要：本书包括魅力鄂尔多斯高层学术论坛演讲文稿、第二届鄂尔多斯文化学术研讨会获奖论文，以收文日期先后为序。（荷梅）

第十届全国少数民族传统体育运动会常用电话号码簿

第十届全国少数民族传统体育运动会鄂尔多斯市筹备工作执行委员会　编

2015年2月

64开　165页

内容提要：本资料簿是为了便于第十届全国少数民族传统体育运动会筹备工作的联系沟通特别印发的，收录了国家民委、国家体育总局、筹备工作委员会、鄂尔多斯市筹备工作执行委员会、鄂尔多斯市对口接待部门的常用电话。（嘎拉贝日汗）

第十一届亚洲艺术节暨第四届鄂尔多斯国际文化节：走进鄂尔多斯国际美术大展

中国国家画院、鄂尔多斯市人民政府　编

中国美术出版总社

ISSN 1003-045X

2009年8月

16开　215页　380页

内容提要：本书旨在用画笔讴歌描绘我们伟大的祖国，腾飞的鄂尔多斯在改革开放以来的巨大变化，表现这片土地上蒙汉各民族人民建设自己美好家园

的精神风貌，丰富当地人民的精神文化生活，从而更好地促进中外文化艺术交流。（荷梅）

东胜区森林草原防火宣传手册

东胜区森林草原防火指挥部办公室　宣

32开　30页

内容提要：本资料是为森林草原防火而专门印发的，其内容有森林的作用、遵守"十不准"、实行"六不烧"、注意三个"重点"、奖励与法律责任、《内蒙古自治区森林草原防火条例》等。（嘎拉贝日汗）

东胜统计年鉴（2000—2005）

东胜区统计局　编

2006年8月

16开　312页　200.00元

内容提要：本资料是一部反映东胜"十五"时期国民经济和社会发展成果的资料工具书，是外界了解东胜、认识东胜的窗口。（荷梅）

鄂尔多斯财政年鉴（2011）

鄂尔多斯市财政局　编

远方出版社

ISBN 978-7-80723-541-5

2012年7月

16开　408页　280.00元

内容提要：本书辑录了2010年度鄂尔多斯市财政各方面工作的相关资料，反映鄂尔多斯市财政工作的全貌和绩效。（其利格尔）

鄂尔多斯财政年鉴（2017）

鄂尔多斯市财政局　编著

内蒙古人民出版社

ISBN 978-7-204-15739-6

2018年11月

16开　597页　98.00元

内容提要：本书辑录了2016年度鄂尔多斯市财政各方面工作的相关资料，反映鄂尔多斯市财政工作的全貌和绩效。正文部分由重要财经文献、财政改革与重要财经法规、全市财政工作、旗区、乡镇苏木财政工作、财政统计资料、财政文选、财政工作大事记、财政系统机构人员八部分组成。（荷梅）

鄂尔多斯财政年鉴（2018）

鄂尔多斯市财政局　编著

中国财政经济出版社

ISBN 978-7-5095-9067-6

2019年7月

16开　584页　98.00元

内容提要：本书辑录了2017年度鄂尔多斯市财政各方面工作的相关资料，反映鄂尔多斯市财政工作的全貌和成绩。（荷梅）

鄂尔多斯城韵

宫秉祥　主编

中国建筑工业出版社

ISBN 978-7-112-16274-1

2013年12月

16开　374页　198.00元

内容提要：本书以中英文对照的形式，由应势而城、鄂尔多斯城市群、中心城区形态与布局、园林广场、建筑风貌、雕塑与装饰五章内容来介绍鄂尔多斯城韵，期望让更多的外国友人准确了解鄂尔多斯这座美丽的城市。（荷梅）

鄂尔多斯大辞典

《鄂尔多斯大辞典》编纂委员会　编
内蒙古人民出版社
ISBN 978-7-204-10141-2
2009年9月
16开　1028页　398.00元

内容提要：本书是一部汇集鄂尔多斯各门类基本知识和最新情况的集综合性、知识性、地域性、实用性于一体的工具书，以记载鄂尔多斯地域内的自然资源以及所发生的事实和人物为核心，彰显其地域性，突出其实用价值。本书框架结构为平行并列式，分为自然资源、历史、政法军事、经济、科学技术、文化、教育体育、医疗卫生、民族民俗宗教、成吉思汗陵祭祀、社会、当代人物，共十二个分篇。（嘎拉贝日汗）

鄂尔多斯电业局统计年鉴（2006）

鄂尔多斯电业局　编
2007年10月
32开　158页

内容提要：本资料是一部全面反映鄂尔多斯电业局生产、经营管理成果及局情局力的资料工具书，收录了2006年全局生产经营管理各方面信息的统计资料。全书共分五部分：概况、电力生产与经营、人力资源教育培训、输变配电资产、农电。（荷梅）

鄂尔多斯电业志（1998—2007）

鄂尔多斯电业局　编
2011年
16开　316页

内容提要：本资料是记录1998—2007年鄂尔多斯电业局发展历程的专业志书，内容涉及电业局基本建设、供电、市场营销、科技与教育、企业管理、体制机构、党群工作、职工生活、辅业、荣誉人物等多个方面，再现了鄂尔多斯电业局履行政治责任、经济责任和社会责任的历史事实，集中反映了鄂电人团结拼搏、追求卓越的可敬精神。（其利格尔）

鄂尔多斯方言成语词典

栗治国　编著
内蒙古人民出版社
ISBN 7-204-06604-9
2004年1月
32开　511页　80.00元

内容提要：本书收录了鄂尔多斯地区方言成语5150条，采用国际音标作为标音方式，进行简要解释，并运用典型的口语列举例句。（荷梅）

鄂尔多斯风情：赵凯黑白画集

赵凯　著

内新图准字（99）第86号

1999年9月

24开　90页　12.00元

内容提要：本书是作者根据自己对生活的体验和感受，将五光十色、缤纷多彩的世界概括为黑白两色，用熟练的黑白功夫和现代平面构成，巧妙地采取连续、重叠、透叠、起伏等造型手段，营造出优美的黑白草原风情画。（荷梅）

鄂尔多斯风俗礼仪

宝斯尔、杨永峰　编

内新图准字（91）第177号

1998年12月

48开　31页　2.00元

内容提要：本书主要介绍了成吉思汗祭奠、蒙古族诈马宴、鄂尔多斯婚礼、鄂尔多斯礼仪、鄂尔多斯响沙湾等内容。（荷梅）

鄂尔多斯扶贫志

《鄂尔多斯扶贫志》编委会　编

内蒙古人民出版社

ISBN 978-7-204-14257-6

2016年12月

16开　412页　120.00元

内容提要：本书系统地梳理了鄂尔多斯各个历史时期脱贫攻坚的艰辛探索和成功实践，完整地记载了鄂尔多斯人民在党和政府领导下艰苦创业、脱贫致富的波澜壮阔历程，实事求是地总结了鄂尔多斯扶贫开发事业令人瞩目的历史性成就。内容分为区域建制、自然与社会经济状况、扶贫管理机构、人民生活、"七五"时期扶贫工作情况（1986-1990）等20章。（荷梅）

鄂尔多斯革命史集

郝崇理　著

作家出版社

ISBN 978-7-5063-3826-4

2007年2月

32开　168页　40.00元

内容提要：本书收录了《鄂尔多斯地区的革命遗址》《解放战争初期的三边保卫战》《党的民族政策照亮了鄂尔多斯》《纪念抗日战争胜利66周年》等20篇文章。（荷梅）

鄂尔多斯光辉60年

杨森、霍永录　主编

鄂尔多斯市延安精神研究会　编著

内蒙古人民出版社

ISBN 978-7-204-10135-1

2009年12月

32开　336页　56.00元

内容提要：本书共六个部分，分别是业绩综述、旗区发展、事业辉煌、企业进步、光彩夺目、光辉永载。通过写人写事，记述和反映了生活在这片古老而神奇土地上的人民艰苦奋斗、奋发图强的精神面貌和他们所取得的辉煌业绩。（荷梅）

鄂尔多斯辉煌60年

中共鄂尔多斯市委宣传部、中共鄂

尔多斯市委外宣办、鄂尔多斯市档案局、鄂尔多斯市统计局　编

2007年

16开　105页

内容提要：本书以画册的形式记录了鄂尔多斯的发展足迹，共11个篇章，分别是概况篇、经济篇、社会篇、文化篇、生态篇、和谐篇、基础篇、企业篇、旗区篇、资源篇、社会团体篇。（荷梅）

鄂尔多斯集团考察

胡洁等　著

经济管理出版社

ISBN 978-7-5096-1325-2

2011年4月

16开　292页　42.00元

内容提要：本书剖析鄂尔多斯集团的创业文化，破译鄂尔多斯集团的发展基因，总结创新的管理模式，探讨多元化经营的经验与问题，助力鄂尔多斯集团走向下一个辉煌的30年。（荷梅）

鄂尔多斯祭奠赞祝

昭日格图　整理编辑

内蒙古大学出版社

ISBN 978-7-5665-1435-6

2018年7月

16开　490页　220.00元

内容提要：本书由祭奠和赞祝两大部分组成。祭奠部分搜集整理了鄂尔多斯地区流传的熏香词、招财召请词、祈请祈祷、祝福等内容，共四部分，52条；赞祝部分搜集整理了婚礼和马匹等赞祝词，共四部分，共75条。（荷梅）

鄂尔多斯经济社会调查年鉴（2007）

奇额尔德木图　主编

国家统计局鄂尔多斯调查队　编

2007年

16开　570页　180.00元

内容提要：本资料是一部集鄂尔多斯市经济社会信息、资料于一体的工具书，通过大量翔实的统计数据，重点反映了2006年鄂尔多斯市农村牧区、城市和企业的发展变化情况。（荷梅）

鄂尔多斯经济社会调查年鉴（2008）

奇额尔德木图　主编

国家统计局鄂尔多斯调查队　编

2008年

16开　503页　180.00元

内容提要：本资料是一部集鄂尔多斯市经济社会信息、资料于一体的工具书，通过大量翔实的统计数据，重点反映了2007年鄂尔多斯市农村牧区、城市和企业的发展变化情况。（荷梅）

鄂尔多斯经济社会调查年鉴（2012）

奇额尔德木图　主编

国家统计局鄂尔多斯调查队　编

2012年

16开　441页　180.00元

内容提要：本资料是一部集鄂尔多斯市经济社会信息、资料于一体的工具书，本书通过大量翔实的统计数据，重

点反映了2011年鄂尔多斯市农村牧区、城市和企业的发展变化情况。（荷梅）

鄂尔多斯经济社会调查年鉴（2013）

奇额尔德木图　主编
国家统计局鄂尔多斯调查队　编
2013年
16开　382页　180.00元

内容提要：本资料是一部集鄂尔多斯市经济社会信息、资料于一体的工具书，通过大量翔实的统计数据，重点反映了2012年鄂尔多斯市农村牧区、城市和企业的发展变化情况。（荷梅）

鄂尔多斯经济社会调查年鉴（2011）

奇额尔德木图　主编
国家统计局鄂尔多斯调查队　编
2011年
16开　442页

内容提要：本资料是一部集鄂尔多斯市经济社会信息资料于一体的权威性工具书。本书通过大量翔实的统计数据，重点反映了2010年鄂尔多斯市农村牧区、城市和企业的发展变化情况，是国内外各界人士了解和认识鄂尔多斯经济社会情况的重要资料工具书。全书分为特载篇、经济社会综合篇、农村牧区调查篇、城市调查篇、企业调查篇五个部分，每部分下设若干细目。为便于读者查阅，在每个细目编排了主要统计指标解释。（其利格尔）

鄂尔多斯跨越——伊克昭盟回眸二十年

刘旺林　主编
人民日报出版社
ISBN 7-800153-046-2
1999年9月
16开　399页　130.00元

内容提要：本书是伊克昭盟统计局献给中华人民共和国成立50周年大庆的一份薄礼。以大量的文字和翔实的数据，记载了改革开放20年来伊克昭盟经济和社会发展所取得的累累硕果。本书条目清楚、使用方便、资料全面，可作为了解和宣传伊盟、开发和建设伊盟、研究和制定伊盟经济社会发展战略和发展计划的重要参考资料和应用工具。（嘎拉贝日汗）

鄂尔多斯旅游大观

文鸣、朝阳、贾文秀　主编
内蒙古人民出版社
ISBN 7-204-03563-1
1997年5月
32开　176页　12.00元

内容提要：此书主要介绍了鄂尔多斯揽胜、景观游、风情游、鄂尔多斯蒙古族风俗、风味饮食、土特名产、购物指南、旅游服务、交通等。（荷梅）

鄂尔多斯蒙古族妇女头饰追溯

曹纳木　搜集整理
赵忠诚　译
内蒙古人民出版社
ISBN 978-7-204-010858-9

2010年12月

114页　32开　20.00元

内容提要：本书介绍了鄂尔多斯蒙古族妇女的头饰的部件、材质、寓意、穿戴等等。（库布其）

鄂尔多斯民歌

郭永明等　编

内蒙古人民出版社

8089·79

1979年5月

32开　428页　0.84元

内容提要：本书收录了《章盖与阿拉巴特》《我有钱的弟弟呀》《董吉》《六十棵榆树》《半圆的月亮》等200多首民歌。（荷梅）

鄂尔多斯民歌集萃

包俊臣、王立庄　主编

内蒙古人民出版社

ISBN 978-7-204-00755-7

1990年6月

32开　1076页　12.90元

内容提要：本书收入鄂尔多斯蒙古族、汉族民歌3500多首，分为故乡情、父母恩、英雄赞、爱之歌等13辑。（荷梅）

鄂尔多斯年鉴（2002—2003）

鄂尔多斯市人民政府　编

内蒙古人民出版社

ISBN 978-7-204-08003-8

2005年7月

16开　430页　198.00元

内容提要：本书全面、系统、客观地记载了鄂尔多斯市2002—2003年政治、经济、文化等各方面的发展状况。（荷梅）

鄂尔多斯年鉴（2004—2005）

鄂尔多斯市人民政府　编

内蒙古人民出版社

ISBN 7-204-08003-3

2006年11月

16开　446页　200.00元

内容提要：本书全面、系统、客观地记载了鄂尔多斯市2004—2005年政治、经济、文化等各方面的发展状况。（荷梅）

鄂尔多斯年鉴（2006—2007）

鄂尔多斯市人民政府　编

内蒙古人民出版社

ISBN 978-7-204-08003-3

2008年6月

16开　456页　200.00元

内容提要：本书为编年体综合性、资料性工具书，采用分类编纂法，设特载、大事记、党政团体、公安司法、军事、经济、科技教体文化卫生新闻、开发区、企业、旗区概况、附录11个类目。（荷梅）

鄂尔多斯年鉴（2008）

鄂尔多斯市人民政府　编著

内蒙古人民出版社

ISBN 978-7-204-08003-8

2009年1月

16开　292页　200.00元

内容提要：本书为编年体综合性地情信息资料年刊，采用分类编纂法，设特载、大事记、党政团体、公安司法、军事、经济、科技教育体育文化卫生新闻、开发区、企业、旗区概况10个类目。（荷梅）

鄂尔多斯年鉴（2009）

鄂尔多斯市人民政府　编

内蒙古人民出版社

ISBN 978-7-204-08003-8

2010年11月

16开　356页　200.00元

内容提要：本书为编年体综合性地情信息资料年刊，采用分类编纂法，设特载、大事记、党政团体、公安司法、军事、经济、科技教育体育文化卫生新闻、开发区、企业、旗区概况10个类目。（荷梅）

鄂尔多斯年鉴（2010）

鄂尔多斯市人民政府　编

内蒙古人民出版社

ISBN 978-7-204-11493-1

2012年1月

16开　456页　200.00元

内容提要：本书是编年体综合性地情信息资料年刊，较为详尽地介绍了2009年鄂尔多斯市的发展概况，具有史料价值和现实社会经济建设发展参考借鉴等重要作用。（荷梅）

鄂尔多斯年鉴（2012）

鄂尔多斯市人民政府　编

内蒙古人民出版社

ISBN 978-7-204-13181-5

2014年11月

16开　548页　200.00元

内容提要：本书为编年体综合性地情信息资料年刊，采用分类编纂法，设特载、大事记、党政团体、公安司法、军事、经济、科技教育体育文化卫生新闻、开发区、企业、旗区概况、附录11个类目。（荷梅）

鄂尔多斯鸟类

吴佳立、吴佳正　主编

远方出版社

ISBN 978-7-5555-1500-5

2021年1月

16开　380页　398.00元

内容提要：本书是一部具有学术价值和科普价值的鸟类学著作，以图文形式介绍了鄂尔多斯鸟类的名称、类别、属性、习性、分布、数量、保护等级等，对鄂尔多斯鸟类资源进行了科学系统的分析论述，是一部从事资源保护和野生动物研究工作者的推荐工具书，也是一部向广大群众和全社会宣传鸟类科学知识的实用图书。（荷梅）

鄂尔多斯农牧交错区域研究（1697—1945）——以准噶尔旗为中心

哈斯巴根　著

内蒙古大学出版社

ISBN 978-7-81115-298-2

2007年8月

32开　280页　20.00元

内容提要：本书对1697—1945年内蒙古西部鄂尔多斯地区农牧交错社会的形成、冲击与调整、焦点问题、文化、生活、社会性格等方面进行了研究和考证。（荷梅）

鄂尔多斯情缘

中国石化华北石油局　编

16开

内容提要：本资料是庆祝华北石油局成立40周年暨鄂尔多斯盆地油气勘探开发60周年的文集，收录有关回忆、纪念文章和图片。（荷梅）

鄂尔多斯人手册

孙荣　编

内蒙古人民出版社

ISBN 978-7-204-09162-1

2008年10月

16开　192页　78.00元

内容提要：本书收录与办公、生活、学习等紧密相关的实用信息，分为交通、行车、旅游、购物、餐饮、生活、医疗保健、办公教育等部分。内容翔实实用，外观精美雅致，一书多用。（库布其）

鄂尔多斯摄影作品选（一）

鄂尔多斯市文学艺术界联合会、鄂尔多斯市摄影家协会　编

香港大道出版社

ISBN 962-85924-0-8

2008年1月

12开　84页　160.00元

内容提要：本书纪实求真，全面直观地反映了鄂尔多斯的发展变化，展示了鄂尔多斯壮美的自然风光、民俗民风。（荷梅）

鄂尔多斯十年

鄂尔多斯画册编委会　著

中共鄂尔多斯市委员会、鄂尔多斯市人民政府　编

2011年10月

12开　227页

内容提要：本资料是一部反映了鄂尔多斯撤盟设市10年来的发展变迁的画册，内容分为天地、城市、百姓、经济、文化、生灵六个方面。（荷梅）

鄂尔多斯市地方税务局成立20周年（1994—2014）

2014年12月

16开　87页

内容提要：本资料展示1994—2014年鄂尔多斯市地方税务局的税收状况、地税风貌、征管模式、队伍建设、部门形象和社会责任等方面的实践探索和取得的骄人成绩，以图文形式向社会各界展示鄂尔多斯地税工作的进步与发展。（其利格尔）

鄂尔多斯市国家税务志（1994—2018）

苗福成　主编

国家税务总局鄂尔多斯市税务局　编
2020年12月
16开　506页

内容提要：本资料以记述鄂尔多斯市本级国家税收工作为主，设14章，另有凡例、概述、大事记、附录、后记等内容。本资料为全市税务人和社会各界了解国税税收实践过程和取得的辉煌业绩提供了一套完整的、客观真实的税史资料，将为今后总结税收工作经验、开拓创新提供思路借鉴，也必将为助推新时代鄂尔多斯税收事业蓬勃发展做出贡献。（其利格尔）

鄂尔多斯市机构信息汇编

鄂尔多斯市经济信息中心　编
内新图准字〔2002〕2号
2002年2月
16开　298页　168.00元

内容提要：本书信息覆盖面广、含量大、实用性强，是各级党政机关、部门团体、企事业单位开展公务活动以及广大投资者、消费者从事商务活动的重要参考资料和工具类书籍。（库布其）

鄂尔多斯市疾病预防控制中心志（1950—2015）

邬虎城　主编
鄂尔多斯市疾病预防控制中心　编
16开　312页

内容提要：本资料是一部比较全面客观真实地反映了鄂尔多斯市卫生防疫与疾病预防控制工作事业方面取得业绩和经验的资料性工具书，翔实而系统地记述了伊克昭盟卫生防疫站与鄂尔多斯市疾病预防控制中心60多年历史发展的状况，是鄂尔多斯市疾病预防控制中心疾病预防控制、健康教育宣传与促进、预防保健、防治结合等方面的第一本专业性史志。（其利格尔）

鄂尔多斯市情手册（2015）

余永崇　主编
鄂尔多斯市委政策研究室　编
2015年
32开　120页

内容提要：本资料较全面地反映了鄂尔多斯的概况，即全市当前一个时期的总体要求、发展举措和发展目标，全市的经济社会发展现状，以及城市荣誉、驰名商标、旅游精品，各旗区、园区的情况等内容。（其利格尔）

鄂尔多斯市情手册（2019）

高连山　主编
鄂尔多斯市委政策研究室　编
2019年4月
32开　112页

内容提要：本资料分鄂尔多斯概况、鄂尔多斯发展、鄂尔多斯名片、鄂尔多斯旗区、鄂尔多斯园区（开发区）五个板块，介绍了自然地理、资源禀赋、行政区划、民俗风情、发展蓝图、经济发展、社会事业、城市荣誉等内容，全面展现了鄂尔多斯风貌，集中记述了2018年鄂尔多斯经济社会发展成

就。（荷梅）

鄂尔多斯市人民代表大会及其常务委员会年鉴（2018）

吕平　主编

16开　415页

内容提要：本资料分鄂尔多斯市第四届人民代表大会第一次会议、常委会工作安排和会议议程日程，常委会领导同志讲话，立法工作，监督工作，督察工作，讨论决定重大事项，人事任免，代表工作，常委会日常工作大事件九个部分，记录了2018年鄂尔多斯市人民代表大会及其常务委员会工作内容。（其利格尔）

鄂尔多斯市人民代表大会及其常务委员会年鉴（2019）

吕平、杨斯帆　主编

《鄂尔多斯市人民代表大会及其常务委员会年鉴2019年卷》编辑委员会　编

16开　371页

内容提要：本资料分鄂尔多斯市第四届人民代表大会第二次会议、常委会工作安排和会议议程日程、常委会领导同志讲话、立法工作、监督工作、督察工作、讨论决定重大事项、人事任免、代表工作、常委会日常工作大事件九部分，记录了2019年鄂尔多斯市人民代表大会及其常务委员会工作内容。（其利格尔）

鄂尔多斯市人民政府组织沿革（1958—2001）

鄂尔多斯市人民政府办公厅档案室　编

2001年11月

16开　28页

内容提要：本资料详细记录了1958年伊克昭盟行政公署成立至2001年设鄂尔多斯市人民政府的组织发展沿革情况。（其利格尔）

鄂尔多斯市森林公安志（1948—2008）

阿拉腾宝　主编

《鄂尔多斯市森林公安志》编纂委员会　编

16开　131页

内容提要：本资料翔实、全面地记述鄂尔多斯市森林公安近40年来依法保林、依法保护重要野生动物的光辉历程，展示了鄂尔多斯森林公安工作的发展变化，激励和服务我市广大森林公安民警，使其了解鄂尔多斯市森林公安史，教育后人。（其利格尔）

鄂尔多斯市政务服务指南

曹文清　主编

鄂尔多斯市人民政府政务服务中心　编

2015年

16开　150页

内容提要：本资料是一本方便广大办事群众和企业在鄂尔多斯市人民政府政务服务中心办理各项业务的服务指

南。（嘎拉贝日汗）

鄂尔多斯市统计年鉴（2002）

鄂尔多斯市统计局　编
中国统计出版社
ISBN 7-5037-3875-8
2002年8月
16开　462页　100.00元

内容提要：本书收录了鄂尔多斯市2001年度经济社会各方面的统计信息资料，是一部全面反映鄂尔多斯市国民经济和社会发展成果及市情市力的大型资料工具书。（荷梅）

鄂尔多斯统计年鉴（2003）

鄂尔多斯市统计局　编
中国统计出版社
ISBN 7-5037-4139-2
2003年7月
16开　380页　100.00元

内容提要：本书是一部全面反映鄂尔多斯市国民经济和社会发展成果及市情市力的大型资料工具书，收录了全市2002年度经济社会各方面的统计信息资料。内容分为两个部分，第一部分为特载，载入了《鄂尔多斯市政府报告》及《鄂尔多斯市国民经济和社会发展统计公报》；第二部分为特载资料，分为23个细目。（荷梅）

鄂尔多斯统计年鉴（2004）

鄂尔多斯市统计局　编
中国统计出版社
ISBN 7-5037-4418-9
2004年7月
16开　380页　120.00元

内容提要：本书是一部全面反映鄂尔多斯市国民经济和社会发展成果及市情市力的大型资料工具书，收录了全市2003年度经济社会各方面的统计信息资料。内容分为两个部分，第一部分为特载，载入了领导讲话及《鄂尔多斯市政府工作报告》《鄂尔多斯市国民经济和社会发展统计公报》；第二部分为统计资料，分为23个细目。（荷梅）

鄂尔多斯统计年鉴（2005）

鄂尔多斯市统计局　编
中国统计出版社
2005年12月
16开　382页　200.00元

内容提要：本书是一部全面反映鄂尔多斯市国民经济和社会发展成果及市情市力的大型资料工具书，收录了全市2005年度经济、社会各方面的统计信息资料。（荷梅）

鄂尔多斯统计年鉴（2006）

鄂尔多斯市统计局　编
中国统计出版社
ISBN 7-5037-4139-2
2006年
16开　374页　100.00元

内容提要：本书是一部全面反映鄂尔多斯市国民经济和社会发展成果及市情市力的大型资料工具书，收录了全市

2005年度经济、社会各方面的统计信息资料。（荷梅）

鄂尔多斯统计年鉴（2007）
  鄂尔多斯市统计局　编
  中国统计出版社
  2007年12月
  16开　401页　250.00元
  内容提要：本书是一部全面反映鄂尔多斯市国民经济和社会发展成果及市情市力的大型资料工具书，收录了全市2006年度经济、社会各方面的统计信息资料。（荷梅）

鄂尔多斯统计年鉴（2008）
  鄂尔多斯统计年鉴编辑委员会　编
  鄂尔多斯统计局
  2008年7月
  16开　408页
  内容提要：本书收录了全市2007年度经济社会各方面的统计信息资料，是一部全面反映鄂尔多斯市国民经济和社会发展成果及市情市力的大型资料工具书。（库布其）

鄂尔多斯统计年鉴（2009）
  鄂尔多斯市统计局　编
  2009年
  16开　433页
  内容提要：本资料是一部全面反映鄂尔多斯市国民经济和社会发展成果及市情市力的大型资料工具书，收录了全市2008年度经济、社会各方面的统计信息资料。（荷梅）

鄂尔多斯统计年鉴（2010）
  鄂尔多斯市统计局　编
  中国统计出版社
  2010年
  16开　443页
  内容提要：本书是一部全面反映鄂尔多斯市国民经济和社会发展成果及市情市力的大型资料工具书，收录了全市2009年度经济、社会各方面的统计信息资料。（荷梅）

鄂尔多斯统计年鉴（2011）
  鄂尔多斯统计年鉴编辑委员会　编
  鄂尔多斯统计局
  远方出版社
  ISBN 978-7-8072-3683-2
  2012年4月
  16开　424页　300.00元
  内容提要：本资料收录了全市2010年度经济社会各方面的统计信息资料，是一部全面反映鄂尔多斯市国民经济和社会发展成果及市情市力的大型资料工具书。（库布其）

鄂尔多斯统计年鉴（2012）
  鄂尔多斯市统计局　编
  2012年
  16开　412页
  内容提要：本资料收录了全市2011年度经济社会各方面的统计信息资料，是一部全面反映鄂尔多斯市国民经济和

社会发展成果及市情市力的大型资料工具书。（荷梅）

鄂尔多斯统计年鉴（2013）

鄂尔多斯市统计局　编
中国统计出版社
ISBN 978-7-5037-6979-5
2013年10月
16开　376页　280.00元

内容提要：本书是一部资料性年刊，通过大量统计数据，客观真实地反映了鄂尔多斯市2012年以及历史主要年份国民经济和社会发展情况。分为综合、人口、就业、人民生活、文化、卫生、交通、邮电、金融等部分。全书资料翔实可靠，准确权威，是各界人士了解、研究鄂尔多斯市建设成就和发展状况的重要参考资料书。（荷梅）

鄂尔多斯统计年鉴（2014）

鄂尔多斯市统计局　编
中国统计出版社
ISBN 978-7-5037-7318-1
2014年12月
16开　400页　280.00元

内容提要：本书收录了鄂尔多斯市2013年度经济社会各方面的统计信息资料，是一部全面反映全市国民经济和社会发展成果及市情市力的大型资料工具书。内容分为两个部分，第一部分为特载，载入了领导讲话及2013年国民经济和社会发展统计公报；第二部分为统计资料，分为22个细目。（荷梅）

鄂尔多斯统计年鉴（2015）

鄂尔多斯市统计局　编
中国统计出版社
ISBN 978-7-5037-7636-6
2015年10月
16开　386页　280.00元

内容提要：本书收录了鄂尔多斯市2014年度经济社会各方面的统计信息资料，是一部全面反映全市国民经济和社会发展成果及市情市力的大型资料工具书。（荷梅）

鄂尔多斯统计年鉴（2016）

鄂尔多斯市统计局　编
中国统计出版社
ISBN 978-7-5037-7775-2
2016年5月
16开　340页　280.00元

内容提要：本书收录了鄂尔多斯市2015年度经济社会各方面的统计信息资料，是一部全面反映全市国民经济和社会发展成果及市情市力的大型资料工具书。本书内容分两部分：第一部分为特载，载入了鄂尔多斯市委书记白玉刚同志讲话、鄂尔多斯市人民政府市长廉素同志讲话及《鄂尔多斯市2015年国民经济和社会发展统计公报》。第二部分为统计资料，分为20个细目。（荷梅）

鄂尔多斯统计年鉴（2017）

鄂尔多斯市统计局　编
中国统计出版社
ISBN 978-7-5037-8243-5

2017年9月

16开　380页　280.00元

内容提要：本书收录了鄂尔多斯市2016年度经济社会各方面的统计信息资料，是一部全面反映全市国民经济和社会发展成果及市情市力的大型工具书。内容分为两个部分，第一部分为特载，载入了《鄂尔多斯市2017年政府工作报告》和《鄂尔多斯市2016年国民经济和社会发展统计公报》；第二部分为统计资料，分为22个细目。（荷梅）

鄂尔多斯统计年鉴（2018）

鄂尔多斯市统计局　编

中国统计出版社

ISBN 978-7-5037-8711-9

2018年10月

16开　366页　270.00元

内容提要：本书收录了鄂尔多斯市2017年度经济社会各方面的统计信息资料，是一部全面反映全市国民经济和社会发展成果及市情市力的大型资料工具书。本书内容分两部分，第一部分为特载，载入了《鄂尔多斯市2018年政府工作报告》和《鄂尔多斯市2017年国民经济和社会发展统计公报》；第二部分为统计数据，分为22个细目。（荷梅）

鄂尔多斯统计年鉴（2019）

鄂尔多斯市统计局　编

中国统计出版社

ISBN 978-7-5037-9012-6

2019年10月

16开　359页　280.00元

内容提要：本书是一部资料性年刊，通过大量统计数据，客观真实地反映了鄂尔多斯市2018年以及历史主要年份国民经济和社会发展情况。分为综合、人口、就业、人民生活、文化、卫生、交通、邮电、金融等部分。（荷梅）

鄂尔多斯统计年鉴（2020）

鄂尔多斯市统计局　编

中国统计出版社

ISBN 978-7-5037-9268-7

2020年10月

16开　364页　280.00元

内容提要：本书收录了鄂尔多斯市2019年度经济社会各方面的统计信息资料，是一部全面反映全市国民经济和社会发展成果及市情市力的大型资料工具书。（荷梅）

鄂尔多斯统计手册（2006年）

鄂尔多斯市统计局　编

64开　99页

内容提要：本资料主要内容为鄂尔多斯市地理资源概况、行政区划、人口和资源等51个方面的统计数据。（荷梅）

鄂尔多斯统计手册（2007年）

鄂尔多斯市统计局　编

64开　99页

内容提要：本资料主要内容为鄂尔多斯市地理资源概况、行政区划、人口和资源、鄂尔多斯一日等51个方面的统

计数据。（荷梅）

鄂尔多斯统计手册（2008年）

　　鄂尔多斯市统计局　编
　　64开　80页
　　内容提要：本资料主要内容为鄂尔多斯市地理资源概况、行政区划、人口和资源、国民经济综合指标等45个方面的统计数据。（荷梅）

鄂尔多斯统计手册（2009年）

　　鄂尔多斯市统计局　编
　　64开　76页
　　内容提要：本资料主要内容为鄂尔多斯市地理资源概况、行政区划、人口和资源、国民经济综合指标等40个方面的统计数据。（荷梅）

鄂尔多斯统计手册（2014年）

　　鄂尔多斯市统计局　编
　　32开　109页
　　内容提要：本资料统计了鄂尔多斯市基本市情、经济发展、社会民生、产业结构、旗区经济等方面的数据。（其利格尔）

鄂尔多斯统计手册（2017年）

　　鄂尔多斯市统计局　编
　　32开　97页
　　内容提要：本资料主要分为2016年鄂尔多斯市全市基本情况、2016年各旗区主要经济指标情况、2016年各盟市主要经济指标情况、2005—2016年全市主要指标完成情况四个部分。（荷梅）

鄂尔多斯市统计手册（2019年）

　　鄂尔多斯市统计局　编
　　2020年6月
　　32开　94页
　　内容提要：本资料包括鄂尔多斯市统计局2018年全市基本情况、2018年各旗区主要经济指标情况、2018年各盟市主要经济指标情况、2018年全国地级区域主要经济指标情况、2005—2018年全市主要指标完成情况、全市主要经济指标2018年对比情况等内容。（其利格尔）

鄂尔多斯市统计手册（2020年）

　　鄂尔多斯市统计局　编
　　2021年6月
　　32开　96页
　　内容提要：本资料包括鄂尔多斯市统计局2019年全市基本情况、2019年各旗区主要经济指标情况、2019年各盟市主要经济指标情况、2019年内蒙古各旗县区主要经济指标情况、2019年全国地级区域主要经济指标情况、2005—2019年全市主要指标完成情况等内容。（其利格尔）

嘎日迪夫的故事

　　特木尔等　编
　　黄大英　译
　　内蒙古大学出版社
　　ISBN 978-7-5665-0415-9

2013年7月

32开 332页 32.00元

内容提要：本书收录民间故事50篇，大多为鄂尔多斯地区的本土民间故事，从一个侧面展示了鄂尔多斯的地域文化。（荷梅）

鄂尔多斯文化论文集

奇·朝鲁 主编

鄂尔多斯学研究会 编

内新图准字〔2006〕53号

2006年11月

32开 284页 30.00元

内容提要：本书汇编有关鄂尔多斯文化的论文，包括《弘扬中华文明 发展鄂尔多斯文化 构建和谐鄂尔多斯》《关于成吉思汗文化的初步思考》《鄂尔多斯文化民族性的历史考察》《论鄂尔多斯生态现象》《首届鄂尔多斯文化学术研讨会综述》等27篇文章。（库布其）

鄂尔多斯舞

中国舞蹈艺术研究会 编

上海文化出版社

8077·90

1957年6月

32开 42页 0.16元

内容提要：本书介绍鄂尔多斯舞的创作过程、排练时应注意的要点、动作、音乐等，可供专业及业余舞蹈团体排练之用。（荷梅）

鄂尔多斯模式研究与探索

潘照东 著

内蒙古人民出版社

ISBN 978-7-204-11689-8

2012年6月

16开 336页 68.00元

内容提要：本书收录了《"鄂尔多斯模式"与西部大开发》《西部地区的科学发展之路——"鄂尔多斯模式"与启示》《文化塑市与鄂尔多斯学研究》《促进阿尔寨学研究的建议》等37篇文章。（荷梅）

鄂尔多斯生态研究

齐凤元 主编

内蒙古人民出版社

ISBN 978-7-204-11689-8

2012年6月

16开 368页 68.00元

内容提要：本书收录了《鄂尔多斯森林变迁史简述》《鄂尔多斯垦荒与沙漠化》《谈森林与生态环境的关系》《钱学森与内蒙古沙产业》等30多篇文章。（荷梅）

鄂尔多斯风俗录：守护和祭祀成吉思汗的神秘部落

杨·道尔吉 编著

蒙古学出版社

ISBN7-80595-002-4

1993年3月

32开 272页 26.00元

内容提要：本书共11章，从饮食习

俗、服饰、起居、礼仪习俗、岁时节日、竞技游戏、鄂尔多斯婚礼、诞育、丧葬、崇尚、禁忌、祭奠、祭祀、生产习俗等方面介绍了鄂尔多斯风俗。（荷梅）

鄂尔多斯历代书目索引

奇·朝鲁　主编
内新图准字〔2007〕37号
2008年1月
32开　264页　36.00元

内容提要：本书所征集的书目既包括历代鄂尔多斯籍作者、外籍作者、编译者撰写鄂尔多斯的书，也包括古籍中涉及鄂尔多斯的书，还有中华人民共和国成立之前盟、旗王府重要政务函件、大族家谱等。（荷梅）

鄂尔多斯品牌战略

奇·朝鲁、王林祥　主编
内蒙古人民出版社
ISBN 7-204-07139-5
2003年12月
32开　369页　32.00元

内容提要：本书包括《鄂尔多斯羊绒衫厂的发展给我们的启示》《做一流企业　创世界名牌》《鄂尔多斯辉煌二十年》《构建鄂尔多斯特色的企业文化》《试论企业职工的主人翁意识》《鄂尔多斯集团化发展及其名牌战略》等29篇文章。（荷梅）

鄂尔多斯天地人

奇·朝鲁　主编
潘照东　著
内新图准字〔2006〕53号
2006年11月
32开　316页　28.00元

内容提要：本书内容分为古老灵秀的北疆明珠、悠久灿烂的历史文化、古老神秘的传统祭祀、独具魅力的草原风情、绚丽多彩的歌海舞乡、迅速崛起的西部明星六个部分。（荷梅）

鄂尔多斯学研究

包海山　主编
内蒙古人民出版社
ISBN 978-7-204-11689-8
2012年6月
16开　363页　68.00元

内容提要：本书收录《关于建立"鄂尔多斯学研究会"的创意》《关于建立鄂尔多斯学的初步建议》《鄂尔多斯学研究会的一年》《鄂尔多斯学研究的三个要点》等60多篇文章。（荷梅）

鄂尔多斯学研究文选（2002—2004）

鄂尔多斯学研究会　编著
内新图准字〔2006〕53号
2006年11月
32开　425页　35.00元

内容提要：本书是由2002—2004年《鄂尔多斯学研究》各期刊物中选出的49篇论文和资料性作品结集而成，涉及鄂尔多斯学、历史、经济、文化、生态

五个方面。（荷梅）

鄂尔多斯学研究文选（2005）

奇·朝鲁　主编
鄂尔多斯学研究会　编
内新图准字〔2007〕37号
2007年9月
32开　428页　33.00元

内容提要：本书收录了由《鄂尔多斯学研究》2005年各期中选出的39篇文章，分为鄂尔多斯学研究会、历史、经济、文化、生态环境五个部分。（荷梅）

鄂尔多斯学研究文选（2006）

奇·朝鲁　主编
鄂尔多斯学研究会　编
内新图准字〔2007〕37号
2007年9月
32开　528页　36.00元

内容提要：本书共收录了由《鄂尔多斯学研究》2006年各期中选出的50多篇文章，分为鄂尔多斯学研究会、历史、经济、文化、生态环境等五部分。（荷梅）

鄂尔多斯学研讨论文集（2002—2005）

鄂尔多斯学研究会　编者
内新图准字〔2006〕53号
2006年10月
32开　422页　35.00元

内容提要：本书主要收录了2002—2005年召开的文化塑市研讨会、阿尔寨石窟研讨会、开发沙地产业研讨会、纪念萨冈彻辰诞辰400周年学术研讨会、鄂尔多斯学学术研讨会、鄂尔多斯文化与城市规划建设研讨会上发表的论文。（荷梅）

鄂尔多斯盐业史

牧人、袁宪金　编著
内蒙古人民出版社
ISBN 7-204-07139-5
2003年12月
32开　295页　25.00元

内容提要：本书共分三编。第一编为"古代及近代鄂尔多斯盐业：汉至元朝时期、明清时期、民国时期"，第二编为"现代鄂尔多斯盐业：建国初期、蒙绥盐务合并时期、产销分管时期"，第三编为"当代鄂尔多斯盐业：盐湖资源、盐业生产、盐的运销、盐政执法、盐税盐价、盐业机构"。（荷梅）

鄂尔多斯学研究会2016年论文集

奇·朝鲁　主编
内蒙古人民出版社
ISBN 978-7-204-14905-6
2017年7月
16开　433页　76.00页

内容提要：本书汇编了来自北京、浙江、甘肃等国内"一带一路"研究领域的近80名专家学者就草原丝绸之路，古茶叶之路与内蒙古经济社会发展，鄂尔多斯产业结构的发展模式与"一带一路"的对接问题，"一带一路"与呼包鄂协同发展问题，历史上鄂尔多斯地区丝绸之路在东西方文化、南北文化交流中的作用，抓住"一带一路"机遇如何发展能源产业、旅游产业、文化产业，如何实现转型发展等议题，从不同的角度和维度，从理论高度和学术深度进行积极的思考与探索的38篇论文，以及《鄂尔多斯学研究》2016年1—4期刊登的13篇优秀论文，旨在希望这一理论成果能为市委、市政府和相关部门的决策提供一定的借鉴参考作用。（其利格尔）

鄂尔多斯学研究2017年论文集

奇·朝鲁　主编

内蒙古人民出版社

ISBN 978-7-204-15844-7

2019年10月

16开　388页　78.00元

内容提要：本书是以鄂尔多斯历史文化、经济社会发展等地方学研究为主的论文集，收录2017年《鄂尔多斯学研究》季刊和《草原城市文化——康巴什论坛》《鄂尔多斯学十五周年纪念文集》的优秀论文，共50多篇。全书围绕"鄂尔多斯历史""鄂尔多斯文化""鄂尔多斯经济""鄂尔多斯生态""鄂尔多斯学研究""地方学研究""自治区七十年""智库建设"八大主题展开，旨在提高鄂尔多斯学研究水平，组织联络专家学者更好地为鄂尔多斯学研究事业。（荷梅）

鄂尔多斯知识大辞典

杨森宽、傅万有、王文元　著

内蒙古人民出版社

ISBN 7-204-08142-0

2006年2月

32开　346页　49.00元

内容提要：本书共选收鄂尔多斯实用知识千余条，分行政区划、历史、交通、地质、矿产、工业、农业、林业、畜牧业、水利、水土保持、气象、经济植物、动物、地方病、通信、宗教、水土保持、戏剧等41类。（荷梅）

鄂尔多斯康巴什新区户外广告规划（2011）

哈尔滨工业大学城市规划设计院　设计

2011年

16开　50页

内容提要：本资料主要有规划背景、户外广告现状分析、规划总则、规划总体布局、户外广告详细规划、规划实施与保障措施等内容。（嘎拉贝日汗）

鄂尔多斯文化之旅

安源　著

远方出版社

ISBN 7-80595-784-3

2002年8月

32开　304页　16.00元

内容提要：本书是作者在研究鄂尔多斯文化史料的过程中记录下的一些心得和见解，共70篇，比如《鄂尔多斯从远古走来》《高原与大海的"童话"》《河套人与河套文化》《朱开沟文化》等。这些文章旨在帮助读者更好地理解鄂尔多斯的文化和历史。（荷梅）

鄂托克表情

中共鄂托克旗委员会、鄂托克旗人民政府　编

中共鄂托克旗委员会

2012年8月

16开　87页　100.00元

内容提要：本书共分三辑，分别为广博的大草原福地、厚重的阿尔寨文化、纯净的鄂托克旅游。（荷梅）

鄂托克经济社会调查年鉴（2013—2017）

康艳云　主编

国家统计局鄂托克调查队　编

2017年

16开　133页

内容提要：本资料是一部集鄂托克旗农村牧区和城市经济社会信息资料于一体的权威性工具书，重点反映了2013—2017年鄂托克旗农村牧区和城市的发展变化。（嘎拉贝日汗）

鄂托克旗年鉴（2009—2010）

乔景文　主编

鄂托克旗地方史志办公室　编

内新图准字〔2011〕187号

16开　253页　180.00元

内容提要：本书是由鄂托克旗人民政府主办、鄂托克旗史志办组织编纂的按年度出版的首部综合性年鉴，是集知识性、信息性、应用性、资料性于一体的权威性工具书。全书采用分类编纂法，前置说明，主要内容以特载、概况、大事记、政治、经济、社会、苏木镇、管委会、领导简介九个类目为单元，下设分目、子目、条目等内容。本年鉴旨在全面、系统、客观地图文记载鄂托克旗政治、经济、文化、社会等各方面的发展状况，为各行各业提供信息咨询服务，为各级领导提供决策依据，为续修地方志储备资料，同时也为国内外了解鄂托克旗提供一个窗口。（其利格尔）

鄂托克旗年鉴（2011—2012）

乔景文　主编

鄂托克旗地方史志办公室　编

内新图准字〔2012〕15号

16开　232页　180.00元

内容提要：本书是由鄂托克旗人民政府主办、鄂托克旗史志办组织编纂的按年度出版的综合性年鉴，是集知识性、信息性、应用性、资料性于一体的权威性工具书。全书采用分类编纂法，前置说明，主要内容以特载、概况、大事记、政治、经济、社会、苏木镇、管委会、领导简介、附录十个类目为单元，下设分目、子目、条目等内容。本年鉴旨在全面、系统、客观地图文记载鄂托克旗政治、经济、文化、社会等各方面的发展状况，为各行各业提供信息咨询服务，为各级领导提供决策依据，为续修地方

志储备资料，同时也为国内外了解鄂托克旗提供一个窗口。（其利格尔）

鄂托克旗年鉴（2013—2014）

乔景文　主编

鄂托克旗地方史志编纂委员会办公室　编

鄂托克旗人民政府

16开　302页　180.00元

内容提要：本资料是由鄂托克旗人民政府主导，鄂托克旗史志办负责组织编纂的资料，具备知识性、信息性、应用性和资料性，是一本具有权威性的工具书。书中的内容按照分类编纂法编排，主体部分则以特载、概况、大事记、政治、经济、社会等类别。这部年鉴的主要目标是对鄂托克旗在政治、经济、文化和社会等各方面的全面、系统、客观的记录和呈现，为各行业提供信息参考，为领导决策提供依据，为修订地方志积累素材，同时也为国内外的读者提供了一个了解鄂托克旗的视角。（其利格尔）

鄂托克旗文史资料（第一辑）

中国人民政治协商会议鄂托克旗委员会文史资料研究委员会　编

1997年7月

32开　284页　9.80元

内容提要：本资料收录了《鄂托克旗建制历史沿革》《鄂托克旗"独贵龙"运动》《桃力民学校简史》《鄂托克旗新闻事业发展简史》《鄂托克旗十三敖包及祭典习俗》等40篇文章。（荷梅）

鄂托克旗文史资料（第二辑）：鄂托克旗三百年二三事

中国人民政治协商会议鄂托克旗委员会　编

内新图准字〔2004〕73号

2004年7月

32开　176页

内容提要：本资料分为10篇，记述了1649年清政府在鄂尔多斯实施盟旗制度起，至中华人民共和国成立为止的300年间鄂托克旗的部分重大事件。（荷梅）

鄂托克旗文史资料（第三辑）：鄂托克旗蒙古族祭祀文化

仁庆道尔吉　主编

政协鄂托克旗委员会　编

内新图准字〔2013〕15号

2014年1月

16开　163页

内容提要：本资料内容分为鄂托克旗蒙古族祭祀文化、敖伦布拉格祭祀、脑高布拉格祭祀三部分。鄂托克旗蒙古族祭祀文化部分中又分别介绍了成吉思汗祭祀文化、敖包祭祀、祭天、祭火、禄马风旗祭、陵园祭奠、山水祭祀等。（荷梅）

鄂托克旗文史资料（第四辑）：远去的记忆

王玉彰　主编

政协鄂托克旗委员会　编

内新广图准字〔2015〕52号

2015年

16开　366页

内容提要：本资料从老照片、回忆录、档案资料、插队记事等方面记录了在鄂托克插队的南京知青。（荷梅）

鄂托克旗文史资料（第五辑）：鄂托克往事（一）

吕瑞亨　主编

政协鄂托克旗委员　编

内新广图准字〔2015〕53号

2015年12月

16开　276页

内容提要：本书收录了《〈鄂尔多斯婚礼〉诞生的回忆》《鄂托克旗早期革命回忆》《一个老共产党员的本色》《新中国建立初期鄂托克旗农村工作生活点滴》等39篇回忆文章，记录了一些老同志的事迹和鄂托克旗的重要事件。（荷梅）

鄂托克旗文史资料（第六辑）：鄂托克往事（二）

吕瑞亨　主编

政协鄂托克旗委员会　编

内新广图准字〔2015〕53号

2016年12月

16开　228页

内容提要：本书收录了《近代内蒙古地区"独贵龙"运动的兴起和发展》《简述桃力民地区驻军及其活动》《鄂托克旗边界开垦与归属变化》《阿尔巴斯白绒山羊培育历程》等28篇回忆文章，记录了一些老同志的事迹和鄂托克旗的重要事件。（荷梅）

鄂托克旗文史资料（第七辑）：鄂托克旗当代人物（一）

吕瑞亨　主编

政协鄂托克旗委员会　编

蒙图〔2017〕12号

2017年8月

16开　256页

内容提要：本资料记录了在鄂托克旗工作过的副处以上领导和鄂托克旗籍在外工作的正处级以上领导及鄂托克旗正高以上职称的技术人员、全国劳动模范、社会各界知名人士等。（荷梅）

鄂托克前旗草地植物

敖特根、布仁吉雅　主编

内蒙古人民出版社

ISBN 978-7-204-09473-8

2007年12月

16开　212页　120.00元

内容提要：本书共收集了野生维管植物62科、197属、345种，并注明每种植物的拉丁名、中文名、蒙古文名、生境条件和分布区域。书中列出的345种植物中饲用植物有332种、药用植物有182种、工业用植物有36种、水土保持植物有50种、观赏植物有14种、食用植物有27种，还有国家二类保护植物白龙昌菜，国家三类保护植物蒙新苓菊、沙冬

青、野大豆，国家四类保护植物甘草等珍稀濒危植物。（荷梅）

鄂托克前旗法院志

德格德　主编
鄂托克前旗法院志编纂委员会　编
2000年9月
32开　199页

内容提要：本资料是记载鄂托克前旗人民法院建院20年来审判工作历史沿革的专门志书，分为18章，通过对审判历史和现状的记述，通过审判程序和制度的沿革，使读者回眸法院工作全貌，纵观历年审判行迹。志书重点突出了旗法院历届领导带领全体干警励精图治、艰苦创业的辉煌业绩，反映了各项审判工作的进展和变化情况，为各级领导进行科学决策和正确指导工作，对广大干部群众进行爱国主义和法治教育有着重要意义。（其利格尔）

鄂托克前旗盐业志

内蒙古自治区新闻出版社广电局、《鄂托克前旗盐业志》编纂委员会　编纂
内新图准字〔2014〕95号
16开　169页

内容提要：本书是鄂托克前旗历史上第一部盐业专志，以唯物主义的观点、翔实的史料和严谨的体例，采用编、章、节、目四个编排层次，清晰记录了鄂托克前旗盐业的来龙去脉，系统反映了鄂托克前旗盐业的兴衰起伏，是一部符合时代精神和要求的资料性著述。（其利格尔）

鄂托克前旗辉煌的二十年（1980—2000）

内蒙古鄂托克前旗党委宣传部、统计局　编
远方出版社
ISBN 7-80595-156-X
2001年11月
16开　349页　160.00元

内容提要：本书是反映鄂托克前旗取得的卓越成就，集彩图、文字和数字于一体的资料工具书。书中收录了11篇反映鄂托克前旗及各地20年成就的文章，从不同角度、不同方位比较全面地反映了鄂托克前旗的全貌，从而为研究鄂托克前旗经济发展奠定了良好的基础，积累了丰富的数据资料。（库布其）

鄂托克前旗年鉴（2000）

鄂托克前旗档案局、鄂托克前旗档案史志馆　编
方志出版社
ISBN 978-7-5144-4680-7
2020年12月
16开　292页　298.00元

内容提要：本书全面、系统、准确地记载了1999年鄂托克前旗自然、政治、经济、社会、文化和生态文明建设等领域的基本情况和发展变化。（荷梅）

鄂托克前旗年鉴（2019）

鄂托克前旗档案局、鄂托克前旗档案史志馆 编

线装书局

ISBN 978-7-5120-4259-9

2020年12月

16开 343页 218.00元

内容提要：本书是由鄂托克前旗档案局和鄂托克前旗档案史志馆共同编写的，全面记录了2018年鄂托克前旗在自然、政治、经济、文化和社会等各方面的进展情况。全书以系统、详尽的数据，公正、完整地展现了鄂托克前旗的特色和年度工作重点。在遵循中华人民共和国方志编修的有关规定和原则的基础上，本书的体例、结构、资料选取、内容质量以及语言文字的规范都符合要求，内容清晰明了，结构严谨，语言简练，资料丰富。（荷梅）

鄂托克前旗圣火祭祀

鄂托克前旗文学艺术界联合会、鄂托克前旗民间祭祀文化协会、鄂托克前旗非物质文化遗产保护中心 编

2012年

16开 121页

内容提要：本资料将珍贵的祭火文化和习俗以图文并茂的形式真实地展示给大众。内容分为公祭圣火、民间圣火两个部分。（荷梅）

鄂托克前旗志

《鄂托克前旗志》编纂委员会 编

内蒙古人民出版社

ISBN 978-7-204-02662-4

1995年3月

16开 781页 150.00元

内容提要：本书内容分为25卷，包括区域、建置、自然环境、人口、民族宗教、畜牧业、林业、农业、工业、交通、邮电、城建 环保、财政、税务、金融、商业、药材、经济综合管理、革命根据地、党派、社团、政权、政协等内容。（荷梅）

鄂托克前旗志（1991—2009）

李巨义 主编

鄂托克前旗地方志编纂委员会 编

内蒙古人民出版社

ISBN 978-7-204-10539-7

2010年7月

16开 904页 480.00元

内容提要：本书是一部续志，记述了1991—2009年鄂托克前期自然、政治、经济、军事、文化、人文、社会等各方面的历史进程，突出了地区特色、民族特色和时代特色，达到了思想性、科学性、资料性、可读性的统一；以改革、开放、创新为主线，全面、系统、准确地反映了鄂托克前旗在19年间各方面所取得的成绩和发展状况。（荷梅）

鄂托克深度之旅

昂格图 编著

北京华文出版社

ISBN 978-7-80675-750-5

2011年10月

16开　197页　388.00元

内容提要：本书共分为概况篇、旅游篇、民族篇、民生篇、旅游信息等。（荷梅）

法律服务手册

鄂尔多斯市东胜区人民法院　编

32开　184页

内容提要：本资料是普法教育活动系列材料之四。东胜区为广大干部群众做好法律服务提供方便，将涉及生产生活方面常用的法律知识进行分类，整理成册，便于学习掌握用于实践。本手册包括劳动篇、法律诉讼书状篇、个体工商户权益篇三个部分。（其利格尔）

奋进春秋谱——鄂尔多斯改革开放40年大事记

余永崇　主编

内蒙古人民出版社

ISBN 978-7-204-15802-7

2018年12月

16开　458页　96.00元

内容提要：本书分四个阶段，以条目的形式逐年记录了改革开放40年间影响鄂尔多斯市全局的大事、要事、新事、特事，清晰地再现了鄂尔多斯市改革开放的历史脉络。全书力求做到事必有据，简明扼要，对涉及的历史文献和重大事件都做了精心概括与提炼，为读者了解和研究鄂尔多斯市提供参考。（荷梅）

风生水起达拉特

吉格定　编著

内蒙古人民出版社

ISBN 978-7-204-09592-6

2010年12月

16开　265页　80.00元

内容提要：本书分为迷人的达拉特、神韵达拉特、活力达拉特、魅力达拉特、和谐达拉特五辑。（荷梅）

高原的脊梁

王振荣　主编

内蒙古人民出版社

ISBN 7-204-04064-3

1997年12月

32开　303页　16.80元

内容提要：本书收录了各条战线上的鄂尔多斯优秀人物的事迹，将他们的风采展现在读者的眼前。（荷梅）

高原的脊梁（第五部）

王振荣　主编

内蒙古人民出版社

ISBN 7-204-04064-3

2001年12月

32开　32.20元

内容提要：本书将伊化集团总裁李武、鄂尔多斯羊绒集团总裁王林祥、伊煤集团总裁张双旺、好公仆梁存满、杭锦旗穿沙公路的建设者以及伊盟公路筑路人等各条战线上的鄂尔多斯优

秀人物的风采展现在读者的眼前。他们为鄂尔多斯做出了众所瞩目的贡献，历史理当为他们重写一笔。（嘎拉贝日汗）

高原的脊梁（第七部）

王振荣　主编
内蒙古人民出版社
ISBN 7-204-04064-3
2005年3月
32开　325页　32.20元

内容提要：本书收录《铸就矿山太阳魂——记神东煤炭公司劳动模范、乌兰木伦煤矿矿长、党委书记杜善周》《引领中国第一矿　大漠豪情铸丰碑——记神华集团神府东能煤炭有限责任公司大柳塔煤矿矿长兼党委书记唐德茂》《拓开宣传工作新天地——记乌审旗委宣传部部长徐玉兰》等文章。（嘎拉贝日汗）

古韵歌吟十九大

张秉毅　主编
鄂尔多斯市文联、鄂尔多斯诗词学会　编
CN15—1037

内容提要：本书是鄂尔多斯市委宣传部编辑出版的歌颂党的十九大专题诗集，通过征稿选稿，共选出优秀作品431首。（其利格尔）

国土资源部国土资源"十一五"规划纲要

鄂尔多斯市国土资源局　编
32开　86页

内容提要：本书主要内容由成就与形式、指导思想与目标、土地资源、矿产资源、海洋资源、地质工作、测绘工作、资源节约利用国土综合整治与地质灾害防治等部分组成。（嘎拉贝日汗）

杭锦辉煌六十年

高永光　主编
杭锦旗统计局
2008年
16开　170页

内容提要：本资料汇编杭锦旗及各苏木、乡、镇国民经济和社会发展60年统计资料，配以专文、彩色图片、统计图表，内容丰富，信息量大，具有较高的研究、开发、保存价值。本书既是对杭锦旗60年成就的回顾、总结和宣传，又是各级党政领导、社会各界人士研究过去、把握未来，科学决策的依据，也是人们了解和解读杭锦旗的重要参考资料。（其利格尔）

杭锦旗统计年鉴（1998）

杭锦旗统计局　编
1998年4月
32开　145页

内容提要：本资料主要分为八个部分，分别是综合，农牧业，工业，建筑业，运输、邮电、投资、能源消费，劳动工资、商业，财政、金融及社会。（荷梅）

杭锦旗统计年鉴（2000）

杭锦旗统计局　编

2001年4月

32开　170页

内容提要：本资料是一部全面反映杭锦旗国民经济和社会发展成果及旗情旗力的资料工具书，收录了全旗2000年度经济、社会各方面的统计资料。（荷梅）

杭锦旗年鉴（2015—2016）

杭锦旗史志办公室　编

方志出版社

ISBN 978-7-5144-3362-3

2018年9月

16开　323页　280.00元

内容提要：本书全面、系统、翔实地记载了内蒙古杭锦旗2015—2016年政治、经济、文化、社会生活等方面的重大事项和基本情况，反映了杭锦旗在改革开放和现代化建设中的新情况和新成就，具有较强的民族特色、时代特色和地方特色。（荷梅）

杭锦年鉴（2020）

杭锦旗档案史志馆　编

方志出版社

ISBN 978-7-5144-4619-7

2020年12月

16开　216页　196.00元

内容提要：本书全面、客观、系统地记述了2019年度杭锦旗在政治、经济、文化及各项社会事业发展的新情况、新进展、新变化。（荷梅）

杭锦旗水利志（送审稿）

杭锦旗水利志编纂委员会　编

1991年4月

16开

内容提要：本资料包括概述、大事记、专志各卷和附录四个部分，全面、准确地记录了杭锦旗自然和社会的历史与现状。（荷梅）

杭锦摄影作品选（一）

白富华　主编

杭锦旗摄影家协会　编

2012年3月

内容提要：本资料收录有关杭锦旗的摄影作品，展现了杭锦旗新面貌，在全面推进杭锦高质量发展中主动展现文艺担当、贡献文艺力量，以摄影艺术为载体，为时代画像、为时代立传、为时代明德。（荷梅）

红色准格尔

杨玉铭　主编

中共党史出版社

ISBN 978-7-5098-1253-2

2011年6月

16开　209页　298.00元

内容提要：本书展示了准格尔旗360多年的历史画卷。它勾勒了准格尔旗历经清代、北洋军阀、国民党的统治和共产党的领导四个时期的历史脉络，彰显了准格尔人民为民族独立、人民解放和地方发展做出的历史贡献。（荷梅）

呼和蒙格勒文化传媒

呼和蒙格勒文化传播有限责任公司　编

32开　18页

内容提要：本资料介绍了呼和蒙格勒文化传播有限责任公司的概况以及它独具风格的蒙元文化艺术作品、礼品、家具、饰品等。（嘎拉贝日汗）

画说鄂尔多斯

鄂尔多斯市文学艺术界联合会　编

远方出版社

ISBN 978-7-5555-1279-0

2019年1月

8开　168页　168.00元

内容提要：本书展现了鄂尔多斯在生态建设中的丰硕成果、沙海绿洲的独特风貌及鄂尔多斯人民拼搏奋斗的精神面貌，讴歌了祖国北疆这一绿色奇迹、鄂尔多斯人民这一伟大壮举。（荷梅）

驾临乌审　顺旗自然——全域自驾旅游攻略

乌审旗委宣传部、乌审旗文化和旅游局　编

35页　16开

内容提要：本资料是介绍美丽富饶的鄂尔多斯乌审旗的旅游宣传册，主要介绍了苏力德文化之乡、蒙古族敖包文化之乡、马头琴文化之都乌审旗，还介绍了乌审旗全域自驾线路推荐、自驾体验行程、自驾旅游攻略、酒店住宿、地方美食等。（嘎拉贝日汗）

教育志

杭锦旗教育局　编

16开　47页

内容提要：本资料由七部分构成，第一部分学前教育，有幼儿园、学前班；第二部分小学教育，有蒙古语授课小学、汉语授课小学的方针、政策、学制、体制、教材、教法、教师、教学等内容；第三部分中学教育，有蒙古语授课普通中学、普通授课普通中学的学校、学制、教材、师资等内容；第四部分职业教育，有半耕半读、"五七"学校、职业中学等学校的发展历程内容；第五部分成人教育，有农民教育、职工干部教育；第六部分有教育经费、勤工俭学；第七部分有教师待遇、教学设备等内容。（其利格尔）

记忆·伊金霍洛：六十年记忆

白福祥　著

32开　127页

内容提要：本资料是《记忆·伊金霍洛》丛书的一个分册，收录了100多幅反映中华人民共和国成立后伊金霍洛旗社会发展变化的摄影作品。（嘎拉贝日汗）

记忆·伊金霍洛：60—70年代的记忆

白福祥　著

32开　99页

内容提要：本资料是《记忆·伊金霍洛》丛书的一个分册，收录了100多幅20世纪60—70年代伊金霍洛旗的老照片。（嘎拉贝日汗）

记忆·伊金霍洛：80年代的记忆

白福祥 著

32开 127页

内容提要：本资料是《记忆·伊金霍洛》丛书的一个分册，收录了100多幅20世纪80年代伊金霍洛旗的老照片。（嘎拉贝日汗）

记忆·伊金霍洛：90年代的记忆

白福祥 著

32开 91页

内容提要：本资料是《记忆·伊金霍洛》丛书的一个分册，收录了近百幅20世纪90年代伊金霍洛旗的老照片。（嘎拉贝日汗）

记忆·伊金霍洛：名家眼中的伊金霍洛

白福祥 著

32开 108页

内容提要：本资料是《记忆·伊金霍洛》丛书的一个分册，收录了100多幅知名摄影家拍摄的有关伊金霍洛旗的摄影作品。（嘎拉贝日汗）

静善文摘·《三字经》解读

安源 主编

内新图准字〔2013〕11号

2013年5月

32开 258页

内容提要：本书内容包括《三字经》题解、释义、解读等。（库布其）

静善文摘·道德模范事迹选编

周如红 主编

内新图准字〔2013〕11号

2013年8月

32开 189页

内容提要：本书介绍了全国和鄂尔多斯市51位道德模范的先进事迹。（库布其）

静善文摘·《千字文》

安源 主编

内新图准字〔2013〕11号

2013年11月

32开 172页

内容提要：本书内容包括《千字文》题解、释义、解读等。（库布其）

静善文摘·《之江新语》选读

静善文摘编辑部 编

内新图准字〔2013〕11号

2013年3月

32开 179页

内容提要：本书节选了《之江新语》中的140篇短论，旨在学习领会运用马克思主义的立场、观点和方法观察问题、分析问题、解决问题，以及贯彻坚持"从群众来，到群众中去"的工作方法。（库布其）

静善文摘·《弟子规》《名贤集》解读

李亚格 主编

内新图准字〔2013〕11号

2014年4月

32开　192页

内容提要：本书对《弟子规》《名贤集》两种中华传统伦理道德和童蒙养正教育读本进行释义和解读。（库布其）

静善文摘·《正经》选读

安源　主编
内新图准字〔2013〕11号
2014年10月
32开　228页

内容提要：本书节选了《正经》中有价值的篇章进行释义和解读。（库布其）

静善文摘·《德慧文苑》短文汇编（一）

周如红　主编
内新图准字〔2013〕11号
2015年3月
32开　196页

内容提要：本书汇编了《德慧文苑》专栏刊载的读书体会、道德感悟、文化随笔等，借以弘扬社会主义核心价值观，传递社会正能量。

静善文摘·《菜根谭》选读

武洲　主编
内新图准字〔2013〕11号
2015年6月
32开　224页

内容提要：本书节选了《菜根谭》中有价值的篇章进行释义和解读。（库布其）

静善文摘·《朱子家训》解读

安源　主编
内新图准字〔2013〕11号
2015年10月
32开　194页

内容提要：本书节选了《朱子家训》中有价值的篇章进行释义和解读。（库布其）

静善文摘·《官经》选读

段永亮　译注
内新图准字〔2013〕11号
2016年3月
32开　226页

内容提要：本书节选了《官经》中有价值的篇章进行释义和解读。（库布其）

静善文摘·《德慧文苑》短文汇编（二）

周如红　主编
内新图准字〔2013〕11号
32开　202页

内容提要：本书汇编了《德慧文苑》专栏的120篇短文，借以弘扬社会主义核心价值观、传递社会正能量。（库布其）

静善文摘·《千家诗》译注

安源　主编
内新图准字〔2013〕11号
32开　174页

内容提要：本书以上海锦章书局石

印本《绘图千家诗注释》为底本，对其进行注释、翻译和赏析。（库布其）

静善文摘·《论语》中的成语解读

宋文海　主编

内新图准字〔2013〕11号

32开　162页

内容提要：本书解读了从《论语》中整理出来的237条成语（含少量格言、警句）。（库布其）

静善文摘·毛泽东诗词欣赏

候永茂　主编

内新图准字〔2013〕11号

32开　196页

内容提要：本书是对毛泽东诗词进行注释、解读和赏析。（库布其）

静善文摘·日常法律知识问答

田生良　主编

内新图准字〔2013〕11号

32开　154页

内容提要：本书以问答的形式普及和宣传法律知识。（库布其）

静善文摘·启迪心灵的小故事

武洲　主编

内新图准字〔2013〕11号

32开　208页

内容提要：本书收录了120个启迪心灵的小故事。（库布其）

静善文摘·名言警句书法辑

李凤奇　主编

内新图准字〔2013〕11号

32开　218页

内容提要：本书收录了书法家李凤奇先生书写的名言警句。（库布其）

静善文摘·《黄帝内经·素问》

程冰华　主编

内新图准字〔2013〕11号

32开　178页

内容提要：本书精选了《黄帝内经·素问》的精华内容进行注释、翻译和解读。（库布其）

静善文摘·"敬业奉献好人"事迹选编（一）

周如红　主编

内新图准字〔2013〕11号

32开　186页

内容提要：本书选编了中国文明网"中国好人榜"上"敬业奉献好人"的故事，宣传中国好人的事迹，旨在向社会传递正能量。（库布其）

静善文摘·中国古代家训选读

段永亮　译注

内新图准字〔2013〕11号

32开　192页

内容提要：本书对《颜氏家训》《袁氏世范》《双节堂庸训》等中国古代家训进行注释和翻译。（库布其）

静善文摘·红色家风

周如红　主编

内新图准字〔2013〕11号

32开　208页

内容提要：本书诠释了中国共产党人对红色家风的传承，展示了他们的优秀品质和良好家风。（库布其）

静善文摘·传统中医名家录

周如红　主编

内新图准字〔2013〕11号

32开　156页

内容提要：本书介绍了传统中医名家的故事，旨在普及中医知识。（库布其）

静善文摘·二十四节气与养生

李凤奇　主编

内新图准字〔2013〕11号

32开　174页

内容提要：本书汇编了二十四节气与养生方面的知识。（库布其）

静善文摘·初心不改自向阳

高连山　著

内新图准字〔2013〕11号

32开　194页

内容提要：本书是高连山先生的诗词集，所收诗词语言精练，崇尚修辞，注重意境筑造。（库布其）

静善文摘·《增广贤文》今读

武建邦　解读

内新图准字〔2013〕11号

32开　172页

内容提要：本书对《增广贤文》进行了全新解读。（库布其）

静善文摘·字的故事（一）

周如红　主编

内新图准字〔2013〕11号

32开　162页

内容提要：本书选取有代表性的汉字，并讲解了字形字义的演变、相关的故事等。（库布其）

静善文摘·字的故事（二）

吴晓谦　主编

内新图准字〔2013〕11号

32开　170页

内容提要：本书选取了有代表性的汉字，讲解字形字义的演变、相关故事等。（库布其）

静善文摘·"身边好人"事迹选编（二）

任建勋　主编

内新图准字〔2013〕11号

32开　176页

内容提要：本书介绍了鄂尔多斯基层一线的孝老爱亲好人、助人为乐好人、诚实守信好人、爱岗敬业好人、见义勇为好人等。（库布其）

静善文摘·群书治要360（一）

段永亮　主编

鄂尔多斯市慈善总会、鄂尔多斯市

文明办、鄂尔多斯市文化新闻出版广电局、鄂尔多斯市慈善文化促进会

内新图准字〔2013〕11号

2015年12月

32开　178页

内容提要：本书精选了《群书治要》的精华内容进行注释、翻译和解读。（其利格尔）

聚焦绿色乌审

郑思忠　主编

内蒙古人民出版社

ISBN 7-204-08304-0

2007年3月

32开　18.00元

内容提要：本书从乌审旗位置沿革、乌审旗自然环境、乌审旗光荣革命史、乌审旗居民等几个方面介绍了乌审旗。（荷梅）

经济腾飞路——由高速增长转向高质量发展

奇海林　主编

内蒙古人民出版社

ISBN 978-7-204-15800-3

2019年3月

16开　320页　76.00元

内容提要：本书着重概述了鄂尔多斯经济发展的奋进历程和成长、跨越发展的经验启示、高质量发展的目标和路径。（荷梅）

康巴什统计年鉴

鄂尔多斯市康巴什统计局　编

2019年

16开　175页

内容提要：本资料是一部反映康巴什2019年国民经济和社会发展成果的资料工具书，是外界了解康巴什、认识康巴什的窗口。全书分为两部分。第一部分为特载。第二部分为康巴什区国民经济统计资料，分为行政区划和自然资源与人口、综合、国民经济核算、从业人员和职工工资、房地产投资、财政、人民生活、农业、工业、能源、建筑业、交通运输和邮电、国内贸易、对外贸易和旅游、金融和保险、教育、卫生、城市发展与环境保护等18个细目。（嘎拉贝日汗）

康巴什新区：草原上升起不落的太阳

鄂尔多斯市康巴什新区党工委、鄂尔多斯市康巴什新区管委会　编

2009年

16开　46页

内容提要：本资料共分六篇，分别是开启篇、规划篇、建设篇、环境篇、产业篇、展望篇，以画册形式展示了康巴什新区的发展历程。（荷梅）

库布齐览胜

文鸣等　编著

内新图准字（99）第78号

15.00元

内容提要：本资料分为沙漠猎奇、

神秘的名胜古迹、动物觅趣、植物珍稀、浓郁的民族风情、独特的地方名食与物产、精美的工艺品、杭锦旗神光旅游社旅游服务指南、宾馆九个部分，以图文形式展示了库布齐沙漠的景色、名胜古迹、动植物、民风民俗、地方特产，为游客提供旅行指南。（荷梅）

留在草原上的红色足迹

鄂托克前旗红色足迹编委会　编著

金城出版社

ISBN 978-7-5115-1543-4

16开　1392页　320.00元

内容提要：本书通过史料和历史照片，精彩再现了革命战争年代发生在鄂托克前旗大地上的艰苦卓绝的革命历史，深刻讲述了可歌可泣的革命事迹，展现了无数革命者英勇奋斗的崇高革命精神。全书共7册：《鱼水情深王震井》讲述王震将军的事迹，展现了军民鱼水情深；《马良诚顾寿山烈士传略》讲述马良诚和顾寿山两位革命烈士的成长轨迹；《阳早寒春的草原情》讲述阳春和寒春两位国际友人，发扬国际主义精神，为中国畜牧业发展和奶牛场机械化做出突出贡献的故事；《民族干部的摇篮——城川民族学院（第一辑）》和《民族干部的摇篮——城川民族学院（第二辑）》讲述了城川民族学院的成立过程和发展历程；《国际交通员杨宝山的故事（第一辑）》和《国际交通员杨宝山的故事（第二辑）》讲述了普通牧民杨宝山投身革命，坚持敌后斗争，担任大青山至乌兰巴托国际交通线交通员的故事；《红色革命根据地三段地（第一辑）》《红色革命根据地三段地（第二辑）》《红色革命根据地三段地（第三辑）》讲述了三段地革命根据地的创建过程、发展历程和艰苦卓绝的斗争故事。（荷梅）

蛮汉调研究

赵星　著

内蒙古大学出版社

ISBN 978-7-81074-326-0

2002年4月

32开　180页　18.00元

内容提要：本书分为蛮汉调的产生、蛮汉调的风格特征、蛮汉调所反映的社会生活及其艺术性、蛮汉调歌曲选四章。（荷梅）

漫瀚文化

王建中　主编

山西人民出版社

ISBN 978-7-203-10326-4

2018年2月

16开　272页　192.00元

内容提要：本书较全面地收集和记录了准格尔旗的历史文化、各民族的习俗以及蒙汉人民利用漫瀚调创作的各类艺术作品。（荷梅）

魅力鄂尔多斯

《魅力鄂尔多斯》编辑委员会　编

2007年7月

16开　88页　78.00元

内容提要：本资料以图文形式介绍了鄂尔多斯各方面的情况。（荷梅）

魅力鄂尔多斯欢迎您

鄂尔多斯市食品药品检验研究中心　编

2013年7月

32开　13页

内容提要：本资料主要内容包括鄂尔多斯市食品药品监督管理局基本情况、鄂尔多斯市食品药品检验研究中心简介、成吉思汗陵旅游景区简介、康巴什新区简介等。（其利格尔）

魅力鄂职

中共鄂尔多斯职业学院委员会、鄂尔多斯职业学院　编

16开　55页

内容提要：本资料全面介绍了鄂尔多斯职业学院各方面概况。鄂尔多斯职业学院秉承"立德竞先、崇技尚能"的校训，围绕"立德树人"根本任务，以弘扬和践行社会主义核心价值观为核心，以"三大建设"为抓手，以"四大平台"为阵地，以"五大文化"为载体，按照"六个好"的标准要求，找准切入点，把握落脚点，打造闪光点，采取多种形式扎实推进文明校园创建活动，全面推动学院科学发展。（其利格尔）

魅力康巴什

康巴什区文学艺术节联合会　编

16开　58页

内容提要：本资料收录康巴什区文学艺术联合会举办的"魅力康巴什"主题画展，展出的作品分获奖作品、入选作品、特邀作品三个部分。（其利格尔）

蒙古象棋

奇·朝鲁　主编

彭楚克林青　编著

潘·特木尔　译著

内新图准字〔2006〕53号

2006年12月

32开　277页　32.00元

内容提要：本书是作者搜集了大量的弈棋插诗写成的，内容分为认识蒙古象棋、棋颂诗词、蒙古象棋的基本知识、蒙古象棋和国际象棋有哪些不同、蒙古象棋的"图嘿"结局、图嘿百例等。（荷梅）

蒙古部族服饰图典（第一卷）

郭雨桥　著

商务印书馆

ISBN 978-7-100-18648-3

2020年10月

16开　320页　288.00元

内容提要：本书包含两部分内容。序章讲述蒙古族服饰的整体面貌，从蒙古部族形成及分布格局和游牧民族的文化传统切入，分析了蒙古族服饰的形制特色、穿着习惯和文化属性。第二部分从历史沿革的角度讲述蒙古族服饰的流变，从匈奴服饰、鲜卑服饰、突厥服

饰、契丹服饰、女真服饰到蒙元服饰和清代王公服饰，纵向呈现了蒙古族服饰几千年的发展历史。（荷梅）

蒙古部族服饰图典（第二卷）

郭雨桥　著
商务印书馆
ISBN 978-7-100-19235-4
2021年1月
16开　498页　488.00元

内容提要：本书按照部族详细描述和介绍蒙古部族服饰，共有10章，覆盖了鄂尔多斯、乌拉特、土默特、达尔罕、茂明安、四子部落、苏尼特、阿巴嘎、乌珠穆沁和察哈尔10个部族。每章首先介绍部族的起源历史、地理分布和服饰特色，然后按照头饰、服饰、佩饰、穿戴风俗等主题逐一展开论述。（荷梅）

蒙古通

郭雨桥　著
内蒙古科学技术出版社
ISBN 978-7-5380-1536-2
2007年8月
16开　339页　68.00元

内容提要：本书是一部详尽阐述蒙古族生活习俗的专著。全书包括族源、诞辰、婚礼、葬礼、节日、信仰、居住、饮食、服饰、畜牧、狩猎、交通12个主题，覆盖了我国内蒙古、新疆及蒙古国大部分地区。本书是一部集文学性、资料性、趣味性于一体的百科全书，对于了解和研究蒙古族民间文化以及非物质文化遗产的保护具有一定的价值。（荷梅）

蒙古语速学手册

孟克吉日嘎、斯琴巴达尔呼　主编
内蒙古人民出版社
ISBN 978-7-204-09756-2
2008年11月
64开　809页　25.00元

内容提要：本书是一部内容丰富、实用性强的学习蒙古语的工具书。全书收纳了万余条词汇，足以满足日常交流需求。通过采用简化的"拼音"学习方法，学习蒙古语变得简单易懂，降低了学习难度。对于初学者来说，本书提供了极大的便利，使他们在短时间内快速掌握蒙古语，实现速成。（库布其）

秘苑撷萃

王新刚　主编
远方出版社
ISBN 7-80595-965-X
2007年9月
32开　360页　30.00元

内容提要：本资料精选汇编了1997—2006年鄂尔多斯秘书学会会员发表的有关理论建设、改革探讨、队伍建设、工作研究、学习修养、督促检查、信息调研、秘书写作、文书处理、办公自动化的论文或文章，回顾并总结了近10年来学会的研究成果。（其利格尔）

秘苑探微

王新刚　主编
远方出版社
ISBN 7-80595-965-X
2012年8月
32开　448页　52.00元

内容提要：本书内容包括领导论坛、理论探索、队伍建设、工作研究、改革探讨、学习修养、督促检查、信息工作、调查研究、秘书写作、文书处理、政府法制、保密工作、翻译工作、信访工作、会务工作、外事工作、档案工作、办公自动化等。（荷梅）

灭火机使用须知

伊克昭盟公安消防大队　编
1975年7月
32开　24页

内容提要：本资料是根据广大群众的需求，参考了有关消防业务资料编印的，供本盟专职和义务消防人员及广大群众学习参考。（嘎拉贝日汗）

民生幸福歌——共建共享美好生活

安静赜　主编
内蒙古人民出版社
ISBN 978-7-204-15838-6
2019年3月
16开　303页　75.00元

内容提要：本书回顾总结了鄂尔多斯市民生建设的光辉历程、辉煌成就、成功经验，并对鄂尔多斯市民生建设面临的机遇、挑战和对策进行了前瞻性探讨。（荷梅）

名城崛起论——与时俱进的鄂尔多斯市模式

文风、杜轶鑫、赵海东　主编
内蒙古人民出版社
ISBN 978-7-204-15801-0
2019年2月
16开　320页　76.00元

内容提要：本书记述了鄂尔多斯市40年改革开放、三次创业的崛起历程，全景展现了鄂尔多斯市由贫穷落后地区到中国现代名城的巨大成就，深入探讨了与时俱进的"鄂尔多斯模式"及其特征，分析了鄂尔多斯市崛起的主客观成因，总结了鄂尔多斯市改革发展的经验与启示，对新时代鄂尔多斯市高质量发展进行了理性、前瞻的研究。（荷梅）

内蒙古鄂尔多斯市统计年鉴（2002）

鄂尔多斯市统计局　编
中国统计出版社
ISBN 7-5037-3875-8
2002年8月
16开　462页　100.00元

内容提要：本书全面收录了鄂尔多斯市在2001年度的经济社会各方面的统计数据和信息。全书主要包括两个部分，第一部分是特载，第二部分则是统计资料。（荷梅）

内蒙古清真寺

马永真、代林　编著

内蒙古人民出版社
ISBN 7-204-06793-2
2003年9月
32开　179页　16.00元

内容提要：本书大致分为两大部分。第一部分对内蒙古自治区所辖各盟市有特点的40多座内清真寺做一真实、准确的描述介绍。第二部分简明通俗地介绍与清真寺有关的知识及与伊斯兰教有关的知识。书末附有内蒙古自治区清真寺介绍。（库布其）

内蒙古准格尔旗资源遥感研究

倪绍祥　主编
中国科学技术出版社
ISBN 978-7-5046-0598-6
1992年5月
16开　180页　6.50元

内容提要：本书是对内蒙古准格尔旗资源遥感研究工作的理论总结，共收录了18篇论文。主要内容涉及准格尔旗土地利用、土壤侵蚀、林草资源和土地资源的调查与制图工作的经验总结，同时还包括了一些专题研究的成果。（荷梅）

内蒙古自治区建筑工程综合预算定额——东胜地区单位估价表

内蒙古自治区城乡建设环境保护厅　编
1993年
32开　520页

内容提要：本资料由土、石方工程，基础工程，砖石工程，脚手架工程，混凝土及钢筋混凝土工程，钢筋混凝土及金属构件运输安装工程，木结构工程，楼地面工程，屋面工程，耐酸·防腐·保温·隔热工程，装饰工程，构筑物工程，金属结构工程，其他14章组成。（嘎拉贝日汗）

内蒙古自治区卷烟零售户订货目录册

鄂尔多斯市烟草公司　编
16开

内容提要：本资料是鄂尔多斯市烟草公司编的卷烟零售户订货目录册，提供了内蒙古自治区卷烟零售户在订货过程中所需的各种信息和参考资料，旨在帮助零售户更好地了解卷烟市场和产品信息，方便其进行订货。（嘎拉贝日汗）

内蒙古自治区伊克昭盟林业志

景芳蕊等　著
内蒙古人民出版社
ISBN 978-7-204-03313-3
1997年8月
16开　294页　23.10元

内容提要：本书较详细地记载了伊克昭盟1949年前的林业及中华人民共和国成立后的森林资源、造林、种苗、林木保护、林业改造等方面的情况。（荷梅）

内蒙古自治区长城资源调查报告·鄂尔多斯-乌海卷

内蒙古自治区文化和旅游厅（文

物局）、内蒙古自治区文物考古研究所　编著

文物出版社

ISBN 978-7-5010-4839-7

2016年12月

16开　220.00元

内容提要：本书是内蒙古自治区长城资源调查的成果，是关于鄂尔多斯、乌海境内战国秦、秦汉、北宋及明长城的资料数据，对以上各时期长城修筑的历史沿革、修筑特点及建筑材料特点等做了梳理，并通过长城分布图和照片、线图等较为全面地呈现了两市境内各时期长城分布及现状。（荷梅）

凝眸准格尔

张银银　编著

中共准格尔旗委员会、准格尔旗人民政府

2010年8月

16开　127页

内容提要：本画册展示了准格尔旗的发展成就，内容包括关怀关注、宜业——开放创新的准格尔、宜居——绿色人文的准格尔、宜游——魅力神奇的准格尔等。（荷梅）

旗区风景线——协同发展的活力板块

王进勇　主编

内蒙古人民出版社

ISBN 978-7-204-15803-4

2018年12月

16开　281页　74.00元

内容提要：本书集中展示了鄂尔多斯九个旗区改革开放40年的发展变化和亮点以及今后的发展思路，为县域经济社会发展提供借鉴和参考。（荷梅）

企业风采录——挺起发展的脊梁

焦廷芳　主编

内蒙古人民出版社

ISBN 978-7-204-15840-9

2019年3月

16开　353页　78.00元

内容提要：本书旨在回顾鄂尔多斯市企业发展的轨迹，探寻鄂尔多斯市经济发展的真谛，总结鄂尔多斯市支撑经济发展的企业崛起经验，畅想鄂尔多斯市企业发展的未来。全书分综述篇和风采篇，综述篇共四章，风采篇共五章。（荷梅）

强旗富民准格尔

杨凤林　著

学苑出版社

ISBN 978-7-5077-6170-2

2021年2月

16开　252页　118.00元

内容提要：这本书详细讲述了自1949年中华人民共和国成立以来，在党的领导下，内蒙古鄂尔多斯市准格尔旗在经济发展、政治进步、文化繁荣、社会和谐、生态改善五个方面，历经70年的发展历程和取得的显著成就。全书共分为四章：第一章是砥砺前行70年，第二章是勤奋谱写壮美诗篇，第三章是艰

辛探索发展模式，第四章是奋斗善良的坐标。（荷梅）

全国百家大中型企业调查：鄂尔多斯羊绒衫厂

尹正业、王林祥　主编
当代中国出版社
ISBN 978-7-80092-338-X
1994年11月
32开　311页　28.90元

内容提要：本书论述了鄂尔多斯羊绒衫厂的历史沿革、产品开发、生产情况、财务管理及职工收入等。（荷梅）

人间神话：鄂尔多斯

肖亦农　著
中国青年出版社
ISBN 978-7-5006-8450-3
2008年10月
16开　256页　68.00元

内容提要：本书通过一组城市30年的发展历程和新旧对比，反映30年来中国改革开放的伟大实践，总结建设中国特色社会主义的经验，以科学发展观审视30年来的改革开放道路，为解放思想、建设和谐社会提供经验。（荷梅）

萨拉乌苏论文集

华南师范大学　征集
乌审旗文物局　整理编印
16开

内容提要：本资料收录《萨拉乌苏河流域第四系岩石地层及其时间界限》《末次间冰期全球变化区域响应的粒度旋回》《末次间冰期多旋回气候波动记录：鄂尔多斯萨拉乌苏河流域典型地层剖面研究的新进展》等论文。（荷梅）

沙漠春天

曹甦　绘画
连环画出版社
ISBN 978-7-5056-2939-4
2014年11月
20开　130页　180.00元

内容提要：本书将人进沙退、沙海绿洲的壮丽景象记录了下来，让读者看到了一个画家对人与自然关系的深刻思考。（荷梅）

膳食营养与健康保健

鄂托克前旗卫生局　宣
32开　201页

内容提要：本资料主要内容有基本膳食营养知识、蔬菜水果粮食的营养功效、肉类及水产品的营养功效、中医论饮食养生、不同体质的饮食养生、不同季节膳食养生、常见疾病的营养治疗等。（嘎拉贝日汗）

少爷人生路

奇·朝鲁　主编
鄂尔多斯学研究会　编
奇·阿兴　著
2006年11月
32开　138页　16.00元

内容提要：这资料是一部自传体作品，真实地描绘了一位王公贵族后裔历经坎坷的人生历程。（嘎拉贝日汗）

神华东胜精煤公司志（1984.7—1998.8）

院良臣　主编
神华东胜精煤公司志编委会　编
1998年8月
16开　627页

内容提要：本资料是一部客观反映东胜精煤公司发展历史和现状的书，记载了东煤人改造社会、改造自然的史实，反映东煤人过去和现在的基本状况，记述了公司政治、经济、文化、生活的发展变化。本书将东胜矿区的自然、地理、生产、建设、经营管理、安全环保、科技、文教卫生、生活福利等融于一体，将党政工团妇各项工作兼容并蓄，包含了东胜矿区从1984年7月开始开发到1998年8月东胜精煤公司与神府精煤公司合并之前，十多年各方面的历史和现实资料，反映了东胜精煤公司的全部历史，可称为东胜矿区的"百科全书"，为领导部门现在和将来施政决策提供依据。（其利格尔）

神奇的准格尔

准格尔旗委宣传部、准格尔旗文联　编印
2006年8月
16开　99页　268.00元

内容提要：本资料汇聚了众多党政领导、摄影家、新闻记者和社会人士拍摄的准格尔旗丰富多彩的风景照片。画册向读者呈现了准格尔旗的油松王、阿贵庙、黄河峡谷等壮丽山水，展示了准格尔旗的神奇魅力。此外，画册还描绘了准格尔旗丰富的矿产资源。（荷梅）

生活小百科书

王文明　著
内蒙古人民出版社
ISBN 978-7-204-09436-3
2008年4月
32开　309页　40.00元

内容提要：本书含烹调知识、合理膳食、老年保健、生活小常识、保健养生、养颜护肤、妇女保健、儿童保健等方面的百科知识，还选编了部分健身谚语。（其利格尔）

生态蝶变曲——绿色发展的全球样板

盖志毅　主编
内蒙古人民出版社
ISBN 978-7-204-15837-9
2019年3月
16开　300页　74.00元

内容提要：本书以习近平生态文明思想为根本遵循，按照绿色足迹、绿色答卷、绿色启迪、绿色畅想的逻辑结构，集中反映了改革开放特别是党的十八大以来鄂尔多斯市生态文明建设持之以恒的奋进历程、突出成就和历史性变革，突出体现了鄂尔多斯市各族干部群众在生态建设实践中孕育形成的守望相助、百折不挠、科学创新、绿富同兴的时代精神，以此，为全区、全国乃至全球的生态建设与保护提供了鄂尔多斯的智慧和方案。（荷梅）

圣地之魂·宝塔光照鄂尔多斯

李政　主编
远方出版社
ISBN 7-80595-864-5
2006年7月
32开　342页　28.00元
内容提要：本书是采用不同体裁，并从不同侧面反映鄂尔多斯人在延安精神哺育下，在宝塔光芒照耀下进行革命斗争、从事社会主义建设的有关事迹及其取得伟大成就的综合性通俗读物。内容分为历史见证、宝塔光照、延水滋润、精神永存四个部分。（荷梅）

十年

伊克昭盟羊绒衫厂　编
内蒙古人民出版社
ISBN 7-204-01471-5
1991年6月
32开　152页　5.90元
内容提要：本书由企业概况、改革开放　团结奋进　不断创新、在这片希望的土地上、写在伊盟羊绒衫厂建厂投产十周年之际、成就篇、人物篇、弹指一挥间、光荣榜、大事记等篇章组成。（荷梅）

桃力民的兴衰

马步萧　编著

内新图准字〔2006〕53号
2006年10月
32开　184页　22.00元
内容提要：本书翔实记述了历史上桃力民地区的兴衰。其内容分为《桃力民地区的形成》《桃力民面面观》《蒙汉矛盾的产生》等30篇文章。（荷梅）

探索·收获·展望——鄂尔多斯学十五周年纪念文集

杨勇　主编
鄂尔多斯学研究会　编
2017年9月
16开　323页
内容提要：本书收录了41篇论文，按内容将其归纳为鄂尔多斯学、经济文化社会生态、地方学研究三部分。（荷梅）

天骄之路：鄂尔多斯国际机场油画图卷

吴悦石等　编著
人民美术出版社
ISBN 978-7-102-06282-2
2013年1月
238页　680.00元
内容提要：本书是大型壁画画册，为鄂尔多斯新机场独立创作，反映了各历史时期蒙古民族的历史、风俗、文化、贸易等。（荷梅）

同义类近义类词语摘编

阎来生　主编
鄂尔多斯市文学艺术界联合会　编
2014年10月

16开　1220页

内容提要：本资料是一部按词语意义分类收集摘编的类似于分类词典的工具书，所收集的词语以现代汉语常用的词、词组、熟语、成语和常识性的百科词为主，兼收少量方言词以及新词语。（嘎拉贝日汗）

投资鄂尔多斯

　　李敏、刘勇　主编
　　内新图准字〔2008〕113号
　　2008年
　　16开　136页

内容提要：本书以图文形式介绍了鄂尔多斯的资源情况、领导多次视察、各旗区的领导、知名企业家及公司、模范单位等内容。（其利格尔）

团结崛起的乌审

　　阿拉腾图雅等　著
　　学苑出版社
　　ISBN 978-7-5077-6187-0
　　2021年5月
　　16开　256页　106.00元

内容提要：本书叙述、总结了自1949年中华人民共和国成立以来，在中国共产党的领导下，内蒙古自治区鄂尔多斯市乌审旗的经济、政治、文化、社会、生态"五位一体"70年来的发展历程和取得的辉煌成就。（荷梅）

晚报这十年

　　詹剑彬　主编

16开　465页

内容提要：本资料分为时政大事篇、惠民实事篇、社会新闻篇、节庆活动篇、深度报道篇、品牌建设篇、晚报时评篇、新闻读图篇、晚报大事记九篇。在作品的选择上，前五篇侧重的一个主要原则就是选定特定年度或特定时段具有节点性或代表性的稿件，或者是记录和反映具有全局性里程碑意义的重大决策与举措，以及重点项目建设、重大民生事件、重要文体活动、重大社会新闻事件。在品牌建设篇中，重点收录本报记者撰写的十年来晚报发起或携手相关企业开展的重要的、有影响的社会活动。在内容的编排上，按时间顺序来编辑，方便读者翻阅时光，感知社会的发展变迁以及晚报人孜孜以求的忠实记录。（其利格尔）

文化交响乐——守好各民族共有精神家园

　　哈达　主编
　　内蒙古人民出版社
　　ISBN 978-7-204-15839-3
　　2019年3月
　　16开　276页　74.00元

内容提要：本书在全面客观记述鄂尔多斯市文化建设历程与成就的同时，对鄂尔多斯精神进行了解读；在充分总结鄂尔多斯市文化建设工作经验的基础上，对新时代鄂尔多斯市文化建设的方向进行了展望与探讨。（其利格尔）

我眼中的鄂尔多斯现象

夏日 著

内蒙古人民出版社

ISBN 978-7-2045-11689-8

2012年6月

16开 381页 68.00元

内容提要：本书收录了作者1998年以来在鄂尔多斯的调查报告、演讲稿和有关鄂尔多斯现象的论文以及应约文章。内容分为战略思想、经济现象、生态现象、文化现象、人物五个部分。（荷梅）

我的鄂尔多斯

奇·朝鲁 主编

肖亦农 著

作家出版社

ISBN 978-7-5063-5379-3

2010年5月

16开 350页 60.00元

内容提要：本书是20集电视文学剧本，以抗日战争期间成吉思汗陵西迁为背景，讲述了为实现成吉思汗陵西迁，国共双方、蒙古爱国王公和人民大众，与日本侵略者、汉奸和反动王公展开的一系列惊心动魄的斗争。（荷梅）

乌敦朱拉剪纸艺术

乌敦朱拉 著

内蒙古教育出版社

ISBN 7-5311-6218-0

2005年11月

16开 65页 30.00元

内容提要：本书是乌敦朱拉的剪纸艺术作品集。她的剪纸艺术风格自成一家，深受群众的喜爱。（嘎拉贝日汗）

乌海书法篆刻作品集（第七集）——献给乌海建市三十周年

乌海市书法家协会、乌海市文学艺术联合会 编

ISBN 7-5059-3900-9

16开 154页 48.00元

内容提要：本书是汇集乌海市书法城建设成果的书法篆刻作品集，旨在为乌海市打造文化大市贡献力量，是乌海市书法艺术发展的体现，也是对乌海市建市30周年的献礼。（嘎拉贝日汗）

乌审年鉴（2011）

乌审旗档案局 编

乌审旗人民政府 主办

2011年

16开

内容提要：本资料记录了2010年乌审旗改革开放、经济建设、文化建设及社会事业的基本面貌和发展情况，所载资料全面、系统、翔实、准确，是国内外各界人士了解乌审旗的权威性工具书。（荷梅）

乌审年鉴（2012）

何广州 主编

乌审旗档案局 编

16开 284页

内容提要：本资料是记述2011年乌审旗改革开放、经济建设、文化建设及社会事业的基本面貌和发展情况，采用分类编辑法，主体内容分为栏目、分目、条目三个层次，少数条目下设子目。全书共设14个栏目：特载、大事记、政治、经济、基础建设、法制、军事、科教文卫、群众团体、金融保险、苏木镇、领导简介、重点企业简介、附录。另以特载形式收录旗党政领导及其他部门领导的重要报告10篇。（其利格尔）

乌审年鉴（2013）

何广州　主编

乌审旗档案局　编

16开　301页

内容提要：本资料采用分类编辑法，主体内容分为栏目、分目、条目三个层次，少数条目下设子目。全书共设13个栏目：特载、大事记、政治、经济、基础建设、法制、军事、科教文卫、群众社团、金融保险、苏木镇、领导简介、附录等，记述时间为2012年1月1日—12月31日终。（其利格尔）

乌审年鉴（2014）

何广州　主编

乌审旗档案局　编

16开　213页

内容提要：本资料采用分类编辑法，主体内容分为栏目、分目、条目三个层次，少数条目下设子目。全书共设13个栏目：特载、大事记、政治、经济、法制、基础建设、军事、科教文卫、金融保险、群众社团、苏木镇、领导简介、附录等，记述时间为2013年1月1日—12月31日终。（其利格尔）

乌审年鉴（2015）

何广州　主编

乌审旗档案局　编

16开　288页

内容提要：本年鉴采用分类编辑法，主体内容分为栏目、分目、条目三个层次，少数条目下设子目。全书共设20个栏目：特载、中国共产党乌审旗委员会、乌审旗人民代表大会常务委员会、乌审旗人民政府、中国人民政治协商会议乌审旗委员会、经济管理与监督、农牧林水及农村牧区经济、工业·电力业、基础建设、军事、法制、财政·税务、科教文卫、群众社团、金融·保险、开发区·工业园区、苏木镇、大事记、领导简介、附录等，记述时间为2014年1月1日—12月31日。（其利格尔）

乌审旗地名

那顺巴图　编

内蒙古人民出版社

ISBN 7-204-06439-9

2002年7月

32开　200页　15.00元

内容提要：本书主要收集了乌审旗自然地理实体、居民点、自然村、行政

村（嘎查）、苏木乡镇的地名来源及诠释。（荷梅）

乌审旗药物图鉴

孟克那顺　主编
内蒙古人民出版社
2018年8月
16开　490.00元

内容提要：本书主要内容包含对乌审旗自然环境的介绍，药用植物和蒙药药物的研究历史，以及600多种药用植物和蒙药药物的彩色图片、蒙古文名、中文名、拉丁文名和别名。此外，还详细注明了每一种药物的简要形态特征、生长环境、来源、分布、用途、采收、加工、性味、功能、主治、附注等信息。书的最后附有蒙古文名、中文名和拉丁文名的检索表。（荷梅）

乌审写真

郝伟、乌云毕力格　著
台海出版社
ISBN 978-7-5168-0610-4
2015年5月
16开　289页　98.00元

内容提要：本书包括《萨拉乌苏河与萨拉乌苏文化》《萨拉乌苏溯源记》《北纬37度——萨拉乌苏文化遗址》《风雨统万城》《土中的根与风中的绳索——乌审旗苏力德、敖包祭祀巡礼》《大漠英魂曲》等10篇文章，展现了乌审旗的历史文化。（荷梅）

西部大开发——鄂尔多斯简索

内蒙古鄂尔多斯市民政局　编
哈尔滨地图出版社
统一图号1280529·388
蒙S〔2003〕34号
2003年12月
16开　190页　220.00元

内容提要：本书是一本介绍鄂尔多斯市行政区划、观光、经商投资等方面的工具书。它简要地将鄂尔多斯市所属8个区108个木乡的地理、物产及交通通信情况介绍给读者，希望能让更多的人了解鄂尔多斯，接近鄂尔多斯，了解鄂尔多斯得天独厚的资源优势、较好的投资环境和魅力无穷的人文景观特色。《鄂尔多斯简索》在介绍旗区、苏木乡概况的同时，特别增加了"招商引资"的内容，旨在为开发鄂尔多斯作招商引路。（库布其）

乡土爱国主义教育读本：爱我伊克昭盟

乌力更　主编
伊盟教体局、伊盟教育学会　编
内新图准字（95）第83号
1995年5月
32开　104页　3.50元

内容提要：本书真实地叙述了伊克昭盟的自然风貌、历史变迁、斗争历程、物产资源、民族风情和建设成就。（荷梅）

响沙湾记忆（第一辑）

中国摄影家杂志社　编

2011年8月

20开　138页

内容提要：本资料收录了《沙漠旅游景区开发的成功突破》《旅游业的一颗新星》《鄂尔多斯旅游业发展史上的新篇章》《神奇响沙湾》等32篇文章。（荷梅）

响沙湾记忆（第二辑）

中国摄影家杂志社　著

2011年8月

20开　128页

内容提要：本书收录了《四载求索不寻常——响沙湾"二次开发"科学规划纪实》《火车开进大漠来——响沙湾"二次开发"项目观光火车纪事》《世界上最长的驼队》等26篇文章。（荷梅）

心路——鄂尔多斯学及其研究会十年历程

奇·朝鲁　著

内蒙古人民出版社

ISBN 978-7-204-11689-8

2012年7月

16开　314页　68.00元

内容提要：本书主要包括鄂尔多斯学研究的实践与思考、永远的怀念、在鄂尔多斯学研究会成立大会上的致辞、和谐社会　重在人和等内容。（荷梅）

新型冠状病毒感染的肺炎防控公众预防指南汇编

伊金霍洛旗卫生健康委员会、伊金霍洛旗人民医院、伊金霍洛旗疾病防控控制预防中心　编

32开　10页

内容提要：本资料是汇编新型冠状病毒感染的肺炎防控知识，旨在提供全面、科学、权威的防控知识，引导公众科学预防新冠病毒，提高自我防护意识和能力，确保人民群众的生命安全和身体健康。（嘎拉贝日汗）

学知行工会日志（2016）

鄂尔多斯电业局　编

2016年

16开

内容提要：本资料是鄂尔多斯市电业局的培育和践行社会主义核心价值观的工会日志，旨在记录和展示电业局工会在日常工作中的努力和成果，以及如何践行社会主义核心价值观，为其他工会组织提供借鉴和参考。（嘎拉贝日汗）

庠序五载·教显育盛（2007—2012）

2012年

16开　106页

内容提要：本资料以图文形式介绍了2007—2012年北京师范大学鄂尔多斯附属学校建校五年的发展历程。内容包括学校简介、办学方略、学校文化、领导班子、重大事件、师生风采等。（其利格尔）

伊化集团十五周年纪念

2008年

16开

内容提要：本资料是为纪念伊化集团成立15周年而编，分为上、下两篇。上篇主要通过图文形式展示了伊化集团从创业、高速成长到追求可持续发展的历程。下篇则重点介绍了伊化集团加大天然碱开发力度、加快天然气深度开发、拓展产业开发领域以及进入新能源产业的过程。（其利格尔）

伊金霍洛年鉴（2008—2009）

赵飞录　主编

中共伊金霍洛旗委员会党史旗志征编办公室　编

16开　348页

内容提要：本资料是集知识性、信息性、实用性、资料性于一体的权威性工具书，采用分类编纂法，以特载、大事记、党政团体公安、司法、军事、经济、科教、文卫、各镇、企业、附录13个类目为单元，下设分目、条目记载信息。（其利格尔）

伊金霍洛年鉴（2010—2011）

刘建勋　主编

中共伊金霍洛旗委员会党史旗志征编办公室　编

16开　380页　180.00元

内容提要：本资料为编年体综合性、资料性工具书，采用分类编纂法，设特载、大事记、党政团体、人民团体、社会团体、法制、军事、经济、科教文卫、各镇10个类目。（荷梅）

伊金霍洛年鉴（2014—2015）

伊金霍洛旗党史旗志征编办公室　编

16开　220.00元

内容提要：本年鉴为编年体综合性、资料性工具书，采用分类编纂法，设特载、大事记、党政团体、人民团体、社会团体、法制、军事、经济等类目。（荷梅）

伊金霍洛旗园林绿化重点项目图册（2017年）

16开　92页

内容提要：本资料是伊金霍洛旗2017年园林绿化的重点项目图册，包括对五大重点区域、10条主干道、26个路口、78个重要节点进行景观改造提升等内容。（嘎拉贝日汗）

伊金霍洛旗·六十年

张秀玲　编著

中共伊金霍洛旗委员会　编

2009年

16开　111页　198.00元

内容提要：本资料内容包括风雨峥嵘六十载，科学发展创辉煌；伊金霍洛旗概况；绿色奇迹；转型发展；现代农业；和谐家园；文化塑旗等，以画册形式反映了伊金霍洛旗的发展情况。（荷梅）

伊金霍洛旗第一中学建校三十五周年校友通讯录

伊金霍洛旗第一中学　编写

1994年10月

16开　103页

内容提要：本资料是伊金霍洛旗第一中学为了方便新校友献计献策以及相互联系，在伊金霍洛旗第一中学建校35周年之际安排编印的。书中收集了历届毕业生和部分校友的工作单位以及历届教师花名。（嘎拉贝日汗）

伊金霍洛旗志

《伊金霍洛旗志》编纂委员会　编
内蒙古人民出版社
ISBN 978-7-204-03717-0
1997年10月
16开　1162页　186.00元

内容提要：本书记述了本旗区域建制、自然环境、风土人情和经济、政治、军事、文化、教育、卫生等各个方面的变化和发展，为读者了解伊旗、建设伊旗提供了翔实可靠的第一手资料和宝贵的经验。（荷梅）

伊金霍洛史迹拾遗

张子珍　主编
政协伊金霍洛旗委员会　编
内蒙古人民出版社
ISBN 978-7-204-14600-0
2017年1月
16开　448页　78.00元

内容提要：本书通过专业研究和讲故事的方式，讲述了伊金霍洛的历史事件、出现过的著名人物，以及丰富的文化遗产和文物。书中还分析了这些现象产生的原因和历史价值。本书是一部研究伊金霍洛旗历史文化、民族文化的重要著作，也是打造伊金霍洛旗旅游文化品牌的参考书。全书按照时间顺序，分为史前时代、青铜时代、秦汉时期、隋唐时期、辽夏金时期、元明清时期和近代七个章节。（荷梅）

伊金霍洛统计年鉴（1995—2000）

高晓红　主编
《伊金霍洛统计年鉴》编辑委员会　编
2001年
16开　223页

内容提要：本资料是一部全面反映伊金霍洛旗第九个五年计划期间国民经济和社会发展成果及旗情、旗力的大型资料工具书，收录了1996—2000年全旗在经济社会各方面的统计材料。《年鉴》共分13个部分，即综合、人口，农牧，工业，交通，邮电，固定资产及建筑业，劳动力和劳动工资，国内贸易，人民生活，财政、金融、保险、卫生、教育及社会，乡镇企业，第五次人口普查。每篇前面为统计资料，后附统计指标解释。（其利格尔）

伊金霍洛统计年鉴（2006）

伊金霍洛旗统计局　编
2007年
16开　348页

内容提要：本资料收录了伊金霍洛旗2006年经济和社会发展等方面的统计数据，是一部反映伊金霍洛旗2006年国民经济和社会发展状况的综合性统计资

料年刊。（荷梅）

伊金霍洛统计年鉴（2011—2015）

蒋金山　主编
伊金霍洛旗统计局　编
2017年
16开　245页

内容提要：本资料全面反映了伊金霍洛旗2011—2015年间国民经济和社会发展状况。本书内容分为两个部分。第一部分为特载，载入了伊金霍洛旗委、旗政府主要领导讲话和伊金霍洛旗2015年国民经济和社会发展统计公报。第二部分为统计数据，分为14个细目。为了便于读者查阅，每个细目编排了主要统计指标解释。统计数据主要来自政府统计部门和业务部门年度统计报表，部分来自抽样调查。（其利格尔）

伊金霍洛统计年鉴（2016）

蒋金山　主编
伊金霍洛旗统计局　编
2018年
16开　172页

内容提要：本资料分为两个部分。第一部分为特载，载入了伊金霍洛旗委、旗政府主要领导讲话和伊金霍洛旗2016年国民经济和社会发展统计公报。第二部分为统计数据，分为15个细目。为了便于读者查阅，每个细目编排了主要统计指标解释。统计数据主要来自政府统计部门和业务部门年度统计报表，部分来自抽样调查。（其利格尔）

伊克昭盟

林蔚然　主编
中国计划出版社
ISBN 7-80058-168-3
1991年1月
32开　196页　4.00元

内容提要：本书分为鄂尔多斯今昔、资源优势、经济社会发展现状、经济发展战略与协作意向、重点企业介绍等内容，是一本综合介绍鄂尔多斯地方经济状况的图书。（荷梅）

伊克昭盟电业局统计年鉴（1998）

石建雄　主编
伊克昭电业局　编
1999年
32开　231页

内容提要：本年鉴分为概况，劳动工资，经营用电，更新改造，教育，电力生产，多种经营，输变配电资产、仪表、仪器及其他设备资产，继电保护装置，农电11个部分。（荷梅）

伊克昭盟电业局统计年鉴（1999）

石建雄　主编
伊克昭电业局　编
2000年
32开　146页

内容提要：本资料分为概况、劳动工资、经营用电、教育、电力生产、输变配电资产、继电保护装置、农电八个

部分。（荷梅）

伊克昭盟电业局统计年鉴（2000）

石建雄　主编
伊克昭电业局　编
2001年
32开　166页

内容提要：本资料以伊克昭盟电业局2000年度主要经济指标为主体，综合了财务成本、劳动人事、安全生产、用电营抄等项目的统计数据等资料，具体分为概况、劳动工资、经营用电、教育、电力生产、输变配电资产、农电七个部分。（荷梅）

伊克昭盟国土资源

伊克昭盟计划委员会　编著
内蒙古人民出版社
ISBN 7-204-00470-1
1988年1月
16开　438页　20.00元

内容提要：本书分五篇26章，全面系统地反映了全盟的自然资源、经济资源、社会资源和生态环境等诸方面内容。（荷梅）

伊克昭盟辉煌的五十年（1947—1996）

内蒙古伊克昭盟统计局　编
中国统计出版社
ISBN 7-5037-2528-1
1997年6月
16开　519页　88.00元

内容提要：本书是一部以统计资料为依据，记录1947—1996年伊克昭盟经济建设和社会发展业绩的著作。全书分为三个部分：第一部分是专文，收录15篇研讨伊克昭盟发展业绩的文章，以及历任主要领导名单。第二部分是统计资料，分盟级篇和旗县篇，包括全盟各行业统计资料和各旗、市统计数据。第三部分是盟（市）、旗（市）排序资料。（嘎拉贝日汗）

伊克昭盟交通志

《伊克昭盟交通志》编委会　编
内蒙古人民出版社
ISBN 7-204-03457-0
1997年5月
32开　260页　35.00元

内容提要：本书包括道路、桥涵、公路测设、公路施工、公路养护、汽车修配、运输管理、航运、伊盟汽车运输公司、机构10个章节，重点介绍了伊克昭盟的交通发展状况。（荷梅）

伊克昭盟统计年鉴（1985）

伊盟行政公署统计处　编
1988年12月
32开　482页

内容提要：本资料主要收录1985年伊克昭盟经济建设和社会发展的统计资料。（荷梅）

伊克昭盟统计年鉴（1986）

伊盟行政公署统计处　编
1988年8月

32开 550页

内容提要：本资料主要收录1986年伊克昭盟国民经济和社会发展的各专业统计资料。（荷梅）

伊克昭盟统计年鉴（1987）

伊克昭盟行署统计处 编

1988年12月

441页

内容提要：本资料是一部概括反映伊克昭盟国民经济和社会发展情况的统计资料年刊，内容包含综合、人口、社会总产值和国民收入、农业、工业、交通运输及邮电通信、固定资产投资及建筑业、物资供应、劳动工资、商业、财政金融、农牧民生活、文教和卫生13篇。（荷梅）

伊克昭盟统计年鉴（1988）

伊克昭盟行署统计处 编

1989年6月

339页

内容提要：本资料是一部概括反映伊盟国民经济和社会发展情况的统计资料年刊，内容包含综合、人口、社会总产值和国民收入、农业、工业、交通运输及邮电通信、劳动工资、商业、财政金融、农牧民生活、文教和卫生等。（荷梅）

伊克昭盟统计年鉴（1989）

伊克昭盟行政公署统计处 编

1990年7月

585页

内容提要：本资料是一部较为全面地反映伊盟国民经济和社会发展运行情况的统计资料，可作为了解和研究伊克昭盟情况、提供信息咨询、制定政策、指导工作的资料工具书。（荷梅）

伊克昭盟统计年鉴（1990）

伊克昭盟行政公署统计处 编

1991年6月

32开 585页

内容提要：本资料共分综合、人口、社会总产值及国民收入、农业、工业、运输邮电通讯、固定资产投资、物资供销、劳动工资、商业、财政金融、人民生活、文教卫生13个部分。（荷梅）

伊克昭盟统计年鉴（1991）

伊克昭盟行政公署统计处 编

1992年8月

32开 567页

内容提要：本资料是一部较为全面地反映伊盟国民经济和社会发展运行情况的统计资料年刊，内容包含综合、人口、社会总产值及国民收入、农业、工业、交通运输邮电通讯业、固定资产投资、物资供销、劳动工资、商业、财政金融、人民生活等。（荷梅）

伊克昭盟统计年鉴（1992）

伊克昭盟行政公署统计处 编

1993年8月

32开 577页

内容提要：本资料共分综合、人

口、社会总产值及国民收入、农业、工业、交通运输邮电通讯业、固定资产投资、物资供销、劳动工资、商业、财政金融、人民生活、教育卫生、盟市14个部分。（荷梅）

伊克昭盟统计年鉴（1993）

  伊克昭盟统计处　编
  1994年9月
  32开　403页
  内容提要：本资料共分综合、人口、农牧业、工业、交通运输邮电通讯业、固定资产投资、能源原材料消费与库存、劳动力和职工工资、批发零售贸易和餐饮业、财政金融保险、物价、人民生活、教育卫生13个部分。（荷梅）

伊克昭盟统计年鉴（1994）

  伊克昭盟统计处　编
  1995年7月
  32开　365页
  内容提要：本资料共分综合、人口、农牧业、工业、交通运输邮电通讯、固定资产投资、能源原材料消费与库存、劳动力和劳动工资、国内商业与对外贸易、财政金融保险、物价、人民生活、卫生教育、分盟市国民经济指标14个部分。每一部分首篇为统计图表，统计资料后附主要统计指标解释。（荷梅）

伊克昭盟统计年鉴（1995）

  伊克昭盟统计局　编
  1996年7月
  32开　366页
  内容提要：本资料共分综合、人口、农牧业、工业、交通运输邮电通讯、固定资产投资、能源原材料消费与库存、劳动力和劳动工资、国内商业与对外贸易、财政金融保险、物价、人民生活、卫生教育、伊盟三大集团主要经济指标、分盟市国民经济指标15个部分。每一部分首篇为统计图表，统计资料后附主要统计指标解释。（荷梅）

伊克昭盟统计年鉴（1997）

  伊克昭盟统计局　编
  1998年7月
  32开　377页
  内容提要：本资料共分综合、人口、农牧业、工业、交通运输邮电通讯、固定资产投资、建筑业和三资企业、能源原材料消费与库存、劳动力和劳动工资、国内商业与对外贸易、财政金融保险、物价、人民生活、卫生教育、伊盟三大集团主要经济指标、分盟市国民经济指标15个部分。每一部分首篇为统计图表，统计资料后附主要统计指标解释。（荷梅）

伊克昭盟统计年鉴（1998）

  伊克昭盟统计局　编
  1999年7月
  32开　353页
  内容提要：本资料是一部全面反映

伊克昭盟国民经济和社会发展运行情况的统计资料，可作为认识和研究伊盟地区情况、交流社会信息、制定政策、指导工作的资料工具书。（荷梅）

伊克昭盟统计年鉴（2001）

伊克昭盟统计局　编
中国统计出版社
ISBN 7-5037-3609-7
2001年8月
16开　499页　100.00元

内容提要：本书是一部全面反映伊克昭盟国民经济和社会发展成果及盟情、盟力的资料工具书，收录了全盟2000年度经济社会各方面的统计资料。（荷梅）

伊克昭盟邮电志

伊克昭盟邮电局　编
内蒙古人民出版社
ISBN 978-7-204-02585-7
1994年7月
32开　395页　36.00元

内容提要：本书记述了内蒙古自治区伊克昭盟邮电通信的发展历史。（荷梅）

伊盟技校二十年

伊盟技工学校　撰文
32开　524页

内容提要：本资料是全体师生员工20年艰苦奋斗的真实记录，内容包括伊盟技工学校的发展史，又包括教师、校友等所写的回忆录，还有教师、学生撰写的论文及校友通讯录。（其利格尔）

营造食品安全大环境　呵护幸福健康小家庭

鄂尔多斯市康巴什区市场监督管理局　编
32开　58页

内容提要：本资料为食品安全宣传手册，包括健康认知、健康生活方式、办公室职业疾病预防、健康家庭、健康生活、常见疾病预防等家庭健康常识。（嘎拉贝日汗）

游遍鄂尔多斯

鄂尔多斯市旅游发展委员会　主编
山西科学技术出版社
ISBN 978-7-5377-5640-2
2018年1月
16开　296页　86.00元

内容提要：本书是地方文化读本、旅游使用指南，以旅游六要素吃、住、行、游、购、娱为主要内容板块，综合鄂尔多斯的历史、地理、民俗、文化、城市建设与发展等方面，全面真实地向读者展示鄂尔多斯作为祖国正北方"黄河环绕，长城相依"的璀璨明珠形象，让读者了解鄂尔多斯。（荷梅）

与时代同行——《鄂尔多斯日报》20年获奖作品选集

詹剑彬　主编
2016年12月

16开　381页

内容提要：本资料收录《鄂尔多斯日报》20年来（1995—2015）在内蒙古新闻奖、中国地市报新闻奖、中国少数民族地区新闻奖、中国城市党报新闻奖评选中的获奖作品，包括消息、通讯、评论、标题、版面等，代表了20年来《鄂尔多斯日报》的办报水平。（嘎拉贝日汗）

政协伊金霍洛旗委员会志

中国人民政治协商会议伊金霍洛旗委员会　编
内蒙古人民出版社
ISBN 978-7-204-13261-4
2014年12月
16开　555页　198.00元

内容提要：本书前置序、凡例、概述。主体部分横排门类，纵述史实，分篇、章、节三个层次，按时间先后，共四篇11章：第一篇组织机构，分四章；第二篇报告纪略，分三章；第三篇会议概要，分三章；第四篇委员提案，分一章。后置调研考察报告、委员风采、大事记、附录等内容。本书是一部全面、客观、翔实记述政协伊金霍洛旗委员会55年发展轨迹的专志，是55年工作的总结和缩影，也是全旗改革开放、经济建设和社会发展过程的历史见证和有机组成。（其利格尔）

治理创新篇——打造善治鄂尔多斯

智勇　主编
内蒙古人民出版社
ISBN 978-7-204-15841-6
2019年6月
16开　286页　74.00元

内容提要：本书重点从政治角度围绕推进治理现代化和能力现代化的改革总目标，遵循坚持党的领导和德治、法治、自治相结合的原则，重点探索了鄂尔多斯在党建创新引领、民主法治建设、政府职能转变以及基层治理等领域的作为、经验和未来发展。（荷梅）

职工劳动权益手册

鄂尔多斯市总工会　编
64开　132页

内容提要：本资料为职工劳动权益指南手册，包括了解工会认识工会，签订劳动合同保护自身权益，女职工、未成年工的特殊保护，农民工、劳务派遣工的权益保护，工资与分配，社会保险，劳动安全卫生和职业病防治，工作时间与休息休假，职工民主管理等内容。（嘎拉贝日汗）

中共伊盟党史大事记（征求意见稿）

杜成心　主编
中共伊盟盟委党史办　编
16开　127页

内容提要：本资料集中记述了1921年中国共产党成立以来，伊克昭盟蒙汉人民在党的领导下争取解放和进行社会主义建设的近70年间的重要历史事件。资料根据"存真求实"的原则，在进行大量整理档案资料、回忆录、党史征集材料、专题材料和征访记录工作基础上编撰的。采用编年纪事体例，条目的选择和确立以中共党组织在伊盟地区革命历史活动中的影响意义来考虑取舍。具体分为第一次国内革命战争时期、第二次国内革命战争时期、抗日战争时期、解放战争时期、基本完成社会主义改造时期、开始全面建设社会主义时期、"文化大革命"时期、社会主义现代化建设新时期八个部分。（其利格尔）

中国共产党鄂尔多斯市历史大事记（2001—2010）

  王静有　主编
  中共鄂尔多斯市委党史研究室　编
  内新图准字〔2012〕92号
  2012年11月
  16开　304页　296.00元
  内容提要：本书采用编年体记述，以党的活动为主线，以大事记的形式较为全面客观地记述了2001—2010年撤盟设市10年来鄂尔多斯市政治、经济、文化等方面的重要历史事件和在改革开放社会主义现代化建设中所取得的重大成就，其中既有创业的艰辛，奋进的足迹，也蕴含着成功的经验。（其利格尔）

中国绿色画报——走进"中国十佳绿色城市"伊金霍洛旗

  江泽慧　主编
  中国绿色画报社

  1672-2319
  2009年7月
  16开　86页　18.00元
  内容提要：本刊详细介绍了美丽富饶的天骄圣地——伊金霍洛旗，包括成吉思汗陵、成吉思汗文化、达尔扈特守灵人、伊金霍洛旗的经济、人民安居乐业的绿色生活等内容。（嘎拉贝日汗）

准格尔剪纸

  张俊廷　主编
  内蒙古人民出版社
  ISBN 978-7-204-10135-1
  2011年11月
  16开　98页　68.00元
  内容提要：本书将准格尔地区剪纸文化的汇集分为民间传统剪纸部分和现代剪纸部分，其中民间传统剪纸部分又分为花卉类、鸟兽类、人物类、图案类。另外还收录了部分剪纸艺人简介。（荷梅）

准格尔揽胜

  王耿昀、柳苏　主编
  远方出版社
  ISBN 7-80595-706-1
  2007年7月
  32开　184页　24.00元
  内容提要：本书收录《准格尔旗纪行》《准格尔人》《高原黑马》《一方生机勃勃的热土》《我为准格尔歌》等20多篇文章，从不同角度展现了准格尔的风貌。（荷梅）

准格尔旗纪略

准格尔旗旗志办公室　编
1987年3月
32开　193页

内容提要：本资料分为八章，重点介绍了准格尔旗的地理概况、远古时期概况、建旗前的历史沿革、清代和民国时期概况、中华人民共和国成立后准格尔旗经济社会发展成就、民情风俗、名胜古迹等各方面内容。（荷梅）

准格尔旗科学技术协会志

刘生荣　主编
内蒙古大学出版社
ISBN 7-80506-164-5
16开　400页　288.00元

内容提要：本书主要从科学技术协会组织，科技普查，科学技术普及，青少年科技教育，荣誉和表彰，科技人物选介，科技企业、协会选介，科技普及文献选编八个方面介绍了准格尔旗科学技术协会。（荷梅）

准格尔旗统计年鉴（2003）

鄂尔多斯市准格尔旗统计局　编
2004年5月
32开　118页　30.00元

内容提要：本资料是一本全面反映准格尔旗经济和社会发展成果及旗情、旗力的资料工具书，收录了全旗2003年度经济、社会各方面的统计信息资料。（荷梅）

准格尔旗扎萨克衙门档案译编

金海等　编译
内蒙古人民出版社
ISBN 978-7-204-09229-1
2007年9月
16开　563页　430.00元

内容提要：本书包括准格尔旗乃至鄂尔多斯地区政治制度、法律、社会经济、风俗习惯、宗教信仰等各方面的档案，反映了该地区的历史变迁，可为研究清代蒙古史、民族关系史、鄂尔多斯地区史提供系统可靠的第一手资料。（荷梅）

准格尔旗旧志稿

杨玉铭　主编
准格尔旗史志编纂委员会办公室　编
华夏出版社
ISBN 978-7-5080-4598-9
2009年10月
16开　272页　300.00元

内容提要：本书记述了准格尔旗1649—2009年自然、政治、经济、文化、社会等方面的历史与现状。（荷梅）

准格尔旗志

《准格尔旗志》编纂委员会　编
内蒙古人民出版社
ISBN 7-204-02115-0
1993年4月
16开　819页　120.00元

内容提要：本书是准格尔旗第一部通志，重点记述1649年准格尔旗置旗至

1990年共计342年的自然、政治、经济、文化、社会等方面的历史与现状。正文共26编，120章，398节。并将驻旗境单位、涉外往来、重要政令规划、表格索引及《准格尔旗志》出版报批文件辑存等内容收编为附录。（荷梅）

准格尔颂歌

中共准格尔旗委员会、准格尔旗人民政府　编

2017年8月

16开　168页　180.00

内容提要：本资料概括介绍了准格尔旗经济社会发展的质量，记述了准格尔经济建设、人口资源、开发与管理、招商引资等方面内容。（嘎拉贝日汗）

自我保健——中老年养生保健知识简介之一

陶特格琪　著

2006年6月

32开　105页

内容提要：本资料包括个人自我保健、健康标准、衰老、心理卫生、如何营养、如何锻炼、保健知识等相关知识，旨在为中老年人的养生保健提供一定的参考。（嘎拉贝日汗）

自我保健——中老年养生保健知识简介之二

陶特格琪　主编

2007年8月

32开　116页

内容提要：本资料包括个人自我保健、健康标准、衰老、心理卫生、如何营养、如何锻炼、保健知识等相关知识，旨在为中老年人的养生保健提供一定的参考。（嘎拉贝日汗）

自我保健——中老年养生保健知识简介之三

陶特格琪　主编

2008年10月

32开　168页

内容提要：本资料包括个人自我保健、健康标准、衰老、心理卫生、如何营养、如何锻炼、保健知识等相关知识，旨在为中老年人的养生保健提供一定的参考。（嘎拉贝日汗）

B　文件汇编及资料

阿勒腾席热镇居民办事一本通

中共阿勒腾席热镇委员会、阿勒腾席热镇人民政府　编

2012年5月

32开　46页

内容提要：本资料以方便群众办理各项行政事务为宗旨，把与群众生活密切相关的事项作为重点内容，主要包括民政、社会事务保障、红十字会、人口与计划生育、妇联、食品安全、司法以及信访等相关事宜办理流程。详细介

绍居民办事所涉及的最新相关政策，规定申请者的申请条件，告知居民在办事或申请过程中需提供的相关材料，以及明确各部门办理居民相关事宜的期限。（其利格尔）

爱我鄂尔多斯·爱我伊金霍洛新风文明

中共阿勒腾席热镇委员会、阿勒腾席热镇人民政府　编

32开　18页

内容提要：本资料以图文形式展示鄂尔多斯市伊金霍洛旗的传统美德、文明礼仪、居民公约、遵纪守法、便民服务等内容。（其利格尔）

安健环管理制度汇编

神华包神铁路有限责任公司　编

2010年12月

32开　206页

内容提要：本资料根据《神华集团公司铁路企业本质安全管理考核评分标准》和公司《体系管理手册》《程序文件》的要求，结合公司的实际编制，是指导公司建立、实施、保持和持续改进本质安全管理体系的文件之一，也是本公司企业标准体系文件的重要组成部分。共收录和编制了34个管理制度，涵盖风险管理、人员管理、设备管理、激励与约束管理及辅助管理等方面的内容，是铁路安全管理合法有序地运行及本质安全管理体系得以顺利实施的保障，适用于公司各级管理人员及广大员工使用。（其利格尔）

安全警示教育手册

鄂尔多斯电业局　编

2016年8月

32开　80页

内容提要：本资料分安全与事故、安全教育无终点、事故警示、安全知识、安全启示五个部分，选编近年来发生的事故案例作为反面教材，教育广大干部员工牢记血的教训，切实做好安全生产工作，确保人身、电网、设备安全。（其利格尔）

安全生产法规文件选编

鄂托克旗安全生产监督管理局　编

2008年

32开　410页

内容提要：本资料分《国家安全生产法律法规》，《内蒙古自治区安全生产条例及规定》，国家部门（局）规章，鄂尔多斯市、鄂托克旗有关规定及文件，其他资料五个部分，涵盖2006年6月—2008年11月期间的法律、法规、规章及相关文件。（其利格尔）

安全生产法规文件选编（合订本）

鄂托克旗安全生产监督管理局　编

2006年6月

32开　708页

内容提要：本资料汇编了《国家安全生产法律法规》、《内蒙古自治区安全生产条例及规定》、国家局部门规章、其他相关法律法规、旗内有关规定及文件、其他资料等安全生产法规文

件。（其利格尔）

安全生产法律法规宣传册

准格尔旗安全生产监督管理局　编
2013年
32开　273页
内容提要：本资料汇编了《中华人民共和国安全生产法》《内蒙古自治区安全生产条例》《中华人民共和国行政处罚法》《生产安全事故报告和调查处理条例》等安全生产法律法规。（其利格尔）

安全生产各项规定汇编

鄂尔多斯市安全生产协会　编著
2015年6月
16开　298页
内容提要：本资料汇编了国家安全生产监督管理总局关于安全生产的相关规定，供鄂尔多斯市各生产经营单位学习。（其利格尔）

把健康带回家

阿勒腾席热镇卫生和计划生育办公室　编
2016年3月
32开
内容提要：本资料以流动人口健康教育为核心信息，主要包括基本健康管理、就医和医保、传染病防御、职业健康和心理健康、儿童健康、性与生殖健康、关爱留守儿童和老人等内容。（其利格尔）

白玉刚同志工作文稿汇编（2015.2—2016.2）

白玉刚　主编
中共鄂尔多斯市委办公厅　编
2016年2月
16开　578页
内容提要：本资料汇编收录了白玉刚同志2015年2月—2016年2月的重要工作文稿。分为全委会、常委会讲话，其他会议讲话；工作汇报；调研考察；个人述职；署名文章、谈话采访五个篇章，共计71篇。（其利格尔）

榜样的力量

内蒙古鄂尔多斯市公安局　编
16开　69页
内容提要：本资料是鄂尔多斯市公安局汇编的先进集体和先进个人代表事迹，旨在引导全市各级公安机关和广大公安民警、辅警学习先进典型，形成学习先进、崇尚先进、争当先进的浓厚氛围，激励广大民警牢记职责使命，保持昂扬斗志，锐意奋发进取，深入推进鄂尔多斯公安工作高质量发展，以优异的成绩为建设平安鄂尔多斯做出新的更大的贡献。（其利格尔）

榜样的力量——全国公安系统先进典型事迹选编

公安部政治部　编
群众出版社
ISBN 7-5014-3387-9
2005年3月

32开　337页　22.00元

内容提要：本书汇编了全国公安系统先进典型事迹和精彩的通讯报道，引导各级公安机关和广大公安民警、辅警学习先进典型，做出新的更大的贡献。（其利格尔）

巴盟乌拉特前旗乌拉山国储库扩建工程投标（文件）

伊盟兴泰建筑有限责任公司　编

2000年7月

16开　145页

内容提要：本资料由投标书及相关文件、工程量清单与报价表、辅助资料、资格审查资料、企业质量业绩、企业荣誉等组成。（嘎拉贝日汗）

包联引领准格尔旗

王建华　主编

引领准格尔旗工作团办公室　编

2017年2月

32开　128页

内容提要：本资料分包联引领、经验总结、结对帮扶、驻村风采、媒体聚焦五个部分，以图文形式记录了准格尔旗包联引领工作情况。（其利格尔）

堡垒先锋

斯琴　编

中共鄂尔多斯市委组织部

2009年6月

32开　32页

内容提要：本资料汇编鄂尔多斯市在改革开放和社会主义现代化建设事业中涌现出来的基层党组织和共产党员，特别是工作在生产、经营、管理一线的共产党员的先进事迹，使各级党组织和广大共产党员学习调研有目标、分析检查有参照、整改落实有方向。（其利格尔）

博源煤化工管理制度操作流程业务流程汇编

内蒙古博源煤化工有限责任公司　编

2009年9月

16开　448页

内容提要：本资料分管理制度、操作流程、业务流程三个部分，详细汇编了博源煤化工管理制度操作流程、业务流程。（其利格尔）

博源煤化工管理制度操作流程预案汇编

内蒙古博源煤化工有限责任公司　著

2016年1月

16开　817页

内容提要：本资料分安全制度、操作规程、应急预案、职业病危害四个部分，详细汇编了博源煤化工公司制度。（其利格尔）

补连塔煤矿"两学一做"学习教育常态化制度化党员十项示范工程

中共神华神东补连塔煤矿委员会　编

2017年6月

16开　148页

内容提要：本资料分地面篇与井下篇两部分，汇编了《地面"党员示范工程"实施方案》《补连塔煤矿后勤服务考核管理办法》《补连塔煤矿文明办公管理办法》《补连塔煤矿综合治理管理办法》《补连塔煤矿地面车辆管理办法》《补连塔煤矿绿化管护管理办法》《地面消防管理》《补连塔煤矿家属区专项治理工作方案》《井下党建工作融入班组建设实施方案》等文件。（其利格尔）

布尔台煤矿本质安全管理信息系统使用指南

鄂尔多斯市布尔台煤矿　编

2011年3月

32开　248页

内容提要：本资料包括布尔台煤矿本质安全管理信息系统界面、高级管理层子系统、职能部门子系统等使用说明。（其利格尔）

"不忘初心、牢记使命"主题教育文件精神摘编

鄂尔多斯市委"不忘初心、牢记使命"主题教育领导小组办公室　编

2019年9月

16开　112页

内容提要：本资料分为习近平总书记重要讲话，中央《通知》文件摘要，《人民日报》评论，中央、自治区党委、鄂尔多斯市委工作部署四个部分，旨在宣传"不忘初心、牢记使命"主题教育相关内容，为相关人员提供参考。（荷梅）

"不忘初心、牢记使命"主题教育学习典型先进事迹选编

鄂尔多斯市委"不忘初心、牢记使命"主题教育领导小组办公室　编

2019年9月

16开　123页

内容提要：本资料共为全国优秀共产党员，2019年时代楷模，北疆楷模、自治区优秀共产党员三个部分，旨在宣传"不忘初心、牢记使命"主题教育活动中涌现出的先进事迹、先进人物，指导相关人员有效学习，扎实收获。（荷梅）

"不忘初心、牢记使命"主题教育学习资料汇编

鄂尔多斯市通惠供热燃气集团有限公司　编

2019年9月

16开　140页

内容提要：本资料分为重要讲话和重要文件、推荐书籍名录、先进典型事迹三个部分，汇编了《中共中央关于在全党开展"不忘初心、牢记使命"主题教育的意见》《中国共产党章程》、《习近平关于"不忘初心、牢记使命"重要论述选编》《习近平新时代中国特色社会主义思想学习纲要》《中国一重在改革创新中找回"精气神"》《英雄无言——95岁老党员张富清的本色人生》等"不忘初心、牢记使命"主题教育学习资料。（其利格尔）

"不忘初心、牢记使命"主题教育中共鄂尔多斯电业局委员会党员读本（一）

中共鄂尔多斯电业局组织干部处　编
2019年
218页
内容提要：本资料汇编了《中国共产党章程》《中国共产党廉洁自律准则》《关于新形势下党内政治生活的若干准则》《中国共产党党内监督条例》《中国共产党党员教育管理工作条例》等内容。（其利格尔）

"不忘初心、牢记使命"主题教育中共鄂尔多斯电业局委员会党员读本（二）

鄂尔多斯组织干部处　编著
2019年
32开　232页
内容提要：本资料分奋斗篇、敬民篇、为政篇、立德篇、修身篇、笃行篇、劝学篇、任贤篇、廉政篇、信念篇、法治篇、辩证篇、作风篇、生态文明篇、两会金句篇、科技创新篇、改革开放篇、学习金句篇等部分，宣传"不忘初心、牢记使命"主题教育活动。（其利格尔）

"不忘初心、牢记使命"伊金霍洛旗人民法院党员学习材料汇编

伊金霍洛旗人民法院党支部　编
2019年4月
16开　279页
内容提要：本资料汇编了全国政协十三届二次全会会议精神、十三届全国人大二次会议精神、学习贯彻习近平总书记在两会期间的重要讲话精神、学习贯彻李克强总理在全国两会期间的重要讲话精神、学习旗委十五届七次全会暨全旗经济工作会议精神、学习全旗"两会"精神等材料。（其利格尔）

财政部教科文司调研组伊金霍洛旗接待手册

伊金霍洛旗政府办公室　编
2005年11月
32开　15页
内容提要：本资料主要介绍了财政部教科文司调研组伊金霍洛旗接待的调研人员信息、伊金霍洛旗经济社会发展基本情况、视察点简介、联络人员等内容。（其利格尔）

财政与"三农"——鄂尔多斯市"十五"期间财政支持"三农"资料汇编

鄂尔多斯市财政局农财科　编
2007年6月
32开　395页
内容提要：本资料将鄂尔多斯"十五"期间的财政支农情况从资金投入到产出效益进行较为全面、系统的归纳，一方面可以通过回顾"十五"总结经验；另一方面可以为领导决策或理论研究提供较为翔实的参考依据。共分四个部分："十五"期间财政支农效益分析情况、"十五"期间财政支持"三农"数据分析、"十五"期间财政补贴"三农"数据分析、研究"三农"文章

集锦，共计16.2万字，260张表。（其利格尔）

草原圣火：乌审旗天然气开发利用纪事

中共乌审旗委宣传部　编

2001年7月

32开　125页

内容提要：本资料不仅真实记录了长庆油田在乌审旗境内开发乌审气田和发现特大型气田—苏里格气田的过程，同时也记录了乌审旗委、旗政府开发利用天然气资源的现况和新世纪实现新跨越的新思路以及迈出的新步伐，再现了地方和企业的深情厚谊。（其利格尔）

测绘法律法规文件汇编

鄂托克旗国土资源局　编

2002年12月

32开　298页

内容提要：本资料汇编了《中华人民共和国测绘法》《中华人民共和国测绘成果管理条例》《基础测绘条例》等法律法规。（其利格尔）

产业扶贫政策汇编

鄂尔多斯市农牧局　编著

2020年4月

16开　84页

内容提要：本资料共三册，第一册为习近平总书记关于扶贫工作的11次重要讲话精神；第二册为农业农村部、自治区、市领导关于产业扶贫工作讲话精神、中央自治区扶贫指导意见、工作规划、条例等综合政策文件；第三册为精准识别、精准帮扶、精准管理、精准考核四个部分。（其利格尔）

常用法律法规选编

鄂尔多斯市康巴什区青春山街道党工委、鄂尔多斯市康巴什区青春山街道办事处　编

16开　301页

内容提要：本资料汇编了《城市市容和环境卫生管理条例》《国务院物业管理条例》《国务院信访条例》《中华人民共和国城市居民委员会组织法》《中华人民共和国动物防疫法》《中华人民共和国妇女权益保障法》《中华人民共和国居民身份证法》《中华人民共和国老年人权益保障法》《中华人民共和国农村土地承包法》等常用法律法规。（其利格尔）

常用法律法规政策选编

康巴什新区发展局　编

2016年1月

32开　133页

内容提要：本资料按照康巴什新区发展局所涉及的四大职能分类，分为发改篇、统计篇、人防篇、交通篇，收集了全国人大及其常务委员会、国务院、国务院有关部门以及自治区、市里颁布的与康巴什新区发展局开展工作有关的法律、法规、政策和规范性文件。目的是使各科室、各岗位进一步明确工作职责与权限，明确工作运作流程，使工作

更加便捷、高效，真正做到履好责，用好权，服好务。（其利格尔）

成长的烦恼——初中生校园故事

鄂尔多斯市人口和计划生育委员会　编

32开　167页

内容提要：本资料是"幸福家庭·和谐鄂尔多斯行动"系列丛书之一，包括帮助初中生掌握基本的保健知识，理解爱、学会爱，树立正确的爱情观，掌握两性交往的方法，合理把握异性友谊的度，学会摆脱心理困扰，及时转移注意力，把精力放在学习上等相关内容。（其利格尔）

"城发杯"中国门球冠军赛内蒙古分赛区决赛暨第四届全区门球锦标赛秩序册（2013年）

内蒙古自治区体育总会、内蒙古自治区门球协会主办　编

2013年10月

16开　28页

内容提要：本资料为2013年"城发杯"中国门球冠军赛内蒙古分赛区决赛暨第四届全区门球锦标赛秩序册，包括《中国门球冠军赛内蒙古分赛区功名榜》《关于下发2013年"城发杯"中国门球冠军赛内蒙古分赛区决赛暨第四届全区门球锦标赛规程的通知》《2013年中国门球冠军赛内蒙古分赛区决赛暨第四届全区门球锦标赛竞赛规程》《2013年中国门球冠军赛内蒙古分赛区决赛暨第四届全区门球锦标赛报名表》《全国门球竞赛仲裁条例》《全国门球竞赛纪律规定》等内容。（其利格尔）

城管法律进万家·管好城市靠大家

伊旗城市管理行政执法局　编

32开　89页

内容提要：本资料汇编《伊旗城市管理行政执法局简介》《中华人民共和国城乡规划法》《城市市容和环境卫生管理条例》等内容。（其利格尔）

城市建设管理部分法律法规文件汇编

鄂尔多斯市建设委员会　编

2002年11月

32开　311页

内容提要：本资料汇编《中华人民共和国城市规划法》（1989年第23号主席令）、《中华人民共和国行政诉讼法》（1990年10月1日施行）、《中华人民共和国国家赔偿法》（1995年10月1日施行）、《内蒙古自治区国家赔偿费用管理规定》（内政发〔1998〕124号）等城市建设管理部分法律法规文件。（其利格尔）

城市让生活更幸福

哈巴格希街道党工委、哈巴格希街道办事处　编

16开　53页

内容提要：本资料以图文形式记录哈巴格希各级干部、群众多年来坚持勤

劳俭朴、自强不息及富有开拓进取的精神，以及在各级党委、政府的领导下，围绕"城市让生活更加完美"党建品牌，努力把哈巴格希打造成品质康巴什建设中的幸福街道的奋斗历程。（其利格尔）

城乡建设"六五"普法法律法规汇编

鄂尔多斯市城乡建设委员会　编

2010年9月

32开　385页

内容提要：本资料汇编了2010年国务院令第583号《城镇燃气管理条例》、1999年建设部令第66号《行政处罚程序暂行规定》、1996内蒙古自治区第八届人民代表大会常务委员会第二十二次会议通过的《内蒙古自治区行政执法监督条例》等城乡建设"六五"普法法律法规。（其利格尔）

创建全国文明城市·创建全国文明旗县宣传手册

伊金霍洛旗"创城"办公室　编

2010年6月

32开　14页

内容提要：本资料分创城、创卫、文明驾驶三个部分，主要宣传了创建全国文明城市、创建全国文明旗县等内容。（其利格尔）

创新创业相关政策汇编

鄂尔多斯市非公有制经济发展专项推进领导小组办公室　编

2016年4月

32开　126页

内容提要：本资料汇编了《国务院办公厅关于发展众创空间推进大众创新创业的指导意见》（国办发〔2015〕9号）、《内蒙古自治区人民政府办公厅关于加快发展众创空间的实施意见》（内政办发〔2015〕124号）等创新创业相关政策文件。（其利格尔）

促进民营经济高质量发展文件汇编（2019年度）

鄂尔多斯市委统战部、鄂尔多斯市工商联、鄂尔多斯市非公有制经济研究会　编

2019年7月

32开　203页

内容提要：本资料汇编了《习近平同志在民营企业座谈会上的讲话》《习近平同志给"万企帮万村"行动中受表彰的民营企业家的回信》等24个文件。（其利格尔）

促进民营经济高质量发展文件汇编（2020年度）

鄂尔多斯市委统战部、鄂尔多斯市工商联、鄂尔多斯市非公有制经济研究会　编

2021年1月

32开　278页

内容提要：本资料汇编了中央、国务院、中国银保监、税务局、自治区、市里发的关于促进民营经济高质量发展的意见和通知文件。内容包括《习近平

同志在企业家座谈会上的讲话》《习近平同志对新时代民营经济统战工作作出重要指示》《从2020年中央经济工作会议看以习近平同志为核心的党中央谋划"十四五"开局起步》《中共中央、国务院关于新时代加快完善社会主义市场经济体制的意见》等33个文件。（其利格尔）

寸草生晖

  康巴什新区关心下一代工作委员会　编
  2015年9月
  32开　56页

  内容提要：本资料是康巴什青少年朋友的爱心感恩作文集，旨在倡导青少年朋友知道感恩、懂得感恩、学会感恩。（其利格尔）

达拉特旗气象灾害防御规划

  杨斌　主编
  气象出版社
  ISBN 978-7-5029-5875-6
  2013年12月
  16开　69页　48.00元

  内容提要：本书介绍了鄂尔多斯市达拉特旗气象灾害时空分布特征、气象灾害风险区划、气象灾害对全市各行业的影响及气象灾害防御的相关措施等内容。（荷梅）

达拉特旗水利水保志

  《达拉特旗水利水保志》编纂委员会　编
  内蒙古人民出版社
  ISBN 7-204-00873-1
  1989年12月
  16开　280页　15.00元

  内容提要：本书全面记述达拉特旗水利水保工作不同发展阶段的轨迹，以期使社会各界更多地了解和关心达拉特旗水利水保事业发展趋势。（荷梅）

"大学习大调研大宣讲推动大落实"学习资料汇编

  鄂尔多斯市纪委监委派驻鄂尔多斯市财政局纪检检察组、鄂尔多斯市财政局　编
  2018年9月
  32开　150页

  内容提要：本资料分经济高质量发展、全面从严治党、全会精神社论三个部分，汇编了按照市委、市政府部署要求，市财政局坚持问题导向、目标导向、效果导向，扎实开展大学习、大调研、大宣讲，推动大落实活动中的优秀文章，旨在进一步提高广大党员干部和公职人员的政治站位，树牢"四个意识"，自觉用习近平总书记重要讲话精神武装头脑、指导实践、推动工作，做到学思用贯通、知信行合一。（其利格尔）

大漠奇迹——杭锦旗穿沙公路建设纪实

  内蒙古杭锦旗史志办公室　编
  中国时代经济出版社

ISBN 978-7-5119-2298-4

2016年5月

16开　214页　100.00元

内容提要：本书分杭锦旗概况、大事记、穿沙公路建设纪事、穿沙公路建设特辑四个部分，以图文形式记录了杭锦旗穿沙公路建设过程。（其利格尔）

大气污染防治手册

鄂尔多斯市环境保护局室　编

32开　25页

内容提要：本手册分科普知识、大气污染防治、《大气污染防治行动计划》解读三个部分，重点介绍了大气污染防治知识。（其利格尔）

大沙头生态文化旅游区

内蒙古鄂尔多斯市鄂托克前旗　编

2011年6月

32开　6页

内容提要：本资料为大沙头生态文化旅游区宣传册，图文并茂，主要包括大沙头生态文化旅游区公司简介、酒店景观、景区美景等内容。（其利格尔）

大学生就业指南

伊金霍洛旗就业服务局　编

32开　106页

内容提要：本资料分六个部分，即大学生就业形势分析与就业观念培养、大学生求职心理准备、大学生求职准备、大学生就业政策和权益保护、大学生自主创业、《内蒙古党委办公厅、政府办公厅关于引导和鼓励高校毕业生面向基层就业的实施意见》。（其利格尔）

丹心无限：建言篇

政协鄂尔多斯市第二届委员会　编

2012年12月

32开　326页

内容提要：本资料包括《鄂尔多斯市政协及各专门委员会2007—2012年的调研报告》《政协鄂尔多斯市第二届委员会提案》等内容。（嘎拉贝日汗）

党的群众路线教育实践活动关键词（一）

中共鄂尔多斯市直机关工委党的群众路线教育实践活动领导小组办公室　编

2014年2月

64开　40页

内容提要：本手册汇编了市委、自治区、中央、市直机关党工委的五十八个党的群众路线教育实践活动关键词。（其利格尔）

党的群众路线教育实践活动宣传手册

中共鄂尔多斯市委党的群众路线教育实践活动领导小组办公室　编

2014年3月

16开　51页

内容提要：本手册以图文形式宣传了六大工程；建章立制；整改落实；开展批评；查摆问题；听取意见；学习教育；六个真；八个带头；重点任务；总要求；主要内容等党的群众路线教育实

践活动内容。（其利格尔）

党恩润民心

中共鄂尔多斯市委员会组织部、鄂尔多斯市包联驻村领导小组办公室　编

2019年3月

16开　135页

内容提要：本资料以图文形式介绍了鄂尔多斯市委以习近平新时代中国特色社会主义思想为指导，深入贯彻党的十九大精神和习近平同志关于脱贫攻坚重要论述，结合实际制定完备的精准扶贫政策措施，精心指导基层贯彻落实扶贫政策措施，体现党恩润民心的过程。（其利格尔）

党风廉政建设常用知识100题

鄂尔多斯市纪委派驻市农牧业局纪检组、鄂尔多斯市农牧业局机关党委、鄂尔多斯市农机局机关党委　编

2017年9月

32开　40页

内容提要：本资料以问答形式，精心设100道党风廉政建设常用问题，旨在推进驻在单位党员干部警示教育常态化、制度化,增强党员干部廉洁自律意识，做到敬法畏纪、遵规守矩。（其利格尔）

党风廉政建设法规文件汇编

中共鄂尔多斯市纪律检查委员会、鄂尔多斯市监察局　编

32开　106页

内容提要：本资料汇编了《中共中央、国务院关于印发〈关于实行党风廉政建设责任制的规定〉的通知》《关于实行党风廉政建设责任制的规定》《中共中央关于印发〈中国共产党巡视工作条例（试行）〉的通知》《中国共产党巡视工作条例（试行）》《中共中央办公厅国务院办公厅印发〈关于实行党政领导干部问责的暂行规定〉的通知》《关于实行党政领导干部问责的暂行规定》等党风廉政建设法规文件。（其利格尔）

党务工作实用手册

鄂尔多斯市直机关工委组织部　编

2014年5月

32开　184页

内容提要：本资料分党务工作基础知识、文件汇编两个部分，汇编了党务工作相关知识。（其利格尔）

党员干部应知应会知识手册

中共伊金霍洛旗委组织部　编

2017年3月

64开　38页

内容提要：本资料汇编了党的路线方针政策，干部工作常识，换届风气监督工作常识，党的基层组织建设工作常识，巡视监督、党风廉政建设常识，宣传思想工作常识，统一战线工作常识等内容。（其利格尔）

党员学党章学理论读本

伊盟盟委组织部　编

32开　25页

内容提要：本资料汇编了27项党的理论、12项党章、"九五"新任务（盟情）等内容，供党员学党章、学理论。（其利格尔）

党员学习材料

中共鄂尔多斯市直属机关工作委员会宣传部　编

2004年5月

32开　179页

内容提要：本资料坚持以"三个代表"重要思想和党的十六大精神为指导，以践行"三个代表"，建设"四型机关，加快经济发展，实现"四个超一"为主题，精选试题来达到以赛代训的目的。所选试题侧重回顾和总结83年来党的光荣史，讴歌党的丰功伟绩，唱响共产党好、社会主义好、改革开放好的主旋律。（其利格尔）

党政领导干部选拔任用工作条例

2002年7月

32开　22页

内容提要：本资料汇编了《中共中央关于印发〈党政领导干部选拔任用工作条例〉的通知》《党政领导干部选拔任用工作条例》等党政领导干部选拔任用工作条例。（其利格尔）

党支部标准化规范化建设工作实用手册

中天合创煤炭分公司党委办公室　编

2020年1月

32开　120页

内容提要：本资料包括党组织设置及党支部工作职责、党支部组织生活制度、党支部选举、党员发展工作、党员教育和管理、思想政治工作及群众工作、党支部常用文书、党支部常用主持词等内容。（其利格尔）

党支部标准化建设手册

中共鄂尔多斯市档案局党支部　编著

2018年5月

内容提要：本资料汇编了党支部日常工作标准、党支部阵地建设标准、党支部制度台账标准、党支部班子建设标准、附录等内容。（其利格尔）

党建引领构建和谐社区

中共鄂尔多斯市委组织部　编

2006年6月

16开　174页

内容提要：本资料汇编近年来鄂尔多斯市坚持城市基层党建引领基层治理，将党的领导贯穿典范社区建设全过程，发挥街道社区党组织领导核心作用和党员示范带头作用，主动对标国内一流社区，开启党建引领典范社区建设探索实践的相关资料。（其利格尔）

档案法律法规宣传册

伊金霍洛旗档案局、伊金霍洛旗档案馆　编

2017年5月

32开　22页

内容提要：本资料汇编了《中华人

民共和国档案法》《内蒙古自治区档案条例》《档案管理违法违纪行为处分规定》等文件。（其利格尔）

道路交通安全常识选编

鄂尔多斯市交警支队、伊旗交警大队　编

32开　245页　16.00元

内容提要：本资料选编有关道路安全的法律法规、常识、应对方法等，是一本实用的交通安全教育读本。（其利格尔）

道路运输法律法规汇编

鄂尔多斯市交通运输管理处　编

2010年3月

16开　342页

内容提要：本资料汇编了《中华人民共和国行政处罚法》《中华人民共和国行政许可法》《中华人民共和国行政复议法》《中华人民共和国行政诉讼法》等道路运输法律法规。（其利格尔）

地方病防治知识手册

伊金霍洛旗疾病预防控制中心　编

32开　29页

内容提要：本手册主要汇编了在内蒙古自治区流行的地方病的防治知识，包括鼠疫、布鲁氏菌病、地方性砷中毒、地方性氟中毒、碘缺乏病、大骨节病、克山病等内容。（其利格尔）

地方税收征收管理创新规范论

伊克昭盟地方税务局　编

1999年7月

32开　67页

内容提要：本资料主要包括内蒙古自治区地税局局长李子清的两次讲话内容，一是1998年12月24日在局务会上做的讲话，对内蒙古自治区地税系统的现状，即"两个隐蔽、两个局限、三个难题"的分析，同时也对制度创新中的"五化"标准和"四个重点"做了详尽解释，指出今后规范化管理的方向；二是1999年4月8日做题为《地方税收管理创新规范论》的讲话，讲话内容以邓小平理论和党的十五大精神为指导，运用知识管理、过程管理、知识创新和管理创新等现代科学理论，全面阐述了地方税收征收管理创新规范的意义、条件和组织设计，对自治区地方税收征管的创新规范和其他各项工作具有重大的指导意义。（其利格尔）

地质灾害避险应急手册

中国大地出版社

32开　58页　8.00元

内容提要：本书主要由地质灾害知识和群测群防知识两部分内容构成，是一本较为实用的地质灾害避险应急手册。（其利格尔）

低碳生活的具体操作

康巴什新区科技和信息化委员会办公室　编

2011年11月

32开　15页

内容提要：本资料收录了低碳生活解决的问题、低碳生活实行方式、增强个人环保意识等低碳生活知识和低碳生活的具体操作知识。（其利格尔）

第二次全国污染源普查宣传手册

鄂尔多斯市环境保护局、康巴什区环境保护局　编

32开　25页

内容提要：本资料为第二次全国污染源普查宣传手册，旨在宣传全国污染源普查的内容、作用和重要意义。（其利格尔）

第二届鄂尔多斯国际那达慕大会暨内蒙古自治区首届体育大会嘉宾接待服务指南

礼宾接待外事部　编

2012年8月

32开　126页

内容提要：本资料为第二届鄂尔多斯国际那达慕大会暨内蒙古自治区首届体育大会嘉宾接待服务指南，包括温馨提示、大会简介、来宾接待安排、市领导陪同方案、接待服务保障、竞赛日程安排、服务指南、主要参观考察点简介、鄂尔多斯民俗文化习惯简介、内蒙古自治区简介、鄂尔多斯市简介等内容。（其利格尔）

第二届内蒙古"草原英才"高层次人才合作交流会暨呼包鄂人才创新创业周鄂尔多斯主会场活动资料汇编（一）

鄂尔多斯市人才工作领导小组办公室　编

2014年12月

16开　675页　180.00元

内容提要：本汇编分为四个部分，分别是"草原英才"高层次人才合作交流会相关文件，活动筹备期间领导讲话提纲、汇报提纲，活动期间主持词、领导致辞及讲话稿，活动成果等。（荷梅）

第二届内蒙古"草原英才"高层次人才合作交流会暨呼包鄂人才创新创业周鄂尔多斯主会场活动资料汇编（二）

鄂尔多斯市人才工作领导小组办公室　编

2014年12月

16开　272页　120.00元

内容提要：本汇编分为两个部分，分别为会务工作相关资料、宣传活动相关资料。（荷梅）

第十届中蒙新闻论坛接待手册

内蒙古自治区人民政府新闻办公室，鄂尔多斯市委、市政府　编

2019年7月

16开　40页

内容提要：本资料为第十届中蒙新闻论坛接待手册，包括日程安排、代表名单、乘车安排、温馨提示、鄂尔多斯概况及采访考察点简介等内容。（其利格尔）

第十届中蒙新闻论坛日程安排

内蒙古自治区鄂尔多斯党委宣传

部　编
2019年7月
32开　12页
内容提要：本资料为第十届中蒙新闻论坛详细的日程安排。（其利格尔）

第十届中蒙新闻论坛资料汇编

内蒙古自治区人民政府新闻办公室，鄂尔多斯市委、市政府　编
2019年7月
16开　73页
内容提要：本资料以斯拉夫语、中文双语形式汇编了第十届中蒙新闻论坛资料。（其利格尔）

东胜地区建设工程材料预算价格

伊克昭盟工程建设经济定额站　编
1992年11月
32开　595页
内容提要：本资料包括土建、水暖、电气三个部分。这份工程材料预算价格是编制概、预决算中调整材料差价的基础，是工程成本核算的依据。（嘎拉贝日汗）

东胜区城镇职工基本医疗保险政策解答

东胜区医疗保险资金管理局　编
32开　27页
内容提要：本资料从参保登记缴费、定点医疗机构、就医管理、基本医疗保险用药范围、医疗费用结算、其他六个方面解答了东胜区城镇职工基本医疗保险政策相关问题。（其利格尔）

东胜区创建"平安畅通县区"文件资料汇编

东胜区人民政府　编
2007年6月
16开　10页
内容提要：本资料主要汇编关于《实施公路安全保障工程说明》《东胜区关于建成主次干道交通标志设置情况》《东胜区关于城区路口灯控设置情况说明》等文件。（嘎拉贝日汗）

东胜区气象灾害防御规划

赵和平　主编
气象出版社
ISBN 978-7-5029-5814-5
2013年12月
16开　68页　48.00元
内容提要：本书通过对东胜区近40年气候资料的对比分析，系统总结了全区气象灾害的时空分布、灾害指标、风险区划等，并提出了不同灾害、不同行业、不同区域的防御对策，以及组织管理、基础建设和保障措施等方面的内容。（荷梅）

东胜县公安局交警大队内部管理制度、办法、职责汇编

东胜县公安局交警大队档案室　编
1998年11月
16开　61页
内容提要：本资料汇编了东胜县公安局交通警察大队辖区基本情况、设施、装备及警力配备、《东胜县交警大

队党支部目标管理及机构设置图》、《东胜县交警大队机构设置及警力配置图》、《交通警察文明用语·交通警察总语》、《东胜县交通警察大队关于学济南交警规范化执勤评比奖惩办法》等大队有关文件、规定，供全体干警学习，贯彻执行。（其利格尔）

东胜县公安局巡警大队基础数字汇集（1997）

苏汉祥　主编
东胜县公安局巡警大队档案室　编
1998年3月
16开　14页

内容提要：本资料主要记录了东胜县公安局巡警大队自1997年2月1日建队以来的重大事件及有关活动。（其利格尔）

东胜县公安局巡警大队晋升自治区盟市旗县（市、区）机关档案工作目标管理一级文件续编集

东胜县公安局巡警大队档案室　编
1998年8月
16开　60页

内容提要：本资料主要包括《关于申请档案管理考核验收的报告》《关于档案管理工作安排部署记录》《档案管理五年规划》《1997年度档案管理工作总结》《1998年度档案管理工作计划》等东胜县公安局巡警大队晋升自治区盟市旗县（市、区）机关档案工作目标管理一级文件。（其利格尔）

东胜县公安局巡警大队荣誉集

东胜县公安局巡警大队档案室　编
1998年2月
16开　7页

内容提要：本资料主要记录巡警为保一方平安，无私奉献的精神，正是这点点滴滴的记录，反映出人民警察奋斗不息、战斗不止的信念与决心，体现出巡警用自己的行动赢得民心、赢得人民群众的信赖与支持的过程。（其利格尔）

东胜县审计局档案管理晋升自治区特级单位材料汇编

1998年12月
16开　130页

内容提要：本资料汇编《东胜县审计局关于档案管理晋升自治区特级的申请报告》《机关档案工作目标管理考评申请表》《东胜县审计局1998年领导分工的通知》《办公室主任岗位责任制》《东胜县审计局关于呈报〈1998年工作安排〉的报告》等东胜县审计局档案管理晋升自治区特级单位材料。（其利格尔）

动物防疫法律法规汇编

伊金霍洛旗兽医局伊金霍洛旗动物卫生监督所　编
2016年2月
32开　149页

内容提要：本资料汇编《中华人民共和国动物防疫法》、《内蒙古自治区动物防疫条例》、《兽药管理条例》（2016年修订版）、《生猪屠宰管理条

例》（2016年修订版）等动物防疫法律法规。（其利格尔）

动物疫病防控知识手册

李宏　主编

伊金霍洛旗兽医局、伊金霍洛旗动物疫病预防控制中心　编

2014年1月

32开　70页

内容提要：本书介绍了家畜传染病基础知识、高致病性禽流感、口蹄疫、小反刍兽疫、高致病性猪蓝耳病、非洲猪瘟等知识动物疫病知识和防控知识。（其利格尔）

毒品的危害与预防

鄂托克旗禁毒委员会办公室、鄂托克旗公安局禁毒大队　编

32开　60页

内容提要：本资料介绍了毒品常识、《中华人民共和国禁毒法》、《戒毒条例》、新型毒品知识以及如何识别制毒加工厂等毒品危害和预防知识。（其利格尔）

鄂尔多斯26个怎么看

苏永清、袁磊　主编

内蒙古人民出版社

ISBN 978-7-204-10135-1

2011年3月

16开　272页　48.00元

内容提要：本书是鄂尔多斯第十期青干班学员紧紧围绕鄂尔多斯市的发展变化和"结构转型、创新强市，城乡统筹、集约发展"战略的实施情况，与指导老师一起整理的，包含学员和老师对建设富裕、文明、和谐鄂尔多斯的对策和思想。（其利格尔）

鄂尔多斯财政制度选编（2002—2008）

鄂尔多斯财政局　编

2008年12月

32开　702页

内容提要：本资料选编2002—2008年财政部、内蒙古自治区财政厅、鄂尔多斯市财政局等各部门的各类财政制度。（荷梅）

鄂尔多斯统一战线优秀论文汇编（2012）

中共鄂尔多斯市委统战部　编

2012年12月

16开　281页

内容提要：本资料精选36篇优秀论文，所选论文涵盖探讨做好新形势下的民族宗教工作、大力培养民族干部和党外干部、促进民族团结进步和社会管理创新、积极引导非公有制经济发展、发挥民主党派和无党派人士重要作用等多方面内容。（荷梅）

鄂尔多斯统一战线优秀论文汇编（2014）

中共鄂尔多斯市委统战部　编

16开　171页

内容提要：本资料共分五个部分，分别是民族宗教、经济统战、多党合

作、基层统战、论苑，从不同角度反映了鄂尔多斯统一战线工作人员的工作面貌和工作内容。（荷梅）

鄂尔多斯旅游抖音营销方案（2018）

2018年6月

16开　71页

内容提要：本资料为2018年鄂尔多斯旅游抖音营销方案，包括抖音营销分析、鄂尔多斯旅游品牌策划、鄂尔多斯目标客群分析、鄂尔多斯旅游品牌策划、鄂尔多斯旅游产业分析、品牌传播现状评估、鄂尔多斯旅游品牌策划、品牌传播渠道建议、认知阶段、互动阶段、认购阶段等统计数据和分析数据。（其利格尔）

鄂尔多斯市电力工业运行情况简报（第一季度）（2020）

鄂尔多斯市工业和信息化局　编

32开　10页

内容提要：本资料包括2020年第一季度电力工业现状、2020年第一季度全市发用电情况、2020年第一季度全市电力多边交易情况等鄂尔多斯市电力工业运行情况、2020年第一季度全区电力装机情况、2020年第一季度全区电力运行情况等，整体反映2020年一季度内蒙古自治区电力工业运行情况。（其利格尔）

《鄂尔多斯盛开文明花》文明单位经验选编

包俊臣　主编

内蒙古伊克昭盟五讲四美三热爱活动委员会　编

1986年1月

32开　135页

内容提要：本资料是为了相互交流经验，促进我盟社会主义精神文明建设向更高水平、更大面积发展而精心编辑的小册子，主要编选来自各个文明单位的经验分享材料，供各级各部门的同志学习、参考。（嘎拉贝日汗）

鄂尔多斯的社会变革

郝崇理　著

作家出版社

ISBN 978-7-5063-3826-4

2007年3月

32开　190页　35.00元

内容提要：本书记载了1950—1995年原伊克昭盟行政区域内的政治、经济诸多方面的事情。（其利格尔）

鄂尔多斯电网二〇一九年运行方式

鄂尔多斯电业局调度处　编

2019年4月

16开　287页

内容提要：本资料由2018年电网运行方式总结分析和2019年电网运行方式两部分构成。第一部分主要记录了2018年电网规模、经济及生产运行指标、2018年电网运行情况。第二部分主要记录了2019年电力电量需求预测、电网新投改造设备、2019年鄂尔多斯电网运行方式、电网安全稳定及潮流分析、无功电压及网损管理、电网短路容量计算、2019年电网检修计划、鄂尔多斯电网2019年发电计划、鄂尔多斯电网调度范围及母线分配方式划分、电网运行中存在的问题、改造措施及建议等。（其利格尔）

鄂尔多斯电业局1990—2004年电力生产典型事故案例汇编

鄂尔多斯电业局　编
2005年12月
32开　84页

内容提要：本资料为鄂尔多斯电力安全教育学习资料，主要包括输配电线路设备事故案例、调度、变电设备事故案例、输变配电人身事故案例等，共三个部分，有12个案例分析。（其利格尔）

鄂尔多斯电业局规章制度汇编（第一册）

鄂尔多斯电业局　编
2011年6月
16开　596页

内容提要：本资料内容分为领导决策管理系统、战略管理系统两大部分，第一部分还包括了决策管理、组织管理两个部分，汇编了鄂尔多斯电业局规章制度。（嘎拉贝日汗）

鄂尔多斯电业局规章制度汇编（第二册）

鄂尔多斯电业局　编
2011年6月
16开　594页

内容提要：本资料分为顾客与市场管理系统，资源管理系统，生产运营管理系统，测量、分析与改进管理系统等四个部分，汇编了鄂尔多斯电业局规章制度。（嘎拉贝日汗）

鄂尔多斯电业局规章制度汇编（第八册）

鄂尔多斯电业局　编
2011年6月
16开　4691页

内容提要：本资料汇编了鄂尔多斯电业局领导决策管理系统，战略管理系统，顾客与市场管理系统，资源管理系统，生产运营管理系统，测量、分析与改进管理系统等方面的规章制度。（嘎拉贝日汗）

鄂尔多斯电业局落实"两个责任"业廉融合风险防控手册

中共鄂尔多斯电业局纪律检查委员会　编
2019年1月
16开　209页

内容提要：本资料内容包括鄂尔多斯电业局落实"两个责任""12345"工作体系建设情况；综合管理领域、安全生产管理领域、计划管理领域、市场营销管理领域、经营管理领域、人力资源管理领域、工程建设管理领域等各专业领域落实"两个责任"业廉融合风险防控表等。（其利格尔）

鄂尔多斯法院案例选编

鄂尔多斯市中级人民法院　编
2013年

32开　229页

内容提要：本资料所遴选的50个案例涵盖刑事、民事、行政三大审判业务，每个案例均按照案情、审判、评判的结构体例进行编写，并从中归纳了案件的审理规律和裁判原则。（荷梅）

鄂尔多斯非物质文化遗产馆提质改造工程平面设计、空间设计、装置设计、施工图纸、展品清单方案

北京当代振兴传统手工艺研究保护中心　编

2021年4月

16开　329页

内容提要：本方案共有三个板块，展示了鄂尔多斯非物质文化遗产馆提质改造工程平面设计、空间设计、装置设计、施工图纸、展品清单方案。（其利格尔）

鄂尔多斯广播电台简介

鄂尔多斯广播电台　编

1999年8月

32开　6页

内容提要：本资料为鄂尔多斯广播电台建台四十周年纪念册，以图文形式展示了鄂尔多斯广播电视台简介和工作人员图片。（其利格尔）

鄂尔多斯江苏工业园区机关工作制度汇编

鄂尔多斯江苏工业园区　编

2020年6月

32开　71页

内容提要：本资料汇编了机关工作人员"十不准"行为规范、公文处理制度、档案管理制度、印章管理制度、重点工作专项督查制度等鄂尔多斯江苏工业园区机关工作制度。（其利格尔）

鄂尔多斯江苏工业园区圣圆煤化工基地考察大路工业园区日程安排

大路煤化工基地党政办公室　编

2019年6月

32开　10页

内容提要：本资料包括考察人员的日程安排、考察组人员信息介绍、园区陪同考察人员信息介绍、园区参加座谈会人员、园区简介、考察项目情况、考察人员住宿安排情况、考察期间园区天气情况等鄂尔多斯江苏工业园区圣圆煤化工基地考察大路工业园区日程安排内容。（其利格尔）

鄂尔多斯教育信息合订本（2010.7—2010.12）

鄂尔多斯市教育局　编

2010年12月

32开

内容提要：本资料汇编了鄂尔多斯市教育局机关举办庆祝中国共产党建党89周年诗文诵读比赛，准格尔旗教育局大力加强廉政建设、加大资金投入，健全工作机制——鄂托克旗全力打造安全校园、加强师资队伍建设，争创学有优教局面——乌审旗教育局大力实施名师梯队建设工程等资料的相关内容。（其

利格尔）

鄂尔多斯金融产品手册

　　鄂尔多斯市金融工作办公室　编

　　2018年8月

　　16开　18页

　　内容提要：本手册汇编了鄂尔多斯市金融机构扶贫、支农、支小信贷产品，鄂尔多斯市扶贫、支农、支牧保险产品等鄂尔多斯金融产品。（其利格尔）

鄂尔多斯林业可持续发展战略研究

　　吕荣　主编

　　中国农业科学技术出版社

　　ISBN 7-80167-921-0

　　2006年3月

　　16开　210页　30.00元

　　内容提要：本书系统总结了近年来鄂尔多斯市林业建设所取得的成就，相关经验、方法、技术及治理模式，为加快林业发展提出的新观点、新思路和新建议。（荷梅）

鄂尔多斯旅游手册

　　鄂尔多斯市文化和旅游局、鄂尔多斯市旅游协会　编

　　鄂尔多斯党委印刷厂

　　2005年10月

　　48开　82页　20.00元

　　内容提要：本资料以图文形式介绍了鄂尔多斯市概况、鄂尔多斯市旅游业发展现状、主要旅游景区介绍、星级饭店和旅行社名录等，旨在加强旅游产业和队伍建设，规范鄂尔多斯旅游导游词，加大对外宣传和促销力度，提高对外宣传和促销质量。（其利格尔）

鄂尔多斯旅游招商引资项目册

　　鄂尔多斯市文化和旅游局　编

　　2016年12月

　　16开　92页

　　内容提要：本资料包括鄂尔多斯市旅游招商引资简介、招商平台、鄂尔多斯市旅游招商引资项目、东胜区旅游招商项目、达拉特旗旅游招商项目、准格尔旗旅游招商项目、伊金霍洛旗旅游招商项目、乌审旗旅游招商项目、杭锦旗旅游招商项目、鄂托克旗旅游招商项目、鄂托克前旗旅游招商项目、康巴什新区旅游招商项目、恩格贝生态旅游示范区招商项目等鄂尔多斯旅游招商引资项目内容。（其利格尔）

鄂尔多斯农牧业十三五招商引资项目

　　鄂尔多斯市农牧业局　编

　　16开　74页

　　内容提要：本资料主要包括鄂尔多斯市现代农牧业发展情况、宏野农牧业开发有限公司生态循环农业项目、马场井村果蔬冷藏保鲜库建设、内蒙古中川三和农林发展有限公司现代农业园一期工程农产品加工物流区项目、蒙力农林牧开发有限责任公司新建牲畜养殖加工项目等鄂尔多斯农牧业招商企业项目信息和企业简介等内容。（其利格尔）

鄂尔多斯市"两会"专题资料汇编

鄂尔多斯市图书馆　编

2017年2月

16开　318页

内容提要：本资料汇编包括特稿、六中全会精神与"十三五"规划纲要解读篇、政治篇、经济篇、城镇建设篇、民生篇、内蒙古篇、鄂尔多斯篇八个章节，汇总了鄂尔多斯市"两会"专题资料。（荷梅）

鄂尔多斯市"庆奥运·促和谐"直属单位职工运动会秩序册

中共鄂尔多斯市直属机关工作委员会、鄂尔多斯市体育局　编

2008年10月

16开　88页

内容提要：本资料为鄂尔多斯市"庆奥运·促和谐"直属单位职工运动会秩序册，包括《关于召开鄂尔多斯市直属机关"庆奥运、促和谐"第二届职工运动会的通知》，领队、教练员、运动员、裁判员行为规范，"体育道德风尚奖"评比条件，开幕式、闭幕式程序等鄂尔多斯市"庆奥运·促和谐"直属单位职工运动会秩序内容。（其利格尔）

鄂尔多斯市"三严三实"专题教育领导干部党课讲稿选编

中共鄂尔多斯市委组织部　编

2015年9月

16开　204页

内容提要：本资料选编了鄂尔多斯市四大班子主要领导、鄂尔多斯市委各常委和各旗区委书记的党课讲稿，共收录了4篇全文刊登的讲话教材和19篇摘编的讲话内容，作为党性党风教育学习教材，供各级党员干部学习，进一步巩固"三严三实"专题教育党课成果。（其利格尔）

鄂尔多斯市"迎祖国60大庆"直属单位职工运动会秩序册

中共鄂尔多斯市直属机关工作委员会、鄂尔多斯市体育局主办　编

2009年9月

16开　86页

内容提要：本资料为鄂尔多斯市"迎祖国60大庆"直属单位职工运动会秩序册，包括《关于举办鄂尔多斯市直属机关"迎六十大庆"第三届职工运动会的通知》，领队、教练员行为规范，运动员行为规范，裁判员行为规范等鄂尔多斯市"迎祖国60大庆"直属单位职工运动会秩序内容。（其利格尔）

鄂尔多斯市1949—2012年畜牧业文献汇编

阿力贡　主编

远方出版社

ISBN 978-7-5555-0043-8

2013年11月

32开　58.00元

内容提要：本书辑录了1949—2012年鄂尔多斯畜牧业方面的文献117篇，包括这个时期政策性文件及法规、地方领导人及畜牧部门负责同志的有关报告和

讲话。（荷梅）

鄂尔多斯市2019年脱贫攻坚"回头看"产业扶贫问题清单

鄂尔多斯市扶贫开发办公室　编
2020年2月
32开　158页

内容提要：本资料由2019年杭锦旗、达拉特旗、准格尔旗、伊金霍洛旗、鄂托克前旗、鄂托克旗、乌审旗、东胜区八个旗区的脱贫攻坚"回头看"产业扶贫问题清单构成。（其利格尔）

鄂尔多斯市2019年脱贫攻坚"回头看"达拉特旗问题清单

鄂尔多斯市扶贫开发办公室　编
2020年2月
32开　231页

内容提要：本资料由住房安全、义务教育、健康扶贫、基本医疗、饮水安全、兜底保障、社会保障、产业扶贫、电力扶贫、金融扶贫、就业扶贫、驻村帮扶、易地搬迁、达拉特旗建档立卡贫困户基础信息存在问题清单14个部分构成。（其利格尔）

鄂尔多斯市2019年脱贫攻坚"回头看"东胜区问题清单

鄂尔多斯市扶贫开发办公室　编
2020年2月
32开　6页

内容提要：本资料由产业扶贫、东胜区建档立卡贫困户基础信息存在问题清单两部分构成。（其利格尔）

鄂尔多斯市2019年脱贫攻坚"回头看"鄂托克旗问题清单

鄂尔多斯市扶贫开发办公室　编
2020年2月
32开　76页

内容提要：本资料由住房安全、健康扶贫、基本医疗、饮水安全、产业扶贫、金融扶贫、电力扶贫、易地搬迁、鄂托克旗建档立卡贫困户基础信息存在问题清单九个部分构成。（其利格尔）

鄂尔多斯市2019年脱贫攻坚"回头看"杭锦旗问题清单

鄂尔多斯市扶贫开发办公室　编
2020年2月
32开　160页

内容提要：本资料由住房安全、健康扶贫、基本医疗、饮水安全、社会保障、产业扶贫、金融扶贫、就业扶贫、驻村帮扶、易地搬迁、杭锦旗建档立卡贫困户基础信息存在问题清单11个部分构成。（其利格尔）

鄂尔多斯市2019年脱贫攻坚"回头看"基本医疗问题清单

鄂尔多斯市扶贫开发办公室　编
2020年2月
32开　14页

内容提要：本资料由杭锦旗、达拉特旗、准格尔旗、伊金霍洛旗、鄂托克前旗、鄂托克旗、乌审旗七个旗的2019

年脱贫攻坚"回头看"基本问题清单构成。（其利格尔）

鄂尔多斯市2019年脱贫攻坚"回头看"金融扶贫问题清单

鄂尔多斯市扶贫开发办公室　编
2020年2月
32开　58页
内容提要：本资料由杭锦旗、达拉特旗、准格尔旗、伊金霍洛旗、鄂托克前旗、鄂托克旗六个旗县的脱贫攻坚"回头看"金融扶贫问题清单构成。（其利格尔）

鄂尔多斯市2019年脱贫攻坚"回头看"伊金霍洛旗问题清单

鄂尔多斯市扶贫开发办公室　编
2020年2月
32开　143页
内容提要：本资料由住房安全、义务教育、健康扶贫、基本医疗、饮水安全、产业扶贫、金融扶贫、就业扶贫、驻村帮扶、易地搬迁、伊金霍洛旗建档立卡贫困户基础信息存在问题清单11个部分构成。（其利格尔）

鄂尔多斯市2019年脱贫攻坚"回头看"准格尔旗问题清单

鄂尔多斯市扶贫开发办公室　编
2020年2月
32开　231页
内容提要：本资料由住房安全、义务教育、健康扶贫、基本医疗、饮水安全、社会保障、产业扶贫、电力扶贫、金融扶贫、就业扶贫、驻村帮扶、易地搬迁、准格尔旗建档立卡贫困户基础信息存在问题清单13个部分构成。（其利格尔）

鄂尔多斯市安全生产工作文件汇编

鄂尔多斯市人民政府办公厅　编
2016年12月
16开　350页
内容提要：本资料汇编了《鄂尔多斯市人民政府关于公布〈鄂尔多斯市建筑施工现场安全监督管理办法〉的通知》（鄂府发〔2011〕44号）、《鄂尔多斯市人民政府关于印发〈和谐矿区建设煤矿安全生产实施方案〉的通知》等鄂尔多斯市安全生产工作文件。（其利格尔）

鄂尔多斯市包联驻村工作"一村一队"名册

鄂尔多斯市包联驻村工作领导小组办公室　编
2018年5月
16开　115页
内容提要：本资料是鄂尔多斯市736个包联驻村工作队的2522工作人员名册。其中，市直部门包联驻村工作队118个492人，即处级干部19人、科级干部186人、其他干部287人；旗区部门包联驻村工作队618个2030人。（其利格尔）

鄂尔多斯市包联驻村工作应知应会读本

鄂尔多斯市包联驻村工作领导小组

办公室　编

2018年6月

32开　200页

内容提要：本资料分党建理论篇、基层党建篇、乡村振兴篇、包联驻村篇、脱贫攻坚篇五个部分，主要涵盖鄂尔多斯市包联驻村工作应知应会内容。（其利格尔）

鄂尔多斯市本级行政事业单位财务管理制度汇编

鄂尔多斯市财政国库支付管理局　编

16开　229页

内容提要：本资料汇编了《鄂尔多斯市委办公厅、市人民政府办公厅关于印发〈鄂尔多斯市本级党政机关公务接待管理办法〉的通知》《鄂尔多斯市本级党政机关公务接待管理办法》《鄂尔多斯市财政局关于印发〈鄂尔多斯市本级党政机关公务用车运行经费管理暂行办法〉的通知》《鄂尔多斯市本级党政机关公务用车运行经费管理暂行办法》等鄂尔多斯市本级行政事业单位财务管理制度。（其利格尔）

鄂尔多斯市草原确权承包工作手册

鄂尔多斯市草原监督管理局　编

2015年5月

32开　127页

内容提要：本资料汇编了法律法规、政策文件、领导讲话、草原承包合同和表格、参考内容五个部分，均为与鄂尔多斯市草原确权承包工作相关的资料。（其利格尔）

鄂尔多斯市城市园林绿化条例

鄂尔多斯市人大常委会　编

2017年12月

32开　34页

内容提要：本资料汇编了《鄂尔多斯市第三届人民代表大会常务委员会公告（第三号）》《内蒙古自治区人民代表大会常务委员会关于批准〈鄂尔多斯市城市园林绿化条例〉的决议》《鄂尔多斯市城市园林绿化条例》《关于〈鄂尔多斯市园林绿化条例（草案）〉的说明》《鄂尔多斯市人民代表大会法制委员会关于〈鄂尔多斯市城市园林绿化条例（草案）〉审议结果的报告》等有关鄂尔多斯市城市园林绿化的相关条例。（其利格尔）

鄂尔多斯市城乡建设工作导则汇编

鄂尔多斯市城乡建设委员会　编

2017年7月

16开　406页

内容提要：本资料汇编了《鄂工程和市政基础设施工程管理导则》《鄂尔多斯市房屋建筑工程施工技术导则》《市房屋建筑和市政基础设施工程施工安全监督、鄂尔多斯市农村牧区房屋建筑工程施工技术导则》《鄂尔多斯市园林绿化施工管理导则》等鄂尔多斯市城乡建设工作导则。（其利格尔）

鄂尔多斯市城乡建设工作制度汇编

鄂尔多斯市城乡建设委员会　编
2017年7月
16开　145页
内容提要：本资料主要汇编了鄂尔多斯市城乡建设相关工作制度，分为议事决策制度、机关管理制度、全面从严治党制度、党风廉政建设制度四个部分。（其利格尔）

鄂尔多斯市城乡居民基本医疗保险暂行办法

伊金霍洛旗社会保险事业管理局　编
32开　18页
内容提要：本资料主要包括鄂府发〔2017〕186号《鄂尔多斯市人民政府关于公布〈鄂尔多斯市城乡居民基本医疗保险暂行办法〉的通知》等文件。（其利格尔）

鄂尔多斯市创建第五届全国文明城市实地点位台账

鄂尔多斯市创建全国文明城市指挥部办公室　编
2017年6月
16开　225页
内容提要：本资料为鄂尔多斯市创建第五届全国文明城市实地点位台账记录，包括截至2017年3月30日东胜区和康巴什区的实地点位台账。（其利格尔）

鄂尔多斯市创建国家公共文化服务体系示范区

鄂尔多斯市创建国家公共文化服务体系示范区领导小组办公室　编
16开　40页
内容提要：本资料主要介绍鄂尔多斯概况及鄂尔多斯市创建国家公共文化服务体系建设基本概况，并以图文形式展示了公共文化服务设施网络建设、文化设施建设、基层文化设施建设、基层演出服务等鄂尔多斯市创建国家公共文化服务体系建设相关内容。（其利格尔）

鄂尔多斯市创建国家公共文化服务体系示范区宣传手册

鄂尔多斯市创建国家公共文化服务体系示范区领导小组办公室　编
2011年8月
32开　33页
内容提要：本资料包括鄂尔多斯概况、鄂尔多斯市创建国家公共文化服务体系示范区规划释义、建设公共文化服务体系保障人民基本文化权益、创建国家公共文化服务体系示范区40问、鄂尔多斯市创建国家公共文化服务体系示范区宣传口号等内容。（其利格尔）

鄂尔多斯市创建国家可持续发展议程创新示范区汇报提纲及相关材料

鄂尔多斯市人民政府　编
2018年5月
16开　37页

内容提要：本资料主要包括《创建国家可持续发展议程创新示范区汇报提纲》《鄂尔多斯市国家可持续发展实验区工作总结》《国务院关于印发〈中国落实2030年可持续发展议程创新示范区建设方案〉的通知》《科技部办公厅关于印发〈国家可持续发展议程创新示范区申报指引〉的通知》《包头市创建国家可持续发展议程创新示范区发展规划（2017—2030）》等鄂尔多斯市创建国家可持续发展议程创新示范区汇报提纲及相关材料。（其利格尔）

鄂尔多斯市创建国家园林城市申报资料

鄂尔多斯市人民政府　编

2012年9月

16开　157页

内容提要：本资料以图文形式收录《鄂尔多斯市人民政府关于申报国家园林城市的函》《鄂尔多斯市人民政府创建国家园林城市工作报告》《鄂尔多斯市城市概况》《鄂尔多斯市城市总体规划（2011—2030）摘要》《鄂尔多斯市城市绿地系统规划（2011—2030）摘要》等鄂尔多斯市创建国家园林城市申报资料。（其利格尔）

鄂尔多斯市创建国家园林城市基础资料

鄂尔多斯市人民政府　编

2013年3月

16开　401页

内容提要：本资料以图文形式选编了鄂尔多斯市创建国家园林城市基础资料说明和组织管理、创园机构、园林科研、科技论文等38本分册的主要内容，目的是方便各位领导和专家对鄂尔多斯市园林绿化相关情况有更详细的了解，也是对《鄂尔多斯市创建国家园林城市申报资料》的一个补充。（其利格尔）

鄂尔多斯市创建国家园林城市申报资料分册·等级评价

鄂尔多斯市人民政府　编

2013年3月

16开　114页

内容提要：本资料以图文形式收录《鄂尔多斯市主城区园林绿化等级评价表》《鄂尔多斯市城市园林绿化等级自评综述》《鄂尔多斯市对照〈国家园林城市标准〉达标情况统计表》《鄂尔多斯市对照〈国家园林城市标准〉逐项说明》，以及东胜区、康巴什新区等鄂尔多斯市创建国家园林城市等级评价申报资料》。（其利格尔）

鄂尔多斯市创建国家园林城市申报资料分册·节能减排

鄂尔多斯市人民政府　编

2013年3月

16开　56页

内容提要：本资料以图文形式收录供热计量、节能建筑、可再生能源、工业固体废物、工业废水、再生水利用等鄂尔多斯市创建国家园林城市污水处理节能减排申报资料。（其利格尔）

鄂尔多斯市创建国家园林城市申报资料分册·居住小区

鄂尔多斯市人民政府　编

2013年3月

16开　96页

内容提要：本资料以图文形式收录了《鄂尔多斯市居住小区绿化概况》《鄂尔多斯市人民政府关于命名绿化先进单位园林式单位和园林式居住小区的通知》《鄂尔多斯市人民政府关于命名第二批绿化先进单位园林式单位和园林式居住小区的通知》《各旗区部分居住小区绿化情况简介》等鄂尔多斯市创建国家园林城市居住小区申报资料。（其利格尔）

鄂尔多斯市创建国家园林城市申报资料分册·生态建设

鄂尔多斯市人民政府　编

2013年3月

16开　96页

内容提要：本资料以图文形式收录了总体规划、防护绿地、其他绿地、本地木本植物、生态建设等鄂尔多斯市创建国家园林城市生态建设申报资料。（其利格尔）

鄂尔多斯市创建国家园林城市申报资料分册·生物多样性保护

鄂尔多斯市人民政府　编

2013年3月

16开　164页

内容提要：本资料以图文形式收录了《鄂尔多斯市中心城区生物多样性保护规划》《乌审旗嘎鲁图镇城区规划范围内植物多样性保护规划（审定稿）》《鄂托克旗乌兰镇城区规划范围内生物多样性保护规划》等鄂尔多斯市创建国家园林城市生物多样性保护申报资料。（其利格尔）

鄂尔多斯市创建国家园林城市申报资料分册·湿地资源

鄂尔多斯市人民政府　编

2013年3月

16开　78页

内容提要：本资料以图文形式收录了《鄂尔多斯市城市湿地资源建设情况》《鄂尔多斯市中心城区湿地保护利用规划》《鄂尔多斯市城区湿地资源统计表》《鄂尔多斯市遗鸥国家级自然保护区》等鄂尔多斯市创建国家园林城市湿地资源申报资料。（其利格尔）

鄂尔多斯市创建国家园林城市申报资料分册·污水处理

鄂尔多斯市人民政府　编

2013年3月

16开　184页

内容提要：本资料以图文形式收录了鄂尔多斯市污水处理概况、鄂尔多斯七个旗两个区的污水处理概况等鄂尔多斯市创建国家园林城市污水处理申报资料。（其利格尔）

鄂尔多斯市创建国家园林城市申报资料分册·宣传动员

鄂尔多斯市人民政府　编

2013年3月

16开　248页

内容提要：本资料以图文形式收录了鄂尔多斯市创建国家园林城市有关图片以及《关于创建国家园林城市的宣传报道的通知》《建设部副部长仇保兴在全国节约型城市园林绿化经验交流会上的讲话》等鄂尔多斯市创建国家园林城市宣传动员申报资料。（其利格尔）

鄂尔多斯市创建全国民族团结进步示范市工作手册

鄂尔多斯市创建全国民族团结进步示范市工作领导小组办公室　编

2018年7月

32开　303页

内容提要：本资料是为便于鄂尔多斯市各级各部门开展好创建全国民族团结进步示范市工作而编写，共分为领导讲话、文件精神、领导署名文章、附录四个部分。（其利格尔）

鄂尔多斯市创建自治区级园林城市申报资料·规划册（六）

闫凤鸣　主编

鄂尔多斯市人民政府　编

2011年8月

16开　128页

内容提要：本资料以图文形式收录了《鄂尔多斯市中心城区植物物种多样性保护规划》《鄂尔多斯市中心城区湿地保护利用规划》等鄂尔多斯市创建自治区级园林城市申报资料。（其利格尔）

鄂尔多斯市创建自治区级园林城市申报资料·科技论文册（七）

闫凤鸣　主编

鄂尔多斯市人民政府　编

2011年8月

16开　208页

内容提要：本资料以图文形式收录了《鄂尔多斯市街道绿化树种选择和配置》《关于东胜城市园林绿化的思考》《浅析鄂尔多斯地区园林植物资源的开发利用》《鄂尔多斯探索人居环境建设》等鄂尔多斯市创建自治区级园林城市申报资料。（其利格尔）

鄂尔多斯市创建自治区级园林城市申报资料·古树名木重点树木册（九）

闫凤鸣　主编

鄂尔多斯市人民政府　编

2011年8月

16开　38页

内容提要：本资料以图文形式收录了《鄂尔多斯市古树名木保护管理办法》《古树名木和重点树木说明》《鄂尔多斯市中心城区古树名木汇总统计表》《鄂尔多斯市中心城区重点树木汇总统计表等》鄂尔多斯市创建自治区级园林城市申报资料。（其利格尔）

鄂尔多斯市创建自治区级园林城市申报资料·公园广场册（十）

闫凤鸣　主编

鄂尔多斯市人民政府　编

2011年8月

16开　187页

内容提要：本资料以图文形式收录了《鄂尔多斯市中心城区公园广场概述》《2010鄂尔多斯市中心城区公园绿地统计表（综合公园）》《2010鄂尔多斯市中心城区公园绿地统计表（社区公园）》等鄂尔多斯市创建自治区级园林城市申报资料。（其利格尔）

鄂尔多斯市创建自治区级园林城市申报资料·道路绿化册（十一）

闫凤鸣　主编

鄂尔多斯市人民政府　编

2011年8月

16开　128页

内容提要：本资料以图文形式收录了鄂尔多斯市中心城区道路绿化概况，东胜、康巴什新区、阿镇道路绿化概况等鄂尔多斯市创建自治区级园林城市申报资料。（其利格尔）

鄂尔多斯市创建自治区级园林城市申报资料·居住小区单位庭院册（十二）

闫凤鸣　主编

鄂尔多斯市人民政府　编

2011年8月

16开　124页

内容提要：本资料以图文形式收录了《2010鄂尔多斯市中心城区居住小区绿化概况》《2010年鄂尔多斯市中心城区居住小区绿地汇总表》《2010鄂尔多斯市中心城区单位庭院绿化概况》等鄂尔多斯市创建自治区级园林城市申报资料。（其利格尔）

鄂尔多斯市创建自治区级园林城市申报资料·生态建设册（十三）

闫凤鸣　主编

鄂尔多斯市人民政府　编

2011年8月

16开　194页

内容提要：本资料以图文形式收录了《鄂尔多斯市"十一五"生态建设综述》《2010年鄂尔多斯市造林绿化工作方案》《2010年鄂尔多斯市林业生产任务分解表》《2010年指令性林业技术推广任务分解表》等鄂尔多斯市创建自治区级园林城市申报资料。（其利格尔）

鄂尔多斯市创建自治区级园林城市申报资料·市政建设册（十四）

闫凤鸣　主编

鄂尔多斯市人民政府　编

2011年8月

16开　91页

内容提要：本资料以图文形式收录了《鄂尔多斯市建委近三年工作总结》《2010鄂尔多斯市天然气基层表》《鄂尔多斯市中心城区公交发展情况》等鄂尔多斯市创建自治区级园林城市申报资料。（其利格尔）

鄂尔多斯市创建自治区级园林城市申报资料·组织管理

闫凤鸣　主编
鄂尔多斯市人民政府　编
2011年8月
16开　91页

内容提要：本资料以图文形式收录了《鄂尔多斯市创建自治区级园林城市工作方案》《关于成立市创建自治区级园林城市工作小组的通知》《鄂尔多斯市人民政府关于印发〈鄂尔多斯市创建国家生态园林城市实施方案〉的通知》等鄂尔多斯市创建自治区级园林城市组织管理申报资料。（其利格尔）

鄂尔多斯市大气污染防治条例

鄂尔多斯市人大常委会　编
2019年9月
32开　38页

内容提要：本资料汇编了《鄂尔多斯市第四届人民代表大会常务委员会公告》《内蒙古自治区人民代表大会常务委员会关于批准〈鄂尔多斯市大气污染防治条例〉的决议》《鄂尔多斯市大气污染防治条例》《关于〈鄂尔多斯市大气污染防治条例（草案）〉的说明》等与鄂尔多斯市大气污染防治相关的条例。（其利格尔）

鄂尔多斯市党的群众路线教育实践活动辅导读本

中共鄂尔多斯市委组织部、中共鄂尔多斯市委党校　编
2014年3月
16开　220页

内容提要：本资料收录了教育实践活动开展以来，党中央、自治区党委和市委领导同志的部分重要讲话以及专家学者对白玉刚书记"八个带头""六个真"要求的逐一解读，具有较强的针对性和指导性。（其利格尔）

鄂尔多斯市档案局文件

鄂尔多斯市档案局　编
鄂档发〔2004〕13号
16开　6页

内容提要：本资料内容主要为鄂尔多斯市2004年旗区档案局（馆）工作考核目标及考评办法。（嘎拉贝日汗）

鄂尔多斯市地名文化学术研讨会会序册

内蒙古师范大学蒙古学学院　主办
鄂尔多斯市民政局　承办
2020年12月
16开　6页

内容提要：本资料内容涉及会议日程安排、会议筹备委员会名单、会议议程、参会人员名单等相关信息。（嘎拉贝日汗）

鄂尔多斯市地名文化学术研讨会论文集

内蒙古师范大学蒙古学学院　主办
鄂尔多斯市民政局　承办
2020年12月
16开　58页

内容提要：本资料是由内蒙古师范

大学蒙古学学院主办、鄂尔多斯市民政局承办的鄂尔多斯市地名文化学术研讨会论文集，共收录有关鄂尔多斯地名研究的论文11篇。（嘎拉贝日汗）

鄂尔多斯市地税局印刷有关《中华人民共和国环境保护税法》和《关于扩大水资源税收改革试点方案》的学习培训材料

鄂尔多斯市地方税务局税政管理一科　编

2018年2月

16开　239页

内容提要：本资料汇编了《中华人民共和国环境保护税法》《关于扩大水资源税收改革试点方案》《内蒙古自治区水资源税改革试点实施办法》《财政部、税务总局、环境保护部关于全面做好环境保护税法实施准备工作的通知》《内蒙古自治区财政厅、水利厅、地税局关于印发〈水资源税改革试点工作方案〉的通知》《水资源税改革试点工作方案》等法律法规和文件。（其利格尔）

鄂尔多斯市第二届少数民族传统体育运动会秩序册

鄂尔多斯市第二届少数民族传统体育运动会会务组　编

2007年8月

16开　77页

内容提要：本资料为鄂尔多斯市第二届少数民族传统体育运动会秩序册，用蒙汉双语编写，包括鄂尔多斯市第二届少数民族传统体育运动会文件规程、条例规范、组织机构、活动日程等运动会秩序内容。（其利格尔）

鄂尔多斯市第三届人民代表大会第四次会议代表建议、批评和意见原件及答复件汇编

鄂尔多斯市人大常委会选举任免联络委员会　编

2017年2月

32开　372页

内容提要：本资料包括关于对职工带薪年休假条例进行执法检查，严格落实休假制度的建议；鄂尔多斯市人民政府关于市三届人大四次会议第1号建议的答复；关于建立和完善龙头企业与农牧民利益联结机制的建议等鄂尔多斯市第三届人民代表大会第四次会议代表建议、批评和意见原件及答复件。（其利格尔）

鄂尔多斯市第三中学

中国教育学会实验学校　编

2018年10月

32开　10页

内容提要：本资料为鄂尔多斯市第三中学宣传册，以图文形式简述了鄂尔多斯市第三中学学校概况，以及校长寄语、家长会、集体备课、学习考核等学校活动的成果展示。（其利格尔）

鄂尔多斯市第四届人民代表大会第二次会议文件汇编（一）

鄂尔多斯市人民代表大会常务委员

会　编

2019年

16开　272页

内容提要：本资料包括鄂尔多斯市第四届人民代表大会第二次预备会议文件，鄂尔多斯市第四届人民代表大会第二次会议文件、主席团会议文件，还收集整理了鄂尔多斯市第四届人民代表大会第二次会议剪影和现场图片。（其利格尔）

鄂尔多斯市第四人民医院

鄂尔多斯市第四人民医院　编

2016年6月

16开　48页

内容提要：本资料为鄂尔多斯市第四人民医院宣传资料，主要包括医院简介、专家简介、就医环境、康复治疗以及抑郁症、精神分裂症、老年痴呆症等几种病情介绍、预防治疗办法等。（其利格尔）

鄂尔多斯市第一届人民代表大会第八次会议简报汇编

鄂尔多斯市人大常委会　编

2007年

16开　92页

内容提要：本资料包括鄂尔多斯市第一届人民代表对各项报告的审议意见，以及代表依法履行职责和向大会主席团汇总反映审议情况相关的优秀简报10篇。（其利格尔）

鄂尔多斯市第一届人民代表大会第八次会议文件汇编

鄂尔多斯市人大常委会　编

2007年

16开　92页

内容提要：本资料包括《鄂尔多斯市第一届人民代表大会议程（草案）》《主席团和秘书长名单（草案）》《鄂尔多斯市第一届人民代表大会第八次会议议程》《鄂尔多斯市第一届人民代表大会第八次会议日程》《鄂尔多斯市第一届人大七次会议代表提出建议办理情况报告》《鄂尔多斯市第一届人大七次会议议案办理情况的报告》等鄂尔多斯市第一届人民代表大会第八次会议文件。（其利格尔）

鄂尔多斯市第一届人民代表大会第七次会议文件汇编

鄂尔多斯市人大常委会　编

2006年

16开　92页

内容提要：本资料包括《鄂尔多斯市第一届人民代表大会议程（草案）》《主席团和秘书长名单（草案）》《议案审查委员会名单（草案）》《鄂尔多斯市第一届人民代表大会第七次会议议程》《鄂尔多斯市第一届人民代表大会第七次会议主席团和秘书长名单》《鄂尔多斯市第一届人民代表大会第七次会议主席团常务主席名单》等鄂尔多斯市第一届人民代表大会第八次会议文件。（其利格尔）

鄂尔多斯市第一届人民代表大会第四次会议简报汇编

鄂尔多斯市人大常委会　编

2003年

16开　75页

内容提要：本资料包括鄂尔多斯市第一届人民代表对各项报告的审议意见，以及代表依法履行职责和向大会主席团汇总反映审议情况相关的优秀简报10篇。（其利格尔）

鄂尔多斯市第一届人民代表大会第一次会议文件汇编

鄂尔多斯市人大常委会　编

2001年

16开　277页

内容提要：本资料包括《关于召开鄂尔多斯市第一届人民代表大会第一次会议的通知》《关于报送参加鄂尔多斯市第一届人民代表大会第一次会议工作人员名单的通知》《关于列席鄂尔多斯市第一届人民代表大会第一次会议的通知》《关于鄂尔多斯市第一届人民代表大会第一次会议盟委推荐代表所在代表团的通知》等鄂尔多斯市第一届人民代表大会第一次会议文件。（其利格尔）

鄂尔多斯市电商年报

鄂尔多斯市电子商务服务中心　编

2019年12月

48开　20页

内容提要：本资料为鄂尔多斯市电子商务服务中心2019年年报，包括2019年鄂尔多斯市网络零售概况、2019年内蒙古自治区网络零售情况、2019年鄂尔多斯市网络零售旗区分布图、鄂尔多斯市电子商务服务中心简介等鄂尔多斯市电子商务2019年数据分析报告。（其利格尔）

鄂尔多斯市动物防疫工作应急预案

鄂尔多斯市兽医工作站　编

2007年4月

64开　4页

内容提要：本资料由总则，应急组织体系及职责，突发重大动物疫情的监测、预报与报告，突发重大动物疫情的应急响应和终止，善后处理，突发重大动物疫情应急处置的保障，各类具体工作预案的制定，附则九个部分构成，涵盖了鄂尔多斯市动物防疫工作应急预案相关内容。（其利格尔）

鄂尔多斯市动物疫病防控手册

鄂尔多斯市动物疫病预防控制中心宣　编

2014年1月

64开　8页

内容提要：本手册为"十二五"期间动物防疫宣传材料，包括包虫病、布鲁氏杆菌病、高致病性禽流感、高致病性猪蓝耳病、牛结核病、口蹄疫、狂犬病、马鼻疽、马传染性贫血病、绵羊痘和山羊痘、小反刍兽疫、鸡新城疫、猪瘟等动物疫病的介绍、症状和病理变化、诊断、防控、治疗等内容。（其利格尔）

鄂尔多斯市发改委"8337"发展思路学习读本

鄂尔多斯市发展和改革委员会　编

2013年6月

32开　55页

内容提要：本资料以党的十八大和习近平总书记一系列重要讲话精神为指导，全面系统地阐述了"8337"发展思路的基本内容和实践要求，是学习、理解和掌握"8337"发展思路的重要辅助材料。（其利格尔）

鄂尔多斯市反邪教志愿者工作指导手册

鄂尔多斯市反邪教协会　编

32开

内容提要：本手册的主题是呼吁大家抵制邪教，共创和谐，分反邪教志愿者、反邪教基本常识、工作记录三个部分。（库布其）

鄂尔多斯市嘎查村"两委"换届选举工作手册

刘瑞杰　主编

鄂尔多斯市嘎查村社区"两委"换届选举工作领导小组办公室　编

2018年5月

16开　258页

内容提要：本资料为鄂尔多斯市嘎查村"两委"换届选举工作手册，其中包括嘎查村党组织换届选举规程、嘎查村党组织换届选举工作流程图、嘎查村党组织换届选举常用文书样式、嘎查村民委员会换届选举规程、嘎查村民委员会换届选举工作流程图、嘎查村民委员会换届选举常用文书样式以及附录等内容。（嘎拉贝日汗）

鄂尔多斯市改革开放三十年重要文件选编

中共鄂尔多斯市委政策研究室、中共鄂尔多斯市委政策研究室　编

2008年12月

510页

内容提要：本资料包括1978—2008年鄂尔多斯市委、市政府政策性文件91篇，为方便查阅，分列了生态建设、农牧业经济、综合经济、社会事业、党的建设五个篇章。（荷梅）

鄂尔多斯市高等院校国有企业开发区（园区）非公有制企业社会组织党建工作手册

中共鄂尔多斯市委组织部　编

2013年7月

16开　454页

内容提要：本工作手册包括鄂尔多斯市高等院校国有企业开发区（园区）内的高校、国有企业、开发区（园区）、非公有制企业和社会组织等的党建情况，对于了解开发区各机构党建工作具一定参考价值。（其利格尔）

鄂尔多斯市个体私营经济基层党组织"两学一做"现场观摩会材料汇编

鄂尔多斯市非公有制经济组织和社会组织党工委、鄂尔多斯市工商行政管理局　编

2016年7月

16开　156页

内容提要：本资料包括文件要求、经验交流、观摩现场、信息简报四个部分，是鄂尔多斯市个体私营经济基层党组织"两学一做"现场观摩会相关材料。（其利格尔）

鄂尔多斯市个体私营经济基层党组织典型示范建设材料汇编

鄂尔多斯市工商行政管理局　编

2016年10月

16开　124页

内容提要：本资料是为推进个体私营经济党组织建设、规范化建设、典型示范建设、信息网络化建设和发挥党组织先锋模范作用等方面取得可借鉴、推广的经验而编，汇编了鄂尔多斯市工商行政管理局旗区局和基层党支部在部分个体及私营经济基层党组织中的典型示范建设中的经验和做法，以便各地在未来的工作和学习中相互学习和借鉴。（其利格尔）

鄂尔多斯市工商行政管理机关行政执法办案指南

鄂尔多斯市工商行政管理局　编

2003年5月

32开　302页

内容提要：本资料是鄂尔多斯市工商行政管理机关行政执法办案指南，比较全面地反映了行政处罚文书内容、格式的统一和规范，具有较强的操作性，可作为工商行政管理机关整顿和规范市场经济秩序工作的参考书。（其利格尔）

鄂尔多斯市公安科技信息化十大典型案例（1）

呼禾　著

2021年10月

32开　60页

内容提要：本资料真实记录了鄂尔多斯市公安科技信息化十大典型案例。（其利格尔）

鄂尔多斯市公路路政管理人员工作手册

鄂尔多斯市公路管理局路政管理支队　编

2002年9月

32开　112页

内容提要：本资料汇编了路政管理的职责范围、公路路政管理"政务公开"内容、路政人员职业道德规范以及《中华人民共和国公路法》《中华人民共和国公路管理条例》等公路路政管理资料。（其利格尔）

鄂尔多斯市公务员统计·人才资源统计·工资统计2012年度汇编资料

鄂尔多斯市人力资源和社会保障局　编

2013年6月

32开　244页

内容提要：本资料汇编了2012年鄂尔多斯市事业单位人员、公有经济企业人才统计、工资福利统计、公务员、参公人员及群团人员等六项报表，便于领导及各部门查询参考。各报表数字截止时间为2012年12月31日，动态数字统计起止时间为2012年1月1日—2012年12月31日，统计范围为全市机关事业单位工作人员和部分国企人员（各项统计报表其统计范围不同）。（其利格尔）

鄂尔多斯市公务员统计·人才资源统计·工资统计2014年度汇编资料

鄂尔多斯市人力资源和社会保障局　编

2015年11月

32开　246页

内容提要：本资料汇编2014年度鄂尔多斯市政府系统公务员、政府系统参公人员、事业单位人员统计及工资福利统计等四项报表，便于各位领导及各部门查询参考。各报表数字截止时间为2014年12月31日，动态数字统计起止时间为2014年1月1日—2014年12月31日。（其利格尔）

鄂尔多斯市广播电视台规章制度汇编

鄂尔多斯市广播电视台　编

2015年5月

16开　200页

内容提要：本资料主要汇编了党务、政务及会务管理，员工行为及人事管理，宣传工作管理，技术及设备管理，行政后勤及广告管理五个部分内容。（其利格尔）

鄂尔多斯市国土资源局工作制度和工作规程汇编

鄂尔多斯市国土资源局　编

2008年12月

32开　113页

内容提要：本资料主要汇编了鄂尔多斯市国土资源局主要任务与职责，机关工作规则，行政审批服务大厅工作制度，政务工作制度，事务工作制度等工作制度，建设项目用地预审，建设项目用地管理，土地登记、矿产权管理，采矿权管理，测绘管理违法案件查处等工作规程。（其利格尔）

鄂尔多斯市红十字会红十字基层组织建设宣传手册

鄂尔多斯市红十字会　编

2010年3月

32开　131页

内容提要：本资料包括红十字法律法规政策篇、红十字法律法规知识篇、红十字法律法规会务篇、红十字法律法规业务篇等鄂尔多斯市红十字会红十字基层组织建设内容，旨在加大红十字人道理念的宣传力度，广泛传播红十字运动基本知识，为红十字基层组织和广大工作者提供一种可供借鉴的资料和工具。（其利格尔）

鄂尔多斯市环保系统党员干部廉政纪律学习手册

中共鄂尔多斯市环境保护局党组、中共鄂尔多斯市纪委派驻市环境保护局

纪检组　编

2016年1月

32开　594页

内容提要：本资料整理汇编了党的十八大以来中央、生态环境部、自治区、鄂尔多斯市、鄂尔多斯市环境保护局制定出台的廉政纪律规定。（其利格尔）

鄂尔多斯市环境保护条例

鄂尔多斯市环境保护局　编

2017年2月

32开　36页

内容提要：本资料主要包括《鄂尔多斯市第三届人民代表大会常务委员会公告（第二号）》《内蒙古自治区人民代表大会常务委员会关于批准〈鄂尔多斯市环境保护条例〉的决议》《鄂尔多斯市环境保护条例》等。（其利格尔）

鄂尔多斯市惠民政策文件汇编：千名党员领导干部"下基层、保增长、惠民生"活动宣讲教材

鄂尔多斯市深入学习实践科学发展观活动领导小组办公室　编

2009年5月

32开　430页

内容提要：本资料为鄂尔多斯市千名党员干部"下基层、保增长、惠民生"活动宣讲教材，其内容涉及民生、城乡统筹、医疗保险、养老保险、卫生事业、住房保障、扶贫济困、扶持企业政策等。（其利格尔）

鄂尔多斯市2013年网络宣传集锦

中共鄂尔多斯市委宣传部、鄂尔多斯市互联网信息办公室　编

2013年12月

16开　111页

内容提要：本资料汇编了鄂尔多斯市互联网信息办公室2013年深入贯彻落实党的十八大、十八届三中全会和全国、全区、全市宣传思想工作会议精神，紧紧围绕市委中心工作，把握大势，服务大局，展开全方位、立体式、多角度的网络宣传活动的相关内容。（其利格尔）

鄂尔多斯市交通运输管理处党的群众路线教育实践活动第一环节文件汇编

鄂尔多斯市交通运输管理处、党的群众路线教育实践活动领导小组办公室　编

2014年5月

16开　260页

内容提要：本资料包括鄂交运管群组发〔2014〕1号《鄂尔多斯市交通运输管理处党委关于设立党的群众路线教育实践活动领导小组办公室及其内部机构的通知》《鄂尔多斯市交通运输管理处党委关于派出党的群众路线教育实践活动督导组的通知》等鄂尔多斯市交通运输管理处党的群众路线教育实践活动第一环节文件。（其利格尔）

鄂尔多斯市教育系统安全检查体系（试行）

鄂尔多斯市教育局　编

2017年9月

32开　22页

内容提要：资料共分14个部分，132项内容，分别为组织领导、安全教育演练、安全保卫、校舍安全、消防用电安全、交通安全、教学安全、周边环境治理、特种设备安全、食品卫生安全、心理健康教育及其他等。（其利格尔）

鄂尔多斯市教职工书画作品集

阿拉腾乌拉　著

2015年6月

16开　58页

内容提要：本资料共收录80多名教职工的100余幅作品。所选作品包括油画、中国画、版画、水粉画、水彩画、装饰图、浮雕、剪纸等美术作品和书法、摄影作品，内容丰富，艺术造诣深厚，思想情怀朴实。其内容包括描绘绿海翻浪的鄂尔多斯草原风光，讴歌日新月异的鄂尔多斯经济社会，展示突飞猛进的鄂尔多斯教育发展等等。（荷梅）

鄂尔多斯市街道社区党建工作实务——政策篇

中共鄂尔多斯市委组织部　编

2013年12月

16开　193页

内容提要：本资料收录了近年来中央、内蒙古自治区、鄂尔多斯市关于街道社区工作的部分文件，供全市组织部门、县处级单位党委以及街道社区党组织内部使用。（嘎拉贝日汗）

鄂尔多斯市精准脱贫三年攻坚行动方案（2018—2020）

中共鄂尔多斯市委员会办公厅、鄂尔多斯市人民政府办公厅　编

2018年2月

16开　181页

内容提要：本资料分组织机构、政策措施、其他三个部分。第一部分收录《鄂尔多斯市委办公厅、市人民政府办公厅关于调整鄂尔多斯市精准脱贫攻坚工作领导小组的通知》《鄂尔多斯市委办公厅、市人民政府办公厅关于成立鄂尔多斯市包联驻村工作领导小组的通知》。第二部分收录《鄂尔多斯市委、市人民政府关于印发〈鄂尔多斯市精准脱贫三年攻坚行动方案（2018—2020年）〉的通知》《鄂尔多斯市委办公厅、市人民政府办公厅关于印发〈鄂尔多斯市包联驻村工作办法〉的通知》等内容。第三部分收录其他相关文件。（其利格尔）

鄂尔多斯市居民防空防灾应急手册

内蒙古鄂尔多斯市人民防空办公室　编

2017年6月

16开　83页

内容提要：本资料主要包括人民防空的权利和义务、居民在高技术空袭时的防护知识和技能、居民应学会的核化生防护技能、居民在常见灾害中的应急防护方法、居民如何利用人防措施进行防护、社区人防组织与人员心理防护等

内容。（其利格尔）

鄂尔多斯市康巴什区第一届人民代表大会第二次会议代表建议、批评和意见原件及答复件汇编

鄂尔多斯市康巴什区人大常委会选举任免联络工作委员会　编

2019年3月

32开　347页

内容提要：本资料主要包括《关于在康巴什北区增设便民公厕的建议》《康巴什区人民政府关于区一届人大二次会议第1号建议的答复》《关于加强对北区公共设施配备和维护的建议》《康巴什区人民政府关于区一届人大二次会议第2号建议的答复》等鄂尔多斯市康巴什区第一届人民代表大会第二次会议代表建议、批评和意见原件及答复件等内容。（其利格尔）

鄂尔多斯市联系服务群众"三到两强"工作手册

中共鄂尔多斯市委员会组织部　编

2014年8月

32开　31页

内容提要：本手册汇编了鄂尔多斯市联系服务群众"三到两强"制度、联席会议制度、办公室工作规则、考评办法、驻村干部工作职责，以及《网络平台建设工作的通知》《关于规范干部挂职工作期间有关待遇的通知》《鄂尔多斯市"爱我家乡文明行乡风文明大行动"实施方案》等文件。（其利格尔）

鄂尔多斯市蒙古族中学学校文化建设纲要

鄂尔多斯市蒙古族中学　编

2012年5月

32开　86页

内容提要：本资料分蒙古文、汉文两大部分，以蒙汉双语收录了鄂尔多斯市蒙古族中学学校文化建设概述、理念文化建设、行为文化建设、视觉文化设计、环境文化建设等鄂尔多斯市蒙古族中学学校文化建设纲要内容。（其利格尔）

鄂尔多斯市民文明手册

鄂尔多斯市委宣传部、鄂尔多斯市文明办　编

2020年12月

32开　31页

内容提要：本资料以图文形式宣传了文明出行、健康、养犬、旅游、餐桌、垃圾分类、诚信建设等文明生活，穿着礼仪、就餐礼仪、交往礼仪等文明礼仪，文明城市调查问卷，民生服务、生活服务电话等内容。（其利格尔）

鄂尔多斯市年度政协协商建议汇编（2018—2019）

政协鄂尔多斯市委员会办公室　编

16开　119页

内容提要：本资料汇编了关于围绕草原丝绸之路经济带建设，推动我市深度融入"一带一路"的协商建议；关于科学保护利用水资源，践行绿色发展理念的协商建议等2018—2019年度政协

协商建议。具体可分2018年度政协协商建议与2019年度政协协商建议两部分内容。（其利格尔）

鄂尔多斯市农村牧区人居环境治理条例

鄂尔多斯市人大常委会　编

2018年11月

32开　42页

内容提要：本资料汇编了《鄂尔多斯市第四届人民代表大会常务委员会公告》《内蒙古自治区人民代表大会常务委员会关于批准〈鄂尔多斯市农村牧区人居环境治理条例〉的决议》《鄂尔多斯市农村牧区人居环境治理条例》《关于〈鄂尔多斯市农村牧区人居环境综合治理条例（草案）〉的说明》《鄂尔多斯市人民代表大会法制委员会关于〈鄂尔多斯市农村、牧区人居环境治理条例（草案）〉审议结果的报告》等文件。（其利格尔）

鄂尔多斯市农牧局"不忘初心、牢记使命"主题教育成果汇编

全宇娆　主编

鄂尔多斯市农牧局"不忘初心、牢记使命"主题教育领导小组办公室　编

2019年12月

16开　330页

内容提要：本资料分为学思践悟篇、党课领学篇、研讨分享篇、典型示范篇、党建大事篇等，记录和展示鄂尔多斯市农牧局主题教育的工作历程，提炼局党组及局属各基层党组织在加强党的建设工作中的经验成果，并以此引导大家要以这次主题教育为新起点，提升素质、增强党性、立足本职、强化担当、转变观念、直面问题、自我革新、狠抓落实，主动学习借鉴。（其利格尔）

鄂尔多斯市农牧业经济"三区"发展规划（摘编）

鄂尔多斯市农牧业产业化办公室　编

2009年6月

32开　32页

内容提要：本资料包括鄂尔多斯市农村牧区经济发展概况，"三区"规划的必要性及意义，"三区"规划的指导思想、基本原则及主要依据，"三区"规划的总体目标，"三区"的基本情况、发展方向及主要目标，附表等内容。鄂尔多斯市农牧业经济"三区"发展规划出台实施对调整优化全市农村牧区人口布局、产业布局和生态建设布局，实现城乡、区域统筹发展、人与自然和谐发展、经济社会与生态环境协调发展具有重要的指导作用和战略意义，为鄂尔多斯又好又快发展描绘了宏伟蓝图。（其利格尔）

鄂尔多斯市情及重点融资项目手册

鄂尔多斯市金融工作办公室　编

2018年

32开　52页

内容提要：本资料主要包括2018年度鄂尔多斯市经济社会发展情况、鄂尔

多斯市2018年重点项目融资信息汇总表等内容。（其利格尔）

鄂尔多斯市人才工作实践与探索

　　王春华等　主编
　　内蒙古大学出版社
　　ISBN 978-7-5665-1938-2
　　2021年4月
　　32开　30.00元
　　内容提要：本书以鄂尔多斯市为研究区域，梳理了鄂尔多斯市人才工作的总体情况，并对人才工作发展所涉及的各领域进行整理和研究。全书内容包含鄂尔多斯市人才工作的发展背景、发展历程、发展现状、发展成就、发展短板以及未来发展规划。（荷梅）

鄂尔多斯市人大常委会财经委2015年工作制度汇编

　　鄂尔多斯市人大财经委　编
　　2015年
　　32开　52页
　　内容提要：本资料包括《鄂尔多斯市人大常委会市本级财政预算审查监督暂行办法》《鄂尔多斯市人大常委会关于对审计查出问题整改情况监督暂行办法》《鄂尔多斯市人大常委会关于国有资产管理监督暂行办法》《鄂尔多斯市人大常委会关于预算审查前听取人大代表和社会各界建议暂行办法》《鄂尔多斯市人大常委会财经专家咨询组运行管理办法》《鄂尔多斯市人大常委会财经专家咨询组工作流程》《关于成立市人大常委会财经专家咨询组的方案》《中华人民共和国各级人民代表大会常务委员会监督法》等相关材料及内容。（嘎拉贝日汗）

鄂尔多斯市人大系统第十二届职工运动会观摩点简介

　　组委会现场观摩组　编
　　2019年9月
　　32开　13页
　　内容提要：本资料主要包括鄂尔多斯市人大系统第十二届职工运动会东胜观摩日程安排、鄂尔多斯市人大系统第十二届职工运动会观摩乘车安排、鄂尔多斯市东胜区简介、东胜区天骄街道安达社区简介、鄂尔多斯羊绒集团针织二厂简介、鄂尔多斯野生动物园简介、鄂尔多斯海洋馆简介等内容。（其利格尔）

鄂尔多斯市人民政府办公厅档案管理晋升自治区特级先进单位材料汇编

　　鄂尔多斯市人民政府办公厅　编
　　2001年12月
　　16开　125页
　　内容提要：本资料主要分申报材料，档案工作管理体制、目标、档案工作制度，业务建设、档案保管期限表及其他材料四个部分，汇编了鄂尔多斯市人民政府办公厅档案管理晋升自治区特级先进单位材料。（其利格尔）

鄂尔多斯市人民政府办公厅档案利用效益和社会效益实例汇编

鄂尔多斯市人民政府办公厅档案室　编

2001年11月

16开　28页

内容提要：本资料将鄂尔多斯市人民政府办公厅1999—2001年档案利用效益和社会效益实例整理汇编，主要用于记载各机关企事业单位在本机关查阅档案所产生的社会效益，同时也是对政府办公厅档案管理工作成绩的直观体现。（其利格尔）

鄂尔多斯市人民政府办公厅简介（1958.5—2001.11）

鄂尔多斯市人民政府办公厅档案室　编

2001年10月

16开　8页

内容提要：本资料记录了1958年随着伊克昭盟行政公署的成立，伊克昭盟行政公署办公室作为行政公署的核心办事机构亦应运而生，直至2001年9月28日撤盟设市，伊克昭盟行政公署办公室同时改称为鄂尔多斯市人民政府办公厅的主要历程，并介绍了鄂尔多斯市人民政府办公厅的主要职能、会议制度、文件审批制度、工作配合制度等各项工作制度。（其利格尔）

鄂尔多斯市少数民族文化交流中心

中央民族干部学院现场教学点、内蒙古自治区西部少数民族干部培训中心　编

16开　22页

内容提要：本资料分鄂尔多斯市少数民族文化交流中心简介、鄂尔多斯概况、资源优势、支撑条件、教学管理、培训专题及课程设置、部分特色课程、部分现场教学路线及结语九个部分，从多个方面介绍了鄂尔多斯市少数民族文化交流中心的运营状况。（其利格尔）

鄂尔多斯市社会工作发展论坛优秀论文集

鄂尔多斯市社会工作师联合会　编

2017年10月

16开　318页

内容提要：本资料包括优秀论文、经验总结、试点项目三个部分，主要汇编了鄂尔多斯市社会工作发展论坛优秀论文。（其利格尔）

鄂尔多斯市社区党组织建设指导手册

中共鄂尔多斯市委组织部　编

2016年12月

16开　45页

内容提要：本资料收录了近年来中央、自治区党委、市委关于街道社区党建工作的部分文件及会议精神摘要，从不同角度全面系统地规范了社区党建工作的方式方法、工作程序和操作流程，旨在进一步指导鄂尔多斯市社区党建工作的深入开展，促进全市社区党建工作水平再上新台阶。（其利格尔）

鄂尔多斯市深化医药卫生体制改革文件汇编（2013.1—2016.2）

鄂尔多斯市医药卫生体制改革领导小组办公室　编

2016年2月

16开　349页

内容提要：本资料汇编了《鄂尔多斯市医药卫生体制改革领导小组办公室关于进一步加强医改信息报送工作的通知》《鄂尔多斯市医药卫生体制改革领导小组办公室关于印发〈鄂尔多斯市卫生计生委深化医药卫生体制改革工作制度〉的通知》等深化医药卫生体制改革文件。（其利格尔）

鄂尔多斯市生态扶贫应知应会知识手册

鄂尔多斯市林业和草原局　编

2019年8月

32开　40页

内容提要：本资料汇编了《生态扶贫基本知识》《习近平总书记参加全国人大会议省区代表团审议时重要讲话精神摘要》《习近平总书记参加全国人大会议省区代表团审议时重要讲话精神摘要》《习近平总书记在六次脱贫攻坚跨省区座谈会上重要讲话精神摘要》《我局中央脱贫攻坚专项巡视反馈意见整改工作完成情况》等鄂尔多斯市生态扶贫应知应会知识。（其利格尔）

鄂尔多斯市市直单位推行会计集中核算工作资料汇编

鄂尔多斯市财政会计核算中心　编

2002年6月

32开

内容提要：为把会计鄂尔多斯市财政集中核算工作做细做实，强化舆论宣传和政策导向，提高各方面的认识，本资料汇编鄂尔多斯市财政会计核算中心制定的一系列有关会计集中核算工作的管理制度、国家相关法律和内容、筹组过程阶段性总结等，供会计核算中心工作人员学习和各部门、各单位以及旗区实施会计集中核算时参阅。（其利格尔）

鄂尔多斯市书法作品集

内蒙古鄂尔多斯市政协、鄂尔多斯市政协书画院　著

内新图准字〔2011〕216号

2011年10月

16开　134页　160.00元

内容提要：本书是鄂尔多斯市政协书画院为庆祝中国共产党成立90周年和鄂尔多斯撤盟设市10周年而编辑的书法作品集。（荷梅）

鄂尔多斯市土地例行督察工作资料汇编——责任人处理篇

鄂尔多斯市国土资源局　编

2012年10月

16开　86页

内容提要：本资料汇编了东胜区土地例行督察处理责任人文件资料、东胜经济开发区土地例行督察处理责任人文件资料、康巴什新区土地例行督察处理责任人文件资料、达拉特旗土地例行督

察处理责任人文件资料等鄂尔多斯市土地例行督察处理责任人文件资料。（其利格尔）

鄂尔多斯市推行新型农村牧区合作医疗工作指南

鄂尔多斯市卫生局　编
2006年2月
32开　354页
内容提要：本资料是为配合鄂尔多斯市新型农村牧区合作医疗制度工作的全面展开，更好地推进全市新型农村牧区合作医疗制度的有效实施而编，分为政策制度篇、工作研究篇、典型示范篇、经验荟萃篇四个部分。（其利格尔）

鄂尔多斯市脱贫攻坚纪实

鄂尔多斯市精准脱贫攻坚工作领导小组办公室、鄂尔多斯市扶贫开发办公室　编
2020年1月
16开　52页
内容提要：本资料以图文形式记录了鄂尔多斯按照自治区党委、自治区政府、自治区扶贫办和市委、市政府统一安排部署，坚持"精准扶贫、精准脱贫"方略，重点抓好"两不愁三保障"，推进落实，把打好精准脱贫攻坚战作为全面建成小康社会的最大的政治任务和重要民生工程。（其利格尔）

鄂尔多斯市脱贫攻坚文学作品选集

刘海军　主编
鄂尔多斯市扶贫开发办公室　编
2017年11月
16开　169页
内容提要：本资料为鄂尔多斯市扶贫开发办公室主编的有关脱贫攻坚主题的文学作品集，包括诗歌、散文和小说，共计230多篇作品，全面地反映出了鄂尔多斯市在脱贫攻坚进程中涌现出来的许多可歌可泣的感人故事。（其利格尔）

鄂尔多斯市脱贫攻坚政策文件汇编

鄂尔多斯市扶贫开发办公室　编
2017年12月
16开　502页
内容提要：本资料分组织领导、建档立卡、精准帮扶、结对包联、行业社会扶贫五个部分，汇编了鄂尔多斯市脱贫攻坚政策文件。（其利格尔）

鄂尔多斯市脱贫攻坚应知应会手册

鄂尔多斯市精准脱贫攻坚领导小组办公室　编
2018年4月
32开　28页
内容提要：本资料主要包括鄂尔多斯市脱贫攻坚目标任务、扶贫方略、精准识别、精准帮扶、贫困退出、贫困人口动态管理、财政扶贫资金管理、脱贫攻坚档案资料、考核评估、工作机制等内容。（其利格尔）

鄂尔多斯市脱贫攻坚政策知识汇编

鄂尔多斯市精准脱贫攻坚工作领导小组办公室　编

2020年4月

64开　177页

内容提要：本资料汇编了《习近平在决战决胜脱贫攻坚座谈会上的讲话（全文）》《脱贫攻坚政策知识》《内蒙古自治区驻贫困嘎查村干部管理办法》《鄂尔多斯市包联驻村工作指南》以及鄂尔多斯市精准脱贫攻坚专项工作推进组工作职责，贫困户帮扶责任人、帮扶单位党委（党组）工作职责和要求，扶贫领域存在问题的具体表现等内容。（其利格尔）

鄂尔多斯市脱贫攻坚制度政策汇编

鄂尔多斯市扶贫开发办公室　编

2016年12月

16开　596页

内容提要：本资料主要汇编了《鄂尔多斯市扶贫开发办公室关于加强建档立卡档案资料规范化管理的紧急通知》（鄂扶办发〔2016〕8号）、《关于核实录入建档立卡贫困户农村危房改造对象信息的通知》（鄂建发〔2016〕17号）、《关于推进"百企帮百村"精准扶贫行动的实施方案》（鄂联商发〔2016〕11号）等鄂尔多斯市脱贫攻坚制度政策文件。（其利格尔）

鄂尔多斯市委办公厅各科室工作职责及2017年重点工作

2017年3月

32开　75页

内容提要：本资料主要包括鄂尔多斯办公厅各科室工作职责及2017年工作重点、鄂尔多斯办公厅所属单位各科室工作职责及2017年工作重点、鄂尔多斯办公厅代管单位各科室工作职责及2017年工作重点等内容。（其利格尔）

鄂尔多斯市文化和旅游"十四五"发展规划（纲要·初稿）

鄂尔多斯市文化和旅游局　编

2021年4月

16开　121页

内容提要：本资料主要提出未来五年鄂尔多斯市文化和旅游发展的战略、方向及路径，明确了发展目标、任务和工作重点，是全市文化和旅游系统的行动纲领。（其利格尔）

鄂尔多斯市文明行为促进条例

鄂尔多斯市人大常委会法制工作委员会、鄂尔多斯市精神文明建设委员会办公室　编

2020年3月

32开

内容提要：本资料汇编了《鄂尔多斯市第四届人民代表大会常务委员会公告》《内蒙古自治区人民代表大会常务委员会关于批准〈鄂尔多斯市文明行为促进条例〉的决议》《鄂尔多斯市文明行为促进条例》等文件。（其利格尔）

鄂尔多斯市沃泰园林绿化有限责任公司二级资质申报材料

内蒙古自治区劳动和社会保障厅　编

2012年8月

16开　918页

内容提要：本资料为鄂尔多斯市沃泰园林绿化有限责任公司的二级资质申报材料，申报资质材料主要包括申请表、企业财务资料、企业人员资料、企业人员劳动合同书、业绩资料等材料。（嘎拉贝日汗）

鄂尔多斯市乌审旗煤层气开发利用规划

中煤国际工程集团南京设计研究院　编

2009年5月

16开

内容提要：本资料主要包括煤层气综述、开发利用所遇到的问题、开发利用前景等内容。（荷梅）

鄂尔多斯市无党派人士"不忘合作初心继续携手前进"主题教育培训班学员手册

中共鄂尔多斯市委统战部、鄂尔多斯市党外知识分子联谊会、鄂尔多斯市少数民族文化交流中心　编

16开　14页

内容提要：本资料主要包括学员须知内容、教学方案、教学安排、鄂尔多斯市少数民族文化交流中心简介等内容。（其利格尔）

鄂尔多斯市消费维权法律法规汇编

鄂尔多斯市工商行政管理局　编

2017年3月

32开　118页

内容提要：本资料汇编消费维权方面的法律法规，为保护消费者权益、促进市场发展保驾护航。（其利格尔）

鄂尔多斯市新闻素材汇编

中共鄂尔多斯市委员会宣传部　编

2019年7月

16开　101页

内容提要：本资料主要收录展示鄂尔多斯市在经济、社会、文化、生态、民族团结等方面所取得的发展成就的新闻素材。（其利格尔）

鄂尔多斯市伊金霍洛旗札萨克设施农业生态园区建设项目可行性研究报告

鄂尔多斯春雨农业开发公司　编

2010年7月

16开　69页

内容提要：本资料包括项目区基本情况及建设单位概况、项目建设的必要性和可行性、建设总体思路、项目建设规模及内容、技术方案、环境影响评价、主要措施、投资估算与资金等相关资料。（嘎拉贝日汗）

鄂尔多斯市原任副地级以上离退休老干部一行赴伊金霍洛旗视察接待手册

伊金霍洛旗委接待办公室　编

2005年6月

32开　19页

内容提要：本资料包括鄂尔多斯市原任副地级以上离退休老干部一行赴伊金霍洛旗视察接待日程安排、住宿安排，伊旗陪同人员信息，伊金霍洛旗经济社会发展基本情况，视察点简介，联络人员及天气情况等内容。（其利格尔）

鄂尔多斯市在职党员志愿者进社区工作手册

中共鄂尔多斯市委组织部　编
2014年6月
32开　75页

内容提要：本手册汇编了《鄂尔多斯市联系服务群众"三到两强"制度》《鄂尔多斯市深入开展在职党员志愿者进社区联系服务群众活动方案》等文件。（其利格尔）

鄂尔多斯市政协书画院院士美术书法作品集

内蒙古鄂尔多斯市政协、鄂尔多斯市政协书画院　著
内新图准字〔2009〕151号
2009年10月
16开　155页　268.00元

内容提要：本书收入67位鄂尔多斯市政协书画院院士的美术、书法作品127件。其中包括美术作品37件、蒙古文书法作品18件、汉文书法作品72件。（荷梅）

鄂尔多斯市政协四届三次会议提案及办理复函选编

鄂尔多斯市政协提案委员会　编
2021年1月
16开　125页

内容提要：本资料选编了罗成蕃《关于进一步加快推进我市农村物流网络体系建设的提案》、张望之《关于促进我市蒙中医药文化旅游产业融合发展的提案》、白乌云娜《关于提高婚姻质量促进家庭幸福的提案》等鄂尔多斯市政协四届三次会议提案及办理复函。（其利格尔）

鄂尔多斯市政协一届二次会议三次会议提案暨办理情况选编

鄂尔多斯市政协提案委员会　编
2004年12月
32开　287页

内容提要：本资料选编114件已解决或已列入计划准备解决的鄂尔多斯市政协一届二次会议和三次会议提案及相应的答复意见，其内容包括经济建设，生态建设与环境保护，城市建设与管理，科技、教育、文化、卫生、体育，政治、组织、人事、劳动、纪检、统战、人大、政协六个方面，以及部分相关文件材料。（其利格尔）

鄂尔多斯市直机关第七届"体彩杯"职工运动会秩序册

中共鄂尔多斯市直属机关工作委员会、鄂尔多斯市体育局、鄂尔多斯市总

工会　编

2013年9月

16开　104页

内容提要：本资料为鄂尔多斯市直机关第七届"体彩杯"职工运动会秩序册，主要包括关于举办鄂尔多斯市直机关第七届"体彩杯"职工运动会的通知，领队、教练员行为规范，运动员行为规范、裁判员行为规范，"体育道德风尚奖"评选条件，"优秀组织奖"评选条件等鄂尔多斯市直机关第七届"体彩杯"职工运动会秩序内容。（其利格尔）

鄂尔多斯市直属单位第四届职工运动会秩序册

中共鄂尔多斯市直属机关工作委员会、鄂尔多斯市体育局　编

2010年10月

16开　91页

内容提要：本资料为鄂尔多斯市直属单位第四届职工运动会秩序册，包括《关于举办鄂尔多斯市直单位第四届职工运动会的通知》以及运动员行为规范、裁判员行为规范，"体育道德风尚奖"评选条件等鄂尔多斯市直属单位第四届职工运动会秩序内容。（其利格尔）

鄂尔多斯市直属单位第五届职工运动会秩序册

中共鄂尔多斯市直属机关工作委员会、鄂尔多斯市体育局、鄂尔多斯市总工会　编

2011年9月

16开　20页

内容提要：本资料为鄂尔多斯市直属单位第五届职工运动会秩序册，主要包括《关于举办鄂尔多斯市直单位第五届职工运动会的通知》以及领队、教练员行为规范，运动员行为规范，裁判员行为规范，"体育道德风尚奖"评选条件等鄂尔多斯市直属单位第五届职工运动会秩序内容。（其利格尔）

鄂尔多斯市直属机关单位和各旗区常用电话号码簿

中共鄂尔多斯市委办公厅　编

2005年8月

32开　99页

内容提要：本资料收录了市各大班子、法检两院、市直各部门、各单位、人民团体、社会团体、垂直管理部门、新闻单位、各大企业、驻外机构、部队和旗区各大班子领导同志及办公室常用电话号码。附录中收录了自治区各大班子、各盟市委电话号码等信息。资料截止日期为2005年8月底。（其利格尔）

鄂尔多斯市职工服务中心服务指南

鄂尔多斯市职工服务中心　编

32开　8页

内容提要：本资料介绍了鄂尔多斯市职工服务中心工作职责、困难帮扶、法律援助、就业服务、信访接待、其他服务流程等服务指南。（其利格尔）

鄂尔多斯市中级人民法院软件操作手册汇编

鄂尔多斯市中级人民法院　编

2018年1月

16开　386页

内容提要：本资料分服务司法管理与服务人民群众两部分，内容主要包括电子签章系统、协同办公系统、审判决策支持系统、互联网舆情监控系统、廉政风险防控系统、运维可视化系统、干警业绩档案系统、系统维护等服务司法管理系统和谈话应用系统、文书上网直报系统、互联网庭审直播点播系统、网上立案审核系统等服务人民群众系统的操作指南。（其利格尔）

鄂尔多斯市中心城区供水保障与台格庙矿区开发协调研究工作大纲

中国水利水电科学研究院　编

2020年9月

16开　101页

内容提要：本资料分为项目名称、立项背景、项目研究的指导思想与基本原则、研究范围、水平年与目标、研究思路、研究内容、研究成果、组织形式、工作进度九个部分。（其利格尔）

鄂尔多斯市重要金融政策汇编

鄂尔多斯市人民政府金融工作办公室　编

2019年4月

16开　473页

内容提要：本资料汇编了《鄂尔多斯市人民政府办公厅关于公布〈鄂尔多斯市规范民间借贷暂行办法〉的通知》（鄂府发〔2012〕40号）、《鄂尔多斯市人民政府办公厅关于成立防控地方金融风险工作领导小组的通知》（鄂府办发〔2014〕15号）、《鄂尔多斯市人民政府办公厅关于清理规范非融资性担保公司工作的通知》等鄂尔多斯市重要金融政策。（其利格尔）

鄂尔多斯市住建委"三到"服务活动

鄂尔多斯市住房和城乡建设委员会　编

2011年8月

32开　10页

内容提要：本资料以图文形式展示了鄂尔多斯市住建委开展机关干部"工作到村、服务到户、温暖到心"服务活动和"三到"服务活动掠影。（其利格尔）

鄂尔多斯市转型发展学习资料汇编

鄂尔多斯市委办公厅　编

2015年1月

16开　214页

内容提要：本资料收录了《白玉刚同志在内的市委三届五次全委会议上的讲话》《白玉刚同志在市委三届六次全委会议暨全市经济工作会议上的讲话》《廉素同志在市委三届五次全委会议上的讲话》等。（嘎拉贝日汗）

鄂尔多斯四季赏花·夏季赏花度假暨"马兰花开锦·醉美鄂前旗"系列文旅活动会序册

鄂尔多斯市文化和旅游局、鄂托克前旗人民政府　编

2021年5月

16开　21页

内容提要：本资料为鄂尔多斯四季赏花·夏季赏花度假暨"马兰花开锦·醉美鄂前旗"系列文旅活动会序册，包括鄂尔多斯四季赏花·夏季赏花度假暨"马兰花开锦·醉美鄂前旗"系列文旅活动启动仪式日程安排、活动内容、人员名单及住宿、乘车安排、旗情概况及景区简介、活动服务机构、天气预报等。（其利格尔）

鄂尔多斯统战志

中共鄂尔多斯市委统战部　编

2017年9月

16开　784页

内容提要：本资料是一部系统全面反映鄂尔多斯市统战工作发展历程的专业志。它既是全市统战工作发展的真实记录，其历史文献具有资料性、地方性、时代性、专业性、思想性的重要特征；也是具体阐述统战工作艰难发展历程的有力佐证。它以时间为序，真实记述了统战工作的渊源和发展轨迹，就民族宗教、经济统战、民主党派、党外干部和知识分子等各个方面展开论述，精辟分析了统战工作的重要性和艰巨性。这部志书将对全市统一战线工作健康向上发展产生积极而深远的影响。（嘎拉贝日汗）

鄂尔多斯投资交通旅游服务指南

乌力吉布林　编

内新图准字〔2003〕102号

2003年11月

32开　163页　28.00元

内容提要：本资料主要包括投资、交通旅游、服务相关企事业单位和行政单位简介和主要领导图片等内容。（其利格尔）

鄂尔多斯投资指南

鄂尔多斯市人民政府　编

2013年6月

16开　32页

内容提要：本资料以图文形式介绍了鄂尔多斯概况、资源优势、支撑条件、产业定位、投资平台、招商定位、投资成本、优惠政策、招商项目等鄂尔多斯投资内容。（其利格尔）

鄂尔多斯乡风文明大行动指导手册

鄂尔多斯市委宣传部、鄂尔多斯市文明办　编

2015年11月

16开　101页

内容提要：本资料分三个部分：第一部分是乡风文明大行动有关情况解答，主要是对乡风文明大行动的意义、目标、工作机制等有关情况进行详细解答；第二部分是乡风文明大行动图文解

说，主要以图文并茂的形式对农村环境卫生综合整治、推动移风易俗、丰富群众性精神文明创建活动等进行展示说明；第三部分是乡风文明大行动的宣传展示氛围营造，主要以标语、图片形式展示农村牧区如何营造乡风文明大行动的宣传氛围。本资料为各旗区精细化开展乡风文明大行动提供新的学习资料，旨在希望大家学习手册中的好经验做法，从中汲取有益的东西，为提升鄂尔多斯市乡风文明大行动的工作水平做出更好的成绩。（其利格尔）

鄂尔多斯政务·商务（政府名片）

《鄂尔多斯政务·商务》（政府名片）编辑委员会、《今日世界》杂志社、鄂尔多斯市人民政府办公厅、《内蒙古政务·商务》编辑指导办公室 编

2004年11月

16开 92页 580.00元

内容提要：本资料由鄂尔多斯政府名片和鄂尔多斯商务名片两部分构成。鄂尔多斯政府名片部分以图文形式展示了鄂尔多斯城市掠影、行政区划、地理位置、民风民情、人居环境、特色文化、旗区特色、典范推介，市委、人大、政府、政协等政府单位名片。鄂尔多斯商务名片部分以图文形式展示了商务名片、投资指南、外经外贸、支柱产业、知名品牌、商务服务、名优推介、城市概览、经济现状、发展规划、旗区概况、自然资源等内容。（其利格尔）

鄂尔多斯职业学院深入推进全面从严治党纪律作风建设手册

中共鄂尔多斯职业学院委员会、中共鄂尔多斯职业学院纪律检查委员会 编

2018年9月

16开 519页

内容提要：本资料汇编了中央、教育部、内蒙古自治区（含教育厅）、鄂尔多斯市、鄂尔多斯职业学院深入推进全面从严治党纪律作风建设的相关条例、规定和文件。（其利格尔）

鄂尔多斯志愿服务信息管理系统操作手册（续）

鄂尔多斯市文明办、鄂尔多斯市海瑞科技有限责任公司 编

2014年6月

32开 70页

内容提要：本资料分两部分对鄂尔多斯志愿服务信息管理系统操作问题进行讲解，即一期常见问题解析，二期新增功能。（其利格尔）

鄂托克旗2017年国民经济和社会发展统计公报

鄂托克旗统计局 编

2018年4月

16开 11页

内容提要：本资料主要内容包括综合情况、农牧业、工业、建筑业和房地产开发、固定资产投资、国内贸易、交通邮电和旅游业、金融和保险业、教育

和科技、文化、卫生和体育、人民生活和社会保障等方面的数据和情况，旨在为国家、政府及公众了解鄂托克旗经济与社会发展提供一定的参考资料。（其利格尔）

鄂托克旗发展与改革（2012年第1期）

鄂托克旗发展和改革局　编
2012年4月
32开　22页
内容提要：本资料为2012年报道鄂托克旗发展与改革的第1期期刊，总第24期。主要包括鄂托克旗宏观决策、投资信息、项目动态等板块的内容。（其利格尔）

鄂托克旗公安局晋升自治区一级档案管理材料汇编

鄂托克旗公安局　编
1997年10月
16开
内容提要：本资料汇编了《档案升级报告》《关于鄂托克旗公安局成立档案室的通知》《关于鄂托克旗公安局档案工作领导分工和专兼职档案人员的通知》《鄂托克旗公安局档案工作"九五"规划》《1997年鄂托克旗公安局档案工作计划组织沿革》《大事记》等鄂托克旗公安局晋升自治区一级档案管理材料。（其利格尔）

鄂托克旗国土资源局"两学一做"学习教育制度汇编

鄂托克旗国土资源局　编
2016年
16开　283页
内容提要：本资料汇编《中国共产党党章党规》《鄂托克旗国土资源局规章制度》。（其利格尔）

鄂托克旗建档立卡贫困户应知手册

鄂托克旗精准脱贫攻坚领导小组办公室　编
2018年10月
32开　37页
内容提要：本手册主要包括鄂托克旗脱贫攻坚目标任务、扶贫方略、精准识别、精准帮扶、贫困退出、贫困人口动态管理、工作机制等应知内容。（其利格尔）

鄂托克旗科学技术局服务手册

鄂托克旗科学技术局　编
2010年1月
32开　119页
内容提要：本手册主要包括内蒙古自治区、鄂尔多斯市、鄂托克旗的科技创新的政策、法规、办法选编，以此阐述国家科学体系，目的是支持鄂托克旗科技创新，给科技创新人员传达相关优惠、奖励的服务。（其利格尔）

鄂托克旗历届各界人民代表大会简要概况（1951—1983）

金锁、郭兵、敖腾巴雅尔　主编
伊克昭盟鄂托克旗档案馆　编
1984年10月

16开 34页

内容提要：本资料共分八章，即鄂托克旗的解放和建政，各界各次会议的开止日期，历时天数，代表构成和比例，会议召开时的国内外形势和历时背景，会议中心议题或主要内容、决定、决议，选举结果等。（嘎拉贝日汗）

鄂托克旗粮油商品流转统计资料汇编（1966—1985）

鄂托克旗粮油公司　编
1987年5月
32开　463页

内容提要：本资料主要包括鄂托克旗米、面制品及食用油批发等商品流转统计资料。（荷梅）

鄂托克旗农村牧区环境综合管理指导手册

中共鄂托克旗委员会农村牧区工作部　编
2018年
16开　69页

内容提要：本资料分五部分，汇编了相关政策、农村牧区垃圾处理模式推广、制度范例、农村牧区环境卫生管理、倡议书等鄂托克旗农村牧区环境综合管理指导内容。（其利格尔）

鄂托克旗农牧民法律知识手册

鄂托克旗普法依法治旗工作领导小组办公室、鄂托旗司法局　编
32开　52页

内容提要：本资料选编了与农牧民生产、生活密切相关的法律、法规汇编成本知识手册，旨在不断提高农牧民群众的法律意识，促使广大农牧民群众在日常生活中养成自觉运用法律手段解决矛盾纠纷的良好习惯，使鄂托克旗农村牧区的普法依法治理工作迈上新台阶，为推进"三强一名"县建设营造和谐稳定的社会环境做出贡献。（其利格尔）

鄂托克旗气象灾害防御规划

王贵平　主编
气象出版社
ISBN 978-7-5029-5769-8
2013年12月
16开　72页　48.00元

内容提要：本资料主要介绍了鄂尔多斯鄂托克旗气象灾害时空分布特征，开展了气象灾害风险区划，分析了气象灾害对全旗各行业的影响，制定了气象灾害防御的相关措施等。（荷梅）

鄂托克旗市民文明手册

中共鄂托克旗委员会宣传部、鄂托克旗精神文明建设委员会办公室　编
2013年12月
32开　58页

内容提要：本手册分公民道德篇、文明创建篇、文明风尚篇、诚信建设篇、未成年人篇、志愿服务篇六个部分，宣传主题为"做文明鄂托克旗人"。（其利格尔）

鄂托克旗抓党建促脱贫攻坚工作手册

中共鄂托克旗委组织部　编
2018年9月
32开　79页

内容提要：本资料是为鄂尔多斯市包联驻村工作干部做好工作而编，内容包括党的十九大主题、习近平新时代中国特色社会主义思想基本内涵——"八个明确"、习近平新时代中国特色社会主义思想基本方略——"十四个坚持"等构成的基层党建篇、习近平总书记关于脱贫攻坚的重要论述等构成的脱贫攻坚篇两大部分。（其利格尔）

鄂托克前旗地下水"总量控制、定额管理"试点改革工作

内蒙古鄂托克前旗水务和水土保持局　编
2017年4月
16开　29页

内容提要：本资料以图文形式展示了鄂托克前旗地下水"总量控制、定额管理"试点改革背景、改革措施与成效等内容。（其利格尔）

鄂托克前旗多规合一智慧服务系统

鄂托克前旗政府　编
16开　16页

内容提要：本资料分系统概述、系统构架、系统功能、系统亮点、系统目标五个部分，重点介绍了鄂托克前旗多规合一智慧服务系统，旨在消除多规差异、盘活土地资源、助推地方发展。（其利格尔）

鄂托克前旗气象灾害防御规划

张雪艳、燕世荣　主编
气象出版社
ISBN 978-7-5029-5813-8
2013年12月
16开　67页　48.00元

内容提要：本书主要阐述了鄂尔多斯市鄂托克前旗气象灾害防御面临的形势，分析了近40年气象灾害时空分布特征，开展了气象灾害风险区划，分析了气象灾害对全旗各行业的影响，制定了气象灾害防御的相关措施等。（荷梅）

鄂托克前旗水利规范文件选编

鄂托克前旗水利水保局　编
1993年
16开　63页

内容提要：本资料选编了鄂托克前旗水利水保局所做的水利规范文件。（嘎拉贝日汗）

鄂托克前旗水利科技成果简介

鄂托克前旗水利水保局　编
1990年8月
32开　12页

内容提要：本资料以图文形式介绍了鄂托克前旗水利水保局取得的科研成果与成效显著的技术，供有关人员在工作中参考。（其利格尔）

鄂托克前旗水利科技论文选编（第一辑）

水利水保局、鄂托克前旗水利学会　编

1990年8月

32开　148页

内容提要：本资料主要包括鄂托克前旗水利学会会员结合自己的工作实践撰写的对鄂托克前旗的水利事业具有指导意义的多篇有价值的文章。汇集这些文章的意义，一方面在于展示鄂托克前旗水利学术活动情况；另一方面在于抛砖引玉，招来金凤凰，从而促使水利学术活动更加活跃，更加繁荣。（其利格尔）

二次创业文汇

盟直机关党校　编

2017年8月

32开　49页

内容提要：本资料以鄂尔多斯第二次创业为主题，收录了相关资料，明确提出了新的发展思路和战略部署，研究确定鄂尔多斯抢抓西部开发历史机遇的具体措施，动员各族人民进一步解放思想，转变观念，开拓创新，为鄂尔多斯第二次创业而努力奋斗。（其利格尔）

法税收执手册

鄂尔多斯市地方税务局　编

2015年11月

16开　414页

内容提要：本资料以税收工作中使用频率较高的相关法律、法规、规章和税收执法文书为主要内容，对税收相关法律、法规、规章进行了诠释、比较，对相关法律、法规在税收执法中的具体应用进行了讲解，对税收执法文书进行了定义、说明，对制作中应注意的问题进行了重点阐述，并结合案例制作了各类税收执法文书样本。（其利格尔）

反家庭暴力法宣传手册

鄂尔多斯市妇女联合会　编

32开　16页

内容提要：本资料收录了《中华人民共和国反家庭暴力法》，并设置我国第一部《中华人民共和国反家庭暴力法》何时颁布实施、什么是家庭暴力、家庭暴力加害人依法应承担什么法律责任、《中华人民共和国反家庭暴力法》对撤销监护权做出了怎样的规定、《中华人民共和国反家庭暴力法》有关人身保护令制度如何规定的、遭遇家庭暴力时怎么办、遭遇家庭暴力带来的危害等知识问答。（其利格尔）

芳草留香：委员篇

政协鄂尔多斯市第二届委员会　编

2012年12月

32开　586页

内容提要：本资料分为芳草留香、一路走来、足迹流金、丹心无限四个部分，所选内容包括二届政协履职工作、机关建设、委员风采等不同方面。（嘎拉贝日汗）

防范电信诈骗

伊金霍洛旗公安局刑警大队　编

2021年4月

32开　4页

内容提要：本资料包括致市民朋友的以"打击防范电信诈骗　共建和谐美好家园"为题的一封信，以及常见诈骗手法及防范措施等内容。（其利格尔）

防范电信诈骗犯罪指导手册

鄂尔多斯市公安局　编

32开　23页

内容提要：本资料主要包括致全市居民的一封信、常见电信诈骗手段及案例、电信诈骗及危害性、电信诈骗防范措施、被骗后应采取的紧急措施、鄂尔多斯公安局举报刑事犯罪奖励办法等内容。（其利格尔）

防范电信诈骗宣传手册

伊金霍洛旗公安局刑警大队　编

2021年4月

32开　23页

内容提要：本资料主要包括48种常见电信诈骗，"6个一律"与"8个凡是"防范电信诈骗要点等防范电信诈骗内容。（其利格尔）

房地产一体化管理税收业务文件汇编

市地方税务局　编

2008年4月

32开　149页

内容提要：本资料分综合业务、契税、耕地占用税、营业税、企业所得税、个人所得税、土地增值税、印花税八个部分，汇编了2006年6月—2007年涉房税收政策文件。（其利格尔）

非公党团组织建设礼仪规范暨解说词选编

鄂尔多斯市工商行政管理局　编

2018年4月

16开　88页

内容提要：本资料为鄂尔多斯市个体私营经济组织宣教员培训资料，包括讲解员基本知识、党建专题解说词及观摩介绍词节选、讲解员工作心得体会等内容。（其利格尔）

奋斗的青春最幸福——"青春·奋斗·幸福"主题青年演讲比赛演讲稿

共青团鄂尔多斯市非公有制经济组织工作委员会、共青团鄂尔多斯市工商行政管理支部委员会　编

2018年5月

16开　74页

内容提要：本资料汇编了鄂尔多斯市非公团工委联合市工商局团支部在"五四"期间举办的以"用奋斗书写幸福人生，用奋斗演绎火热青春，用奋斗敲开幸福之门，用奋斗创造辉煌业绩"为主题的演讲比赛中的6名工商机关青年和7名非公青年的精彩演讲稿和相关精彩评论，以此诠释青春是奋斗的号角，不负春光勤耕耘，奋斗的青春最美丽，从而激发青年的斗志，谱写青年奋斗的赞歌，旨在更好地激励非公青年，树立非

公青年典型，为非公青年搭建一个展示自我的舞台。（其利格尔）

风采回眸

政协鄂尔多斯市委员会 编

内新图字〔2006〕86号

16开 105页 180.00元

内容提要：本资料记录了鄂尔多斯企事业行政单位简介和主要领导介绍及领导视察相关图片。（其利格尔）

风雨征程（1960—2000）

杨礼保、荣赛娜 编著

2000年8月

32开 498页

内容提要：本资料为东胜市第一中学校史。其编写以时间为经，以各方工作为纬，记述鄂尔多斯市一中各个历史时期的基本情况，侧重记叙建校初期情况及1982年以来学校发展变化和所取得的成绩。（库布其）

奉献者之歌：献给中国共产党建党七十周年

格尔图 主编

伊盟党委组织部 编

1990年7月

32开 398页

内容提要：本资料为中国共产党建党七十周年献礼书，呈献给读者的是伊盟的广大基层党组织中涌现出一大批先进基层党组织、优秀的共产党员和优秀党务工作者的缩影，从不同角度反映出他们的精神风貌。（嘎拉贝日汗）

扶贫手册

国务院扶贫办、伊金霍洛旗扶贫办 编

2013年12月

32开 15页

内容提要：本资料为国务院扶贫办、伊金霍洛旗扶贫办共同编写的扶贫手册，包括家庭情况、家庭成员、帮扶责任人、帮扶措施等表格和说明五部分信息。（其利格尔）

妇女维权手册

鄂尔多斯市妇女联合会 编

2012年10月

32开 43页

内容提要：本资料主要包括婚姻家庭权益、预防家庭暴力、财产权益、劳动权益、法律常识、计生政策以及鄂尔多斯市的一些惠民政策等内容。（其利格尔）

富民五送·服务三农

伊金霍洛旗富民五送服务三农活动领导小组办公室 编

32开 94页

内容提要：本资料主要包括《中共中央、国务院关于促进农民增加收入若干政策意见》、构筑新目标、推进新跨越、全面提升伊金霍洛旗的综合实力、钱从哪里来、法律知识问答80题等内容。（其利格尔）

541

嘎查村务公开手册

鄂尔多斯市嘎查村务公开协调小组办公室　编

2005年4月

32开　97页

内容提要：本资料汇编了嘎查村务公开重要意义、嘎查村务公开的实施组织、嘎查村务公开的基本要求、嘎查村务公开的主要内容、嘎查村务公开的操作程序、嘎查村务公开的监督举报、嘎查村务公开的违规处罚、嘎查村务公开的配套措施、加强党支部对嘎查村务公开的领导、地方各级党委政府的领导与指导等10个方面的问题，目的是为各旗区、苏木乡镇、嘎查村委会干部群众开展嘎查村务公开和民主管理工作提供参考，以促进嘎查村务公开管理工作的发展，开创嘎查村务公开工作的新局面。（其利格尔）

改革开放40周年鄂尔多斯统一战线2018年度优秀论文汇编

中共鄂尔多斯市委统战部　编

2018年

16开　304页

内容提要：本资料分为东胜区、达拉特旗、准格尔旗、伊金霍洛旗、乌审旗、杭锦旗、鄂托克旗、鄂托克前旗、康巴什区、民主党派、工商联、知联会、新联会10个部分。（荷梅）

干部保健联系手册

鄂尔多斯市保健委员会办公室　编

2019年4月

32开　40页

内容提要：本资料为切实丰富老领导和在职领导干部的保健知识而编写，涵盖常见病识别、就医程序等内容，旨在更加方便保健对象做好预防保健和就医问诊等工作。（其利格尔）

干部保健知识问答

鄂尔多斯市卫生局　编

2002年12月

32开　66页

内容提要：本资料汇编了干部健康体检所涉项目，体检测身高、体重的相关原因，体检时认真填写自己已知的身体状况等体检知识和鄂尔多斯市实施医疗保险改革政策的相关依据，城镇职工医疗保险覆盖范围，基本医疗保险目标等保健知识。（其利格尔）

干部工作政策法规选编

中共鄂尔多斯市委组织部　编

2009年9月

32开　721页

内容提要：本资料主要选编了2000年以来中央、自治区、市三级干部工作的重要文件。内容包括综合、干部选拔任用、干部监督管理、干部培训教育、女少非老干部工作等部分。（其利格尔）

高位谋划·超前构筑·科学发展

鄂尔多斯市教育局　编

2011年8月

32开　47页

内容提要：本资料汇编了《中共鄂尔多斯市委、鄂尔多斯市人民政府关于深入贯彻实施〈内蒙古自治区中长期教育改革和发展规划纲要（2010—2020）〉的意见》《鄂尔多斯市教育事业"十二五"发展规划》两部分内容。（其利格尔）

高原上盛开的马兰花——寻找最美交通人

王水云　主编

鄂尔多斯市交通局　编

2016年12月

16开　295页

内容提要：本资料汇编了2016年鄂尔多斯市交通运输局开展的"爱我鄂尔多斯，做最美交通人"活动评出的103名"最美交通人"候选人的先进事迹，旨在对这些"最美交通人"的时代精神进行宣传、弘扬。（其利格尔）

各级党风廉政建设材料汇编

鄂尔多斯市统计局　编

2017年8月

16开　253页

内容提要：本资料汇编了《中国共产党章程》《关于新形势下党内政治生活的若干准则》《中国共产党党内监督条例》《中国共产党廉洁自律准则》等鄂尔多斯各级党风廉政建设材料。（其利格尔）

工伤保险宣传手册

鄂尔多斯市劳动和社会保障局　编

2008年6月

32开　68页

内容提要：本手册汇编了国务院令第375号《工伤保险条例》、中华人民共和国劳动和社会保障部令第17号《工伤认定办法》、中华人民共和国劳动和社会保障部令第19号《劳动和社会保障部非法用工单位伤亡人员一次性赔偿办法》等工伤保险文件内容。（其利格尔）

工作制度汇编

鄂尔多斯市人民政府办公厅　编

2002年

32开　502页

内容提要：本资料汇编修订后的鄂尔多斯市人民政府各类现行工作制度，还收录了国家和自治区的部分有关文件，分为综合篇、公文处理篇、会务篇、政府法制篇、监督篇、信息篇、翻译篇、外事篇、政务值班篇、信访篇、档案管理篇、保密篇、印鉴管理篇、机关管理篇、附录15个部分。（其利格尔）

工作制度汇编

鄂尔多斯市药品监督管理局　编

32开　203页

内容提要：本资料是由鄂尔多斯市药品监督管理局编制的工作制度，包括办公室制度、人事教育科制度、药品监督稽查大队制度、药品注册安全监管科

制度、医疗器械市场监管科制度五个部分。（其利格尔）

公民健康素养66条基本知识读本

  滨河街道康城社区卫生服务中心　编
  32开　15页
  内容提要：本资料为公共健康相关知识宣传手册，包括基本知识和理念、健康生活方式与行为、应对紧急情况的基本技能三个方面的66项基本健康教育知识。（其利格尔）

公务卡用卡手册

  鄂尔多斯银行　编
  2010年4月
  32开　20页
  内容提要：本资料重点介绍鄂尔多斯银行天骄公务卡（银联标准卡）认知、启用、使用、服务、安全等相关内容，方便用卡人全面了解天骄公务卡的使用和权益。（其利格尔）

公务员行政许可法读本

  鄂尔多斯市地方税务局　编
  2015年7月
  32开　292页
  内容提要：本资料是人事部公务员管理司审定的国家公务员培训全国统编教材，主要包括行政许可的基本含义、行政许可的基本原则、行政许可的设定事项等行政许可法的相关内容。（其利格尔）

供电企业技术标准汇编（第一册）基础标准（1）

  鄂尔多斯电业局　编
  2002年5月
  16开　381页
  内容提要：本资料是由鄂尔多斯电业局汇编的供电企业技术标准。主要包括电力企业标准体系表编制导则、电力标准编写的基本规定、标准化工作导则、标准工作指南、术语工作、原则与方法等内容。（嘎拉贝日汗）

供电企业技术标准汇编（第二册）基础标准（2）

  鄂尔多斯电业局　编
  2002年5月
  16开　544页
  内容提要：本资料是由鄂尔多斯电业局承办的供电企业技术标准汇编，主要包括软件工程术语，带电作业术语，电工电子产品环境试验术语，电气继电器，低压电器，工业电热设备、电力牵引，架空线路等内容。（嘎拉贝日汗）

供电企业技术标准汇编（第六册）设备标准（2）

  鄂尔多斯电业局　编
  2002年5月
  16开　587页
  内容提要：本资料是由鄂尔多斯市电业局主持汇编的供电企业技术标准，主要包括交流自动分段器订货技术条件、交流高压断路器订货技术条件、高

压真空断路器订货技术条件、户内交流高压开关柜订货技术条件等内容。（嘎拉贝日汗）

供电企业技术标准汇编（第七册）设备标准（3）

鄂尔多斯电业局　编

2002年5月

16开　523页

内容提要：本资料是由鄂尔多斯电业局承办的供电企业技术标准汇编，主要包括交流高压负荷开关-熔断器、组合电器、旋转电机、定额和性能、干式电力变压器技术参数和要求、高压开关设备和控制设备标准的共用技术要求等内容。（嘎拉贝日汗）

供电企业技术标准汇编（第八册）设备标准（4）

鄂尔多斯电业局　编

2002年5月

16开　372页

内容提要：本资料是由鄂尔多斯电业局承办的供电企业技术标准汇编，主要包括开关设备永接线座订货技术条件、环氧玻璃布硬质层高压开关间隔板、低压开关设备和控制设备、机电式控制电路电器、电缆的导体、电工用铜线等内容。（嘎拉贝日汗）

供电企业技术标准汇编（第九册）设备标准（5）

鄂尔多斯电业局　编

2002年5月

16开　212页

内容提要：本资料是由鄂尔多斯电业局承办的供电企业技术标准汇编，主要包括电力金具产品型号命名方法、软母线固定金具、硬母线固定金具、机械试验方法、设备线夹、家用和类似用途插头插座、防震锤技术条件等内容。（嘎拉贝日汗）

供电企业技术标准汇编（第十一册）试验方法标准

鄂尔多斯电业局　编

2002年5月

16开　626页

内容提要：本资料是由鄂尔多斯电业局承办的供电企业技术标准汇编，主要包括现场绝缘试验实施导则、用于测量直流高压的棒-棒间隙、电力设备局部放电现场测量导则、电力设备预防性试验规程等内容。（嘎拉贝日汗）

供电企业技术标准汇编（第十二册）生产运行标准（1）

鄂尔多斯电业局　编

2002年5月

16开　325页

内容提要：本资料是由鄂尔多斯电业局承办的供电企业技术标准汇编，主要包括镶嵌式电力调度模拟屏通用技术条件、地区电网调度自动化设计技术规程、电网调度自动化系统运行管理规程、县级电网调度自动化功能规范等内

容。（嘎拉贝日汗）

供电企业技术标准汇编（第十三册）生产运行（2）

鄂尔多斯电业局　编
2002年5月
16开　460页

内容提要：本资料是由鄂尔多斯电业局承办的供电企业技术标准汇编，主要包括交流采样远动技术条件、远动设备及系统、远动设备及系统、配电网自动化系统远方终端、电能量远方终端、电力系统窄带命令式远方保护设备技术要求及试验方法等内容。（嘎拉贝日汗）

供电企业技术标准汇编（第十四册）设计标准（3）

鄂尔多斯电业局　编
2002年5月
16开　1009页

内容提要：本资料是由鄂尔多斯电业局承办的供电企业技术标准汇编，主要包括农村低压电力技术规程、农村小型化无人值班变电所设计规程、农村小型化无人值班变电所设计规程、架空绝缘配电线路设计技术规程、低压配电设计规范等内容。（嘎拉贝日汗）

供电企业技术标准汇编（第十五册）生产运行标准（4）

鄂尔多斯电业局　编
2002年5月
16开　284页

内容提要：本资料是由鄂尔多斯电业局承办的供电企业技术标准汇编，主要包括电力系统通信站防雷运行管理规程、无线电负荷控制双向终端技术条件、电力系统通信管理规程、电力系统微波通信运行管理规程等内容。（嘎拉贝日汗）

供电企业技术标准汇编（第十六册）计量标准

鄂尔多斯电业局　编
2002年5月
16开　414页

内容提要：本资料是由鄂尔多斯电业局承办的供电企业技术标准汇编，主要包括电能计量装置技术管理规程、电压监测仪订货技术条件、电压失压计时器技术条件、电子式标准电能表技术条件、多功能电能表通信规约等内容。（嘎拉贝日汗）

供电企业技术标准汇编（第十七册）检修标准

鄂尔多斯电业局　编
2002年5月
16开　464页

内容提要：本资料是由鄂尔多斯电业局承办汇编的供电企业技术标准，主要包括电力变压器检修导则、有载分接开关运行维修导则、互感器运行检修导则、运行中变压器质量标准、带电作业绝缘鞋通用技术条件等内容。（嘎拉贝

日汗）

供电企业技术标准汇编（第十九册）安全环保标准（2）

鄂尔多斯电业局　编

2002年5月

16开　291页

内容提要：本资料是由鄂尔多斯市电业局主持汇编的供电企业技术标准，主要包括环境空气质量标准、生产设备安全卫生设计总则、生活饮水卫生标准、环境噪声测量方法、电磁环境的分类等内容。（嘎拉贝日汗）

供电企业技术标准汇编（第二十册）供电质量标准计算机与信息标准

鄂尔多斯电业局　编

2002年5月

16开　271页

内容提要：本资料是由鄂尔多斯电业局承办的供电企业技术标准汇编，主要包括电能质量，供电电压允许偏差、电压波动和闪变，全国电网名称代码，软件维修指南，信息处理系统，信息技术，电子计算机场地通用规范等内容。（嘎拉贝日汗）

共青团鄂尔多斯市非公有制经济组织工作委员会第一次代表大会材料汇编

共青团鄂尔多斯市非公有制经济组织工作委员会　编

2018年5月

16开　105页

内容提要：本资料分会议文件、会议材料、会议场景三个部分，汇编了共青团鄂尔多斯市非公有制经济组织工作委员会第一次代表大会材料。（其利格尔）

共青团员团费交纳手册

共青团伊金霍洛旗委员会　编

64开　33页

内容提要：本资料汇编了《团员基本信息表》《入团誓词》《中国共产主义青年团章程（节选）》《关于中国共产主义青年团团费收缴、使用和管理的规定》《伊金霍洛旗共青团员团费交纳实施办法（试行）》等，并附有《团费交纳记录表》。（其利格尔）

共襄民族盛会　情暖天骄圣地

鄂尔多斯市筹备工作执行委员会经贸旅游和市场开发部　编

2015年

16开　54页

内容提要：本资料是第十届全国少数民族传统体育运动会赞助商风采录，分为合作伙伴、独家供应商、供应商、赞助企业、特许经营商、合作单位六个部分，以图文形式介绍为第十届全国少数民族传统体育运动会提供鼎力支持的企业。（其利格尔）

构建社会化党建新模式　推进城市基层党建上水平

中共鄂尔多斯市康巴什区委组织部　编

16开 153页

内容提要：本资料记录康巴什区为提升城市基层党建工作科学化、专业化，坚持创新驱动，将社会工作理念和方法融入党建具体工作实践当中，以问题为导向，通过党组织引领，整合社会资源，动员社会力量，搭建多元化服务平台，由专业社会组织策划，实施项目化服务，构建社会化党建工作模式，增强党组织的政治功能和服务功能，走出一条符合实情、务实管用、独具特色的城市基层党建发展之路。（其利格尔）

构建社会主义和谐社会理论学习读本

中共鄂尔多斯市委宣传部 编著
32开 79页

内容提要：本资料旨在深入理解和精确把握我党最新提出的构建社会主义和谐社会理论，并展示其科学内涵。书中汇编了党的十六届六中全会精神，并结合了自治区第八次党代会、鄂尔多斯市第二次党代会以及鄂尔多斯市委二届二次全委会精神，全面体现了党的最新理论成果和各地区的发展实践。（其利格尔）

关于进一步推进全市各领域党支部规范化建设的意见（试行）

中共鄂尔多斯市委组织部 编
32开 91页

内容提要：本资料汇编了《中共鄂尔多斯市委组织部印发〈关于进一步推进全市各领域党支部规范化建设的意见（试行）〉的通知》（鄂党组通字〔2017〕95号）及其内容。（其利格尔）

关于五·七干校资料

《关于五·七干校资料》编委会 编
1976年11月
16开

内容提要：本资料主要汇编了五·七干校的一些文件，其中包括组织工作的红头文件以及一些重要通知和讲话内容。（嘎拉贝日汗）

贯彻实施《中共中央纪委关于严格禁止利用职务上的便利谋取不正当利益的若干规定》学习手册

中共鄂尔多斯市纪委办公厅 编
2007年6月
64开 29页

内容提要：本资料汇编了《深入推进反腐倡廉工作的重要举措》（《中国纪检监察报》评论员）、《关于印发〈中共中央纪委关于严格禁止利用职务上的便利谋取不正当利益的若干规定〉的通知》、《中共鄂尔多斯市委转发〈中共鄂尔多斯市纪委关于贯彻实施《中共中央纪委关于严格禁止利用职务上的便利谋取不正当利益的若干规定》的意见〉的通知》三个文件。（其利格尔）

规章制度汇编（行政管理制度）

鄂尔多斯市农牧学校 编
2002年10月
16开 134页

内容提要：本资料是在1996年制定的《规章制度》的基础上修订而得的，主要包括校长岗位职责、副校长岗位职责、党委书记岗位职责、纪检委职责范围等鄂尔多斯市农牧学校行政管理制度。（其利格尔）

国家统计局鄂尔多斯调查队业务制度汇编

国家统计局鄂尔多斯调查队　编
16开　187页

内容提要：本资料汇编了国家统计局鄂尔多斯调查队业务制度和相关工作规范和办法，如《国家统计局鄂尔多斯调查队数据质量工作管理办法（试行）》《统计调查基层基础工作暨数据质量检查实施办法》《国家统计局鄂尔多斯调查系统辅助调查员管理办法（试行）》《信息咨询服务管理办法》《鄂尔多斯住户调查实施过程数据质量管理工作规范实施细则（试行）》。（其利格尔）

国务院关于进一步促进内蒙古经济社会又好又快发展的若干意见

乌兰　主编
内蒙古人民出版社
ISBN 978-7-204-08896-6
2005年8月
32开　290页　20.00元

内容提要：本书是党中央、国务院在我区改革开放和现代化建设关键时期，各级党校（行政学院）、各级讲师团和各级中心组学习、培训、所提供的基础材料。（其利格尔）

国务院关于进一步促进内蒙古经济社会又好又快发展的若干意见学习读本

乌兰　主编
内蒙古人民出版社
ISBN 978-7-204-08896-6
2011年7月
32开　290页　20.00元

内容提要：本书为了方便干部群众学习，分为政策指南、专题解读、附录三个部分。第一部分是《意见》原文，胡春华同志、巴特尔同志在自治区党委八届十五次全委（扩大）会议上的讲话摘要。第二部分是专家对《意见》的解读。第三部分是"十二五"规划纲要和名词解释。（其利格尔）

国有资产管理法律法规汇编

鄂尔多斯市康巴什新区国有资产监督管理局　编
16开　500页

内容提要：本资料包括国家级国有资产管理法律法规、自治区级国有资产管理法律法规、市级国有资产管理法律法规、新本区级国有资产管理法律法规、部分媒体专家对国发43号文件的解读、新区国有资产监管流程六个部分内容。（其利格尔）

国有资产管理政策法规选编（1989—2001）

鄂尔多斯市国有资产投资经营有限

责任公司　编

32开　434页

内容提要：本资料选编了国有资产管理政策法规，主要包括资产管理类，产权界定与产权纠纷处理、产权登记类，资产处置类，评估类，清产核资类，证券、上市公司类文件120件。（库布其）

杭锦旗气象灾害防御规划

马长生　主编

气象出版社

ISBN 978-7-5029-5874-9

2013年1月

16开　102页　48.00元

内容提要：本书主要介绍了鄂尔多斯市杭锦旗气象灾害时空分布特征，对气象灾害风险区划进行划分，并对气象灾害给全旗各行业带来的影响进行分析，从而制定出气象灾害防御的相关措施。（荷梅）

环保攻坚宣传手册

伊金霍洛旗节能减排领导小组办公室　编

2007年6月

32开　86页

内容提要：本手册由伊金霍洛旗节能减排领导小组办公室所编，为环保攻坚宣传手册，主要包括《国务院关于落实科学发展观加强环境保护的决定》、中国环境问题的思考、各级政府编排目标任务摘要等文件。（其利格尔）

环境保护宣传教育材料（之一）

伊克昭盟环境保护局　编

2000年4月

32开　140页

内容提要：本资料分为环境保护法律法规、其他方面、历年世界环境日主题三个部分，主要汇编了《中华人民共和国大气污染防治法》《中华人民共和国固体废物污染环境防治法》《我国跨世纪环境保护的目标》等文件。（其利格尔）

惠民文明手册

中共伊金霍洛旗委宣传部、伊金霍洛旗文明办　编

32开　94页

内容提要：本手册记录了伊金霍洛旗在教育、就业、医疗、住房、社会保障等各领域的惠民政策，以方便让广大人民群众全面地了解伊金霍洛旗，为群众提供最关心、最直接、最现实的贴心服务。（其利格尔）

惠民政策

中共鄂托克旗委宣传部、鄂托克旗深入学习实践科学发展观领导小组办公室　编

32开　136页

内容提要：本资料为鄂托克旗深入学习实践科学发展观活动读本，汇编了鄂托克旗认真贯彻实施市委、市政府的"城乡统筹、集约发展"和"结构转型、创新强市"两大战略，全面实施

"八个统筹、八大工程"，建设幸福鄂托克所出台的各项政策。（其利格尔）

婚育新风进万家系列知识手册

伊金霍洛旗人口和计划生育局、伊金霍洛旗计划生育协会　编

2015年9月

32开

内容提要：本知识手册分政策法规篇、新生篇、优生篇、优育篇、避孕篇、生殖健康篇六个部分，解答了新婚夫妻在新婚期间该如何面对正常的性生活与性保健知识，孕产期间该如何做好预防与保健工作，新生命诞生之后该如何喂养、护理及孩子生长发育的基本规律等知识。（其利格尔）

货物与劳务税政策汇编（2017年度）

鄂尔多斯市税务局　编

2018年1月

16开　91页

内容提要：本资料汇编了2017年度中华人民共和国国务院、财务部、国家税务总局下发的关于货物与劳务税政策文件。（其利格尔）

"黄埔"归来暖心雁——鄂尔多斯市街道社区赴异地交流锻炼干部风采

中共鄂尔多斯市委组织部　编

2017年7月

16开　161页

内容提要：本资料汇编了鄂尔多斯市各旗区街道社区赴异地交流锻炼的领导干部介绍和赴异地交流锻炼干部风采心得等内容。（其利格尔）

机动车污染防治手册

鄂尔多斯市环境保护局、康巴什区环境保护局　编

32开　21页

内容提要：本资料分机动车尾气排放科普篇、机动车尾气排放污染防治技术政策篇、绿色出行倡议书三个部分，主要介绍机动车尾气污染防治知识。（其利格尔）

机构编制工作手册

中共伊金霍洛旗委员会机构编制委员会办公室　编著

2019年9月

56页　32开

内容提要：本资料汇编了国家级、区级、市级机构编制工作条例和管理办法。（其利格尔）

机构编制政策法规宣传手册

鄂尔多斯市机构编制委员会办公室　编

2007年6月

32开　53页

内容提要：本资料汇编了《中共中央办公厅、国务院办公厅关于进一步加强和完善机构编制管理严格控制机构编制的通知》、中华人民共和国国务院令第486号《地方各级人民政府机构设置和编制管理条例》等机构编制政策法规文

机关党建工作规程

中共鄂尔多斯市直属机关工委组织部　编

32开　204页

内容提要：本资料汇编了中国共产党党内工作的章程、条例、规定和办法等，可作为指导和规范市直基层党建工作的工具书，供市直各级党组织或从事党建工作的同志参阅。（其利格尔）

机关档案管理升级材料汇编

内蒙古自治区人民检察院伊盟分院　编

1995年6月

16开　90页

内容提要：本资料汇编了《关于申请晋升自治区一级档案管理的报告》《1994年全盟检察院办公室工作总结》《1994年全盟检察机关档案工作总结》《关于印发〈伊克昭盟检察分院一九九五年档案工作计划〉的通知》等文件。（其利格尔）

机关档案目标管理升级材料汇编

鄂托克旗人民法院　编

1997年10月

16开　140页

内容提要：本资料汇编了《关于晋升自治区档案管理二级标准的申请》《关于印发〈鄂托克旗人民法院一九九七年档案工作计划〉的通知》《鄂托克旗人民法院一九九七年档案工作计划》《鄂托克旗人民法院关于加强档案管理工作的通知》等文件。（其利格尔）

机遇·挑战·对策——西部大开发与鄂尔多斯二次创业的思考

伊盟党委宣传部、伊盟社科联　编

2000年5月

32开　350页

内容提要：本资料包括全盟实施西部大开发战略工作会议上的讲话、抢抓西部大开发的历史机遇、夺取第二次创业的全面胜利、谈经济发展坐标及其运用等内容。（其利格尔）

基层动物疫病防控知识手册

张晓东　主编

鄂尔多斯市兽医工作站　编

2009年10月

64开　123页

内容提要：本资料是村级动物防疫员培训教材，教程内容围绕动物疫病防控中的生物疫苗使用、养殖场户消毒、畜禽标识、养殖档案管理方面的操作技术进行详细介绍，适用于基层动物防疫人员日常工作中参考使用。（其利格尔）

集体合同实用手册

卢明山　主编

伊克昭盟工会　编

1996年

32开　366页

内容提要：本资料分三部分讲述了集体合同的基本理论、有关集体合同的法律、法规和政策汇编成集体合同参考文本，利于调动广大职工的生产积极性，促进企业发展，维护社会稳定。（其利格尔）

集体林权制度改革100问

鄂尔多斯市林业局林改办　编

2016年1月

32开　53页

内容提要：本资料分集体林权制度改革工作概述、林地承包经营、林权登记发证、林权流转、林权抵押担保、林权争议调处公益林管理、其他方面八个部分，汇编了集体林权制度改革100个问题，以此为学习实践科学发展观提供材料。（其利格尔）

计划生育药具知情选择告知书

阿勒腾席热镇卫生和计划生育办公室　编

2005年6月

32开

内容提要：本资料汇编了避孕方法知情选择的内容、合理选择避孕措施、紧急避孕、采取紧急避孕的方法四个方面的内容。（其利格尔）

纪检监察审计文件选编

内蒙古鄂尔多斯市地方税务局　编

2012年5月

32开　246页

内容提要：本资料共选有关纪检监察审计制度、规定26篇，旨在使全盟各级地税领导机关和广大党员干部认真学习，对照党纪法规和各项制度规定要求，严格执纪执法，遵守规章制度，做到自重、自省、自警、自励，反腐倡廉，清正廉洁，既要律人，也要律己，全心全意为人民服务。（其利格尔）

纪念改革开放30周年优秀统战论文汇编

中共鄂尔多斯市委员会统战部　编

2008年

16开　294页

内容提要：本资料共分为八个部分，分别是改革开放与统一战线，参政议政和多党合作，民族、宗教，非公有制经济，统战文化、和谐社会，基层统战，侨务工作，新农村建设等。（荷梅）

纪念中国共产党成立八十周年党的知识竞赛500题

中共伊克昭盟直属机关委员会、中共伊盟盟委党史资料征集办公室　编

2001年4月

32开　90页

内容提要：本资料以选择判断的形式简明扼要地阐述了中国共产党成立80年来三代领导集体的丰功伟绩，80年来的重大事件、重要文献和决定，党的建设的有关知识，"三个代表"重要思想的丰富内涵和当前党的建设方面的热点问题，其中有一部分是伊盟地方党的历

史知识题，有利于伊克昭盟广大党员学习和了解党的历史。（其利格尔）

价格鉴证价格监测工作适用手册

鄂尔多斯市价格认证中心　编
2008年10月
32开　236页

内容提要：本资料汇编了近年来国家、自治区价格主管部门及相关部门先后出台许多涉及价格认证工作的法律、法规、办法、制度，以图文形式展示，以便这些法律法规制度能够在工作中更好地应用，从而在工作中有法可依，有章可循，有制度约束，更好地促进鄂尔多斯市价格认证工作健康有序发展。（其利格尔）

坚持政治引领·提高"两新"活力

中共鄂尔多斯市委组织部　编著
2016年7月
16开　212页

内容提要：本资料分领域、分专题、分栏目展现了近年来鄂尔多斯市在各项组织工作中探索推行的新模式、新举措，取得的部分新经验、新做法，从探索过程到实践尝试，从顶层设计到具体操作，从订立制度到付诸实施，为广大读者深入剖析了市级层面推行的每项重点工作的来龙去脉，以期在今后的工作实践中达到可复制、可推广的功效。（其利格尔）

检察知识手册

伊金霍洛旗人民检察院　编
2011年7月
16开　107页

内容提要：本资料是伊金霍洛旗人民检察院派驻矿区检察室宣传材料，包括伊金霍洛旗人民检察院概况，伊金霍洛旗人民检察院派驻检察室、巡回检察室简介等内容。（其利格尔）

检察知识手册

伊金霍洛旗人民检察院　编
32开　107页

内容提要：本手册主要包括伊金霍洛旗人民检察院简介、概况，职能职权，法律常识，工作规定等相关内容。（其利格尔）

减税降费工作方案及工作手册

国家税务总局鄂尔多斯市税务局减税办　编
2019年3月
16开　77页

内容提要：本资料包括《国家税务总局鄂尔多斯市税务局减税降费工作方案》《国家税务总局鄂尔多斯市税务局减税降费政策执行工作方案》等减税降费各项工作方案、实施减税降费工作组织构架、减税降费工作流程等内容。（其利格尔）

减税降费问题答复汇编（一）

国家税务总局鄂尔多斯市税务局减

税办　编

2019年4月

16开　113页

内容提要：本资料汇编了税收政策类、征管操作类、信息系统类、督查督办类、服务宣传类等区局减税降费问题答复和税收政策类、征管操作类、服务宣传类、信息技术类、统计核算类、深化增值税改革类等总局减税降费问题答复。（其利格尔）

减税降费问题答复汇编（二）

国家税务总局鄂尔多斯市税务局减税办　编

2019年5月

16开　106页

内容提要：本资料汇编了税收政策类、征管操作类、深化增值税改革类、财产行为税统计核算类、降低社会保险费率综合方案30问、减税降费热点问答等总局减税降费问题答复。（其利格尔）

建设工程安全生产管理条例

鄂尔多斯高新技术产业开发区建设局　编

2003年11月

32开　20页

内容提要：本资料汇编了中华人民共和国国务院令（第393号），即2003年11月12日国务院第28次常务会议通过，自2004年2月1日起施行的《建设工程安全生产管理条例》。（其利格尔）

建设工程安全生产管理资料汇编

鄂尔多斯市建筑业协会　编

2018年12月

16开　265页

内容提要：本资料是记录2015—2018年颁布的关于建设工程安全生产管理的通知及方案，并记录了6例发生在中国的生产安全事故。（荷梅）

建设工程文件汇编（1989—1994）

伊克昭盟城乡建设环境保护处　编

1994年8月

32开　176页

内容提要：本资料汇编了22个建筑市场管理方面现行法规和规范性文件以及4个"企业资格审查标准和安全检查评分标准"附件。（其利格尔）

建设社会主义新牧区

中共伊克昭盟委员会办公室、伊克昭盟行政公署办公室　编

32开　193页

内容提要：本资料是为了配合伊盟牧区工作会议而编写的，用于牧区工作的同志阅读学习。资料内容大致反映了伊盟牧区十年改革的概貌，其中所收的调查报告、典型材料从各个不同角度总结了改革牧区和繁荣牧区经济、文化等各项事业的经验，对牧区工作的同志具有一定的参考价值。书中虽反映的是牧区工作，但从改革的角度上看，又能给人以启发，有助于开阔视野。（其利格尔）

健康素养66条

阿勒腾席热镇人民政府、阿勒腾席热镇卫生和计划生育办公室　编

2005年6月

32开　69页

内容提要：本资料为大众健康知识宣传读本，主要汇编了66条健康素养常识。（其利格尔）

讲学习讲政治讲正气教育读本

中共伊克昭盟党委"三讲"教育领导小组办公室　编

2000年2月

32开　176页

内容提要：本资料汇编了1937—1998年毛泽东同志、邓小平同志、江泽民同志的重要讲话，包括《反对自由主义》《纪念白求恩》《整顿党的作风》《一靠理想二靠纪律才能团结起来》等16篇。（其利格尔）

交管12123

鄂尔多斯市公安局交通管理支队　编

2020年8月

32开　15页

内容提要：本资料以图文形式介绍了"交管12123"交通管理APP的安装方式方法、使用方法、注意事项等内容。（其利格尔）

交通运政管理文件

内蒙古伊克昭盟交通运输管理处　编

1998年5月

64开　488页

内容提要：本资料汇编国家、内蒙古自治区、伊克昭盟交通局及盟处关于运输管理方面的法规文件编印成集，目的是帮助有关人员方便查找运输管理的有关法规办法，预防各类违章行为的发生。同时，本汇编将与《机关制度汇编》一起作为内蒙古伊克昭盟交通系统运政人员上岗考试、考核的教材。（其利格尔）

教您如何正确选购食品药品

鄂尔多斯市康巴什区市场监督管理局　编

32开　57页

内容提要：本资料分基本常识、如何选购食材、如何贮存食物、食物安全提示、食物中毒及预防、食品安全常识、药品基本常识七个部分，以图文形式介绍了正确选购食品、药品的相关知识。（其利格尔）

结构转型与城乡统筹50题

中共鄂尔多斯市委党校、中共鄂尔多斯市委政研室　编

2009年5月

32开　68页

内容提要：本资料是为了配合正在开展的学习实践科学发展观活动，大力宣传鄂尔多斯市委二届六次全委会和全市农村牧区工作会议精神，深入推进"结构转型、创新强市"和"城乡统筹、集约发展"新战略的实施而编。内

容紧紧围绕市委二届六次全委会和全市农村牧区工作会议精神，以问答的形式对"两大战略"提出的背景、面临的形势、包含的内容、推进的措施、工作的目标等方面的50个问题进行了解析，以方便广大党员干部学习实践科学发展观、学习实践市委二届六次全委会和全市农村牧区工作会议精神。（其利格尔）

晋升自治区一级档案管理文件汇编

伊金霍洛旗煤炭工业管理局　编

1997年11月

16开　35页

内容提要：本资料汇编了《关于晋升自治区一级档案管理单位的申请》《关于成立档案室的通知》《伊旗煤炭工业管理局1996年档案互作总结》《关于印发〈伊旗煤炭工业管理局1997年档案工作要点〉的通知》《伊旗煤炭工业管理局档案管理制度》等文件。（其利格尔）

就业工作政策汇编

鄂尔多斯市就业局　编

2009年3月

16开　290页

内容提要：本资料汇编了近年来陆续出台的与就业工作密切相关的文件，分为综合工作，失业保险与基金管理工作、职业介绍与培训工作、农牧民转移就业以及小额贷款工作等类别，便于各方更好地查阅、学习及了解掌握各项政策。（其利格尔）

居民防火手册

鄂尔多斯市公安消防支队　编

32开　47页

内容提要：本资料以图文形式宣传了消防安全常识二十条、家庭消防安全常识、灭火常识、十招教会火灾逃生、公共娱乐场所火灾逃生、楼房火灾逃生、人员密集场所火灾逃生、公共汽车火灾逃生、"三合一"场所防火常识等居民防火知识，旨在让居民掌握消防安全知识，共享平安幸福生活。（其利格尔）

举报宣传

鄂尔多斯市人民检察院　编

32开　64页

内容提要：本资料介绍了举报犯罪行为和犯罪嫌疑人的相关事项和知识。（其利格尔）

聚焦伊金霍洛——2017对外宣传报道集锦（第4季度）

中共伊金霍洛旗委员会宣传部外宣科　编

16开　137页

内容提要：本资料汇编了中央级报纸、中央电视台、中央级网站、自治区级报纸、自治区电视台、自治区级网站、《鄂尔多斯市日报》、《鄂尔多斯市晚报》、鄂尔多斯市电视台对伊金霍洛旗改革创新发展的相关报道。（其利格尔）

聚焦伊金霍洛——2019下半年对外宣传报道集锦

中共伊金霍洛旗委员会宣传部、伊金霍洛旗融媒体中心　编

2019年12月

16开　301页

内容提要：本资料共分为五个板块，记录了伊金霍洛旗2019年下半年旗委宣传部围绕重点工作采取多元化、多层次、多角度的宣传体系构建工作的情况。在这些宣传活动中，包括组织了庆祝中华人民共和国成立70周年"不忘初心、牢记使命"主题教育、党的十九届四中全会、高质量发展、生态建设、旅游文化等28次重点采访活动，并收录在各级主流媒体上刊播的1142条新闻，其中包括中央级130条、自治区级168条和市级844条。这些记录旨在为公众提供了解伊金霍洛旗工作情况的重要参考资料。（其利格尔）

聚焦伊金霍洛——2020上半年对外宣传报道集锦

中共伊金霍洛旗委员会宣传部　编

2020年6月

16开　288页

内容提要：本资料分中央级媒体、《内蒙古日报》、内蒙古电视台、《鄂尔多斯日报》、鄂尔多斯电视台五个板块，记录了伊金霍洛旗2020年上半年旗委宣传部围绕重点工作采取多元化、多层次、多角度的宣传体系构建工作，其组织开展的新冠肺炎疫情防控、决胜全面小康；决战脱贫攻坚；复工复产、高质量发展、优化营商环境、旅游文化等21次重点采访活动。包括各级主流媒体刊播新闻稿件1739条，其中中央级媒体为186条。（其利格尔）

聚焦伊金霍洛——2020下半年对外宣传报道集锦

中共伊金霍洛旗委员会宣传部　编

2020年12月

16开　295页

内容提要：本资料分中央级媒体、《内蒙古日报》、内蒙古电视台、《鄂尔多斯日报》、鄂尔多斯电视台五个板块，记录了伊金霍洛旗2020年下半年旗委宣传部围绕重点工作采取多元化、多层次、多角度的宣传体系构建工作，涉及组织开展的决胜全面小康、决战脱贫攻坚、高质量发展、优化营商环境、旅游文化等31次重点采访活动，包括各级主流媒体刊播的新闻稿件1661条，其中中央级媒体为185条。（其利格尔）

决战冰河——杭锦旗抗凌抢险纪实

中共鄂尔多斯市委宣传部　编

2008年

32开　44页

内容提要：本资料记录了杭锦旗在40年不遇的特大凌洪中党政干部、人民群众和部队官兵与洪魔英勇搏斗的战役纪实。这是一场民生的开年大考，也是一曲万众一心、百折不挠的英雄壮歌。（其利格尔）

崛起的鄂尔多斯

　　鄂尔多斯市接待办公室　编

　　内新图准字〔2001〕57号

　　2001年9月

　　32开　95页　25.00元

　　内容提要：本书是2001年撤盟设市庆典的礼物，介绍了鄂尔多斯市和各旗、区、开发区、中直区直企业、市直企业、民营企业、游览景区及酒店、宾馆、招待所的概况，旨在宣传鄂尔多斯，让更多人了解鄂尔多斯。（荷梅）

崛起的星座：鄂尔多斯·大步迈向城市化

　　伊克昭盟建设局

　　内新图准字〔2001〕60号

　　2001年9月

　　32开　480页　38.00元

　　内容提要：本书旨在记述伊盟在"九五"期间大力实施城镇化战略，推进小城镇建设的做法、成果与经验，内容分为决策篇、综合篇、旗市篇、乡镇篇、建设篇、理论篇。（荷梅）

军事设施安全保密法治宣传手册

　　鄂尔多斯市国家保密局　编

　　32开　72页

　　内容提要：本资料为加强国家安全法律法规的普及，着力增强领导干部和广大群众国防意识、法治意识、保密意识和敌情观念而编写。希望通过这本手册对开展《中华人民共和国国防法》《中华人民共和国国家安全法》《中华人民共和国军事设施保护法》《中华人民共和国保守国家秘密法》《中华人民共和国反间谍法》五部法律宣传教育工作能够有所帮助，也希望广大干部群众特别是涉密人员能够通过本手册了解和增长"五法"知识，自觉维护军事设施、周边环境安全。（其利格尔）

康巴什供电分局急修中心简介

　　鄂尔多斯市康巴什供电局　编

　　2007年3月

　　16开　16页

　　内容提要：本资料以图文形式展示了运行检修中心简介、工作人员介绍和职责、荣誉、组织机构等内容。（其利格尔）

康巴什区第二期妇女干部专题培训会议材料

　　鄂尔多斯市康巴什区妇女联合会　编

　　2020年10月

　　16开　21页

　　内容提要：本资料包括《高举习近平新时代中国特色社会主义思想伟大旗帜　团结引领全区各族妇女。为开启全面建设现代化内蒙古新征程而努力奋斗——在内蒙古自治区妇女第十二次代表大会上的工作报告》等有关妇女干部的工作方法和政策解读。（其利格尔）

康巴什区建设美丽乡村整治重点区域环境乱象"百日攻坚专项行动"宣传册

　　中共鄂尔多斯市康巴什区委员会宣传部　编

32开　18页

内容提要：本资料主要包括《鄂尔多斯市农村牧区人居环境治理条例》等内容。（其利格尔）

康巴什区居民安全手册

中共鄂尔多斯市康巴什区委政法委员会、康巴什区社会治安综合治理委员会办公室　编

32开　74页

内容提要：本资料是为了使康巴什区广大居民提升自身安全防范意识、增强日常安全知识而编，内容涵盖安全防范、防火逃生、安全常识、旅游安全、安全驾车、饮食安全、群防群治联络电话等安全常识，以简洁、平实、易懂的语言进行介绍，为广大居民提供了一份贴心的安全行为指南。（其利格尔）

康巴什市民文明手册

康巴什区精神文明建设委员会办公室　编

2017年6月

16开　31页

内容提要：本资料为"创全国文明城市·全区文明城区·做文明有礼鄂尔多斯人"的宣传手册，主要包括创城知识、道德建设、志愿服务、文明知识、市民服务等内容。（其利格尔）

康巴什新区城镇居民基本医疗保险政策解答

康巴什新区社会保险事业管理局　编

2014年1月

32开　20页

内容提要：本资料是为了城镇居民基本医疗保险参保人员了解有关政策并为居民的参保缴费、就医、报销医疗费用而编写，便于参保人员查阅和学习。（其利格尔）

康巴什新区扶持第三产业发展优惠政策及奖励办法

康巴什新区管委会　编

2010年3月

32开　12页

内容提要：本资料包括总则，星级酒店扶持政策，综合商贸流通业扶持政策，文化、卫生、教育、体育产业扶持政策，文博会展、文艺演出扶持政策，生活类服务业扶持政策，其他扶持政策六个部分。（其利格尔）

康巴什新区共青团工作汇编手册（文件汇编）

康巴什新区群团工作部　编

2016年7月

16开　466页

内容提要：本资料内容分为三个部分：第一部分是共青团中央相关工作文件，第二部分是共青团内蒙古自治区委员相关工作文件，第三部分是共青团鄂尔多斯委员相关工作文件。（嘎拉贝日汗）

康巴什新区农村土地承包经营权确权登记颁证和草原确权承包工作宣传手册

康巴什新区农村土地承包经营权确权登记颁证和草原确权承包工作领导小组办公室　编

2015年3月

32开　9页

内容提要：本资料包括农村土地承包经营权确权登记颁证和草原确权承包的法律法规，农村土地承包经营权确权登记颁证、草原确权承包的基本原则等。（其利格尔）

康巴什新区外宣手册

康巴什新区党群工作部　编

2011年3月

42开　229页

内容提要：本资料分康巴什新区简介、成就、亮点、目标四个部分，对康巴什新区相关情况进行了详细介绍。（其利格尔）

康巴什政泰驾校机动车驾驶人科目一理论学习资料

康巴什政泰驾校　编

32开　124页

内容提要：本资料为康巴什政泰驾校给机动车驾驶人考试编写的参考资料，主要包括机动车驾驶人考试题库和康巴什政泰驾校机动车驾校相关信息。（其利格尔）

科技创新CEO特训营·鄂尔多斯学员手册

科技部科技人才交流开发服务中心、鄂尔多斯市人才工作领导小组、鄂尔多斯市科学技术局、科技领军人才创新驱动中心　编

2020年9月

16开　170页

内容提要：本资料包括科技创新CEO特训营温馨提示、科技创新CEO特训营·鄂尔多斯学员人员名单、授课安排、导师介绍、学习课件、鄂尔多斯市科技创新创业政策选编、记录栏等内容。（其利格尔）

科技创新成果汇编（2012—2014年度）

神东煤炭集团公司　编

2014年11月

16开　254页

内容提要：本资料以图文形式展示了2012—2014年神东煤炭集团的52项科技创新成果。（其利格尔）

科技创新政策汇编

苏贵保　主编

《科技创新政策汇编》编委会、伊金霍洛旗科学技术局宣　编

2017年4月

16开　204页

内容提要：本资料汇编了相关科技创新的伊金霍洛旗优惠政策、鄂尔多斯市优惠政策、内蒙古自治区优惠政策法规、国家级优惠政策法规等科技创新政

科技干部技术职称文件汇编（第一集）

伊克昭盟科学技术委员会科技干部管理科　编

1981年11月

16开　85页

内容提要：本资料汇编了《伊克昭盟行政公署批转〈盟科委关于认真做好科技干部技术职称复查、套改和晋升工作的报告〉的通知》《伊克昭盟技术职称评定领导小组关于科技干部技术职称复查、套改和晋升工作的几点具体实施意见》《内蒙古科委、经委、建委、国防工办关于我区贯彻执行国务院〔1979〕279号文件精神的通知》等科技干部技术职称文件。（其利格尔）

科技兴盟文件汇编（之一）

伊克昭盟科学技术局　编

1996年2月

32开　85页

内容提要：本资料汇编了1995年11月召开的伊克昭盟科教兴盟大会制定的《关于实施科教兴盟战略加速科学技术进步的决定》等文件，以及盟领导讲话，旗市及部分企业领导发言等内容。（其利格尔）

科学发展·和谐发展·共同创造美好的明天·幸福的生活

伊金霍洛旗"富民五送、服务三农"活动领导小组办公室　编

2005年4月

32开　44页

内容提要：本资料汇编了伊金霍洛旗农村牧区形势政策宣传教育提纲《科学发展·和谐发展·共同创造美好的明天·幸福的生活》、伊金霍洛旗发展肉羊产业宣传提纲《念肉羊经·发肉羊财》等伊金霍洛旗"富民五送、服务三农"活动内容。（其利格尔）

科学理论进万家　兴旗富民达小康——伊金霍洛旗农牧民理论教育教材

伊旗党委宣传部　编

1999年4月

32开　118页

内容提要：本资料为伊金霍洛旗农牧民理论教育教材，主要包括清思路展宏图、掌握致富金钥匙、科学理论结硕果三个部分，对社会主义市场经济理论大学习、大讨论等内容进行编写，并介绍了各行各业在发展农牧业产业化中的地位、作用和应用，展示了伊金霍洛旗几年来在文明建设中所取得的丰硕成果。（荷梅）

会计法规选编

伊克昭盟财政处　编

1989年9月

32开　71页

内容提要：本资料为会计相关法规汇编，主要收录了1989年来全国人大常委会、国务院和财政部发布的有关会计法规和文件，以便广大财会人员在实际

矿政管理文件汇编

鄂尔多斯市国土资源局　编

2012年5月

16开　307页

内容提要：本资料分国务院及国土资源部有关文件、内蒙古自治区人民政府及国土资源厅有关文件、鄂尔多斯市人民政府有关文件三部分，汇编了矿政管理工作中常用的规范性矿政管理文件，旨在加强和提高鄂尔多斯市国土资源系统矿政管理工作效率，进一步提高矿政管理工作人员的法律水平和业务素质。（其利格尔）

蓝色风景线

鄂尔多斯市税务局　编

2015年8月

32开　267页

内容提要：本资料是鄂尔多斯市国税系统先进集体先进工作者事迹选编，以丰富翔实、典型生动的内容，记录了战斗在税收一线的群体及个人辛勤工作、努力拼搏的感人事迹，颂扬了他们全心全意为人民服务、敬业爱岗、依法行政、清正廉洁、无私奉献的高尚品质和优良作风，展示了全市国税系统精神文明建设成果，对各地深入开展文明创建活动具有很强的指导性和示范作用。（其利格尔）

劳动和社会保障政策法规选编（一）

伊化化学有限公司人力资源部　编

1999年8月

32开　434页

内容提要：本资料选入了自《中华人民共和国劳动法》颁布实施以来，国家和内蒙古自治区发布的有关劳动和社会保障方面的配套法规和办法，内容分为七个部分：综合谈，劳动力管理和就业，工资、社会保险与福利，职业技能开发，职业安全卫生，劳动争议及其他。（其利格尔）

老年消费教育指导手册

鄂尔多斯市市场监督管理局鄂尔多斯市消费者协会　编

2019年

32开　92页

内容提要：本资料主要围绕与老年消费者密切相关的医疗保健、投资理财、旅游出行、养老生活等消费领域的突出问题，结合侵犯老年消费者权益的典型案例或消费陷阱等，分保健食品篇、金融理财篇、旅游出行篇、养老生活篇四个层面进行了分类编辑，以此提醒老年消费者增强风险防范和自我保护意识。（其利格尔）

理论学习要点（1997年）

伊盟党委大学习大讨论办公室、伊盟党委讲师团　编

1997年4月

32开　29页

内容提要：本资料概括了党的十四届六中全会、自治区党委六届四次全委

会议及盟委扩大会议精神，阐述了当前和今后一个时期我盟经济社会发展和两个文明建设的目标和任务、方针政策和工作思路，并指出了当年开展社会主义市场经济理论大学习大讨论的工作任务和基本要求。（嘎拉贝日汗）

理论学习要点（1998年）

  伊盟党委宣传部、伊盟党委组织部、伊盟党委讲师团　编

  1998年4月

  32开　58页

  内容提要：本资料重点突出了党的十五大精神，并对其中的思想理论新突破做了简明扼要的阐释，同时概括了自治区党委六届六次全委扩大会议和盟委扩大会议精神，指出了当前和今后一个时期伊盟经济社会发展的目标、方针政策和工作思路。（其利格尔）

理论学习要点（1999年）

  伊盟党委大学习大讨论办公室、伊盟党委讲师团编　编

  1999年3月

  32开　56页

  内容提要：本资料采取问答形式，重点对《建设有中国特色社会主义若干理论问题学习纲要》中的思想理论观点、"三讲"教育内容、十五届三中全会、内蒙古自治区党委六届七次全会和盟委扩大会议精神、党的民族政策等内容做了简明扼要的概括。（荷梅）

理论、时事知识问答

  伊盟盟委宣传部伊盟党委考核办、伊盟党委讲师团　编

  2000年3月

  32开　55页

  内容提要：本资料紧紧围绕伊克昭盟委扩大会议提出的"翻两番"，推进"二化三新六突破"进行第二次创业的新思路，把以解放思想为主题的大学习大讨论深入持久地开展下去，引导全盟广大党员、干部思想再次大解放，观念再次大转变而编写。资料对中央经济工作会议和西部大开发战略部分、盟委扩大会议和全盟经济工作会议部分、世贸组织、知识经济等方面的知识用问答形式做了简要介绍。（其利格尔）

历史经验的价值与现实举措的启示——鄂尔多斯市"十二五"与"十三五"的若干问题评析

  唐雷　主编

  内蒙古人民出版社

  ISBN 978-7-204-15482-1

  2018年7月

  16开　264页　32.00元

  内容提要：本书分别从产业经济、社会民生、生态建设、改革开放、文化建设、民族工作和党的建设七个方面对鄂尔多斯市的"十二五"进行梳理和总结，并在此基础上对鄂尔多斯市的"十三五"时期发展提出建议和参考。（荷梅）

《联合国防治荒漠化公约》第十三次缔约方大会鄂尔多斯市筹备工作委员会制度汇编

鄂尔多斯市筹委会办公室　编

2017年4月

64开　81页

内容提要：本资料汇编了公文处理制度、涉密文件管理制度、会议制度、信息报送制度等内容。（其利格尔）

《联合国防治荒漠化公约》第十三次缔约方大会服务指南

《联合国防治荒漠化公约》第十三次缔约方大会鄂尔多斯市筹备工作委员会办公室　编

2017年8月

32开　85页

内容提要：本资料以图文形式介绍了《联合国防治荒漠化公约》第十三次缔约方大会服务指南、鄂尔多斯风情、鄂尔多斯旅游、鄂尔多斯食物、鄂尔多斯购物、鄂尔多斯出行锦囊等内容。（其利格尔）

《联合国防治荒漠化公约》第十三次缔约方大会鄂尔多斯市筹备工作委员会工作人员电话号码簿

鄂尔多斯市筹委会办公室　编

2017年7月

64开　40页

内容提要：本资料收录了鄂尔多斯市筹备工作委员会办公室及各专项工作组专职负责人、联络员及工作人员常用电话号码。（嘎拉贝日汗）

《联合国防治荒漠化公约》第十三次缔约方大会鄂尔多斯市筹备工作委员会食品安全保障监管工作手册

鄂尔多斯市筹备工作委员会食品安全保障组、鄂尔多斯市食品药品监督管理局　编

2017年8月

16开　214页

内容提要：本资料主要包括《食品药品安全保障工作方案》《食品安全突发事件应急预案》《食品药品安全保障各工作组组织机构及工作方案》以及食品药品安全保障驻点及工作人员、东胜区接待酒店基本信息表、伊金霍洛旗接待酒店基本信息表等《联合国防治荒漠化公约》第十三次缔约方大会鄂尔多斯市筹备工作委员会食品安全保障监管工作内容。（其利格尔）

《联合国防治荒漠化公约》第十三次缔约方大会交通安保工作纪实

鄂尔多斯市公安局交通管理支队　编

2017年9月

12开　80页

内容提要：本资料为《联合国防治荒漠化公约》第十三次缔约方大会交通安保工作纪实，主要体现了2017年《联合国防治荒漠化公约》第十三次缔约方大会在鄂尔多斯市举行期间，鄂尔多斯市公安局交管支队在上级公安机关的领导下，通过精细组织、全警投入、担当

尽责等积极措施，成功完成了会议期间的交通安保任务，确保了国家领导人、部长级嘉宾与会人员的交通出行安全，以及社会面交通安全形势的稳定，为全市成功举办国际盛会创造了一流的道路交通环境等具体工作内容。（其利格尔）

《联合国防治荒漠化公约》第十三次缔约方大会服务人员培训学习手册

本会议组　编
2017年9月
64开　178页

内容提要：本资料包括涉外人员基本条件和守则、保密与安全、涉外安全常识与突发事件的应对、国际礼仪及宗教习俗、中国与非洲的政治和经济关系、中国与非洲的历史及非洲国家的传统文化习俗、中国与阿拉伯国家的历史及伊斯兰教的文化习俗、国旗知识、中国文化自信、大会情况介绍、会场服务及会议流程，以及附录一讲师介绍、附录二《联合国防治荒漠化公约缔约方信息表》等联合国防治荒漠化公约第十三次缔约方大会服务人员培训学习内容。（其利格尔）

廉洁风险防控手册

电业局纪委监察处　编
2017年12月
16开　66页

内容提要：本资料汇编了廉洁风险防控综述，综合管理领域、安全生产管理领域、计划管理领域、市场营销管理领域、经营管理领域、人力资源管理领域、工程建设管理领域等各管理专业领域廉洁风险防控表单等内容。（其利格尔）

廉政法规知识竞赛学习读本

中共鄂尔多斯市纪委宣传教育室　编
中国方正出版社
ISBN 978-7-80216-995-1
2013年5月
16开　194页　32.00元

内容提要：本书由11套习题组成，前10套习题围绕10部廉政法规命题，第11套习题为纪检监察综合知识习题。11套习题均有填空、选择和简答三种命题方式。附录收录10部廉政法规原文，以便于党员、干部更好地学习掌握其要点和基本精神，是一本非常适合党员、干部学习的廉政教育读本。（其利格尔）

"两学一做"——鄂尔多斯在行动（经验做法篇）

鄂尔多斯市"两学一做"学习教育协调小组　编
2016年9月
16开　258页

内容提要：本资料从党政机关、窗口服务单位、农村牧区、城镇社区、国有企业、非公有制经济组织和社会组织、高校与教育系统、卫生计生行业、开发区（园区）等各层面各领域有代表性地选编了部分党组织的经验做法，旨在充分发挥典型示范引领作用，进一步推动学习教育深入开展。（其利格尔）

"两学一做"——鄂尔多斯在行动（党课讲稿篇）

鄂尔多斯市"两学一做"学习教育协调小组　编

2016年9月

16开　413页

内容提要：本资料选编鄂尔多斯市四大班子主要领导、市委各常委、各旗区委书记和部分市直部门领导干部、基层党组织书记的党课讲稿，供广大党员干部学习，以进一步巩固"两学一做"专题党课成果。（其利格尔）

亮丽风景线上的璀璨明珠　转型发展再铸辉煌——《鄂尔多斯日报》贯彻落实市委三届五次全委会精神报道选编

《鄂尔多斯日报》编委会　编

2014年

16开　530页

内容提要：本资料选编鄂尔多斯市委三届五次全委会的相关报道。主要从舆论引导、深度综述、思路探究、旗区回音到一线见闻，以不同的题材和各异的体裁呈现出了客观的见证、新鲜的信息、理性的思考和温情的事实，让市委三届五次全委会精神实质延伸得更长、扎得更深，为全市上下提振信心、凝心聚力、激发活力、推动发展注入了源源不断的正能量。（其利格尔）

"两学一做"平台操作手册

中共伊金霍洛旗委组织部党员教育中心　编

2017年9月

32开　126页

内容提要：本资料为"两学一做"平台操作详细说明。"两学一做"平台分为手机APP、党员使用PC端、PC管理端。（其利格尔）

《两学一做思悟践》鄂尔多斯市纪委监委派驻市科技局纪检监察组在新闻媒体上发表文章汇编

鄂尔多斯市纪委监委派驻市科技局纪检监察组　编

2019年3月

16开　385页

内容提要：本资料是鄂尔多斯市纪委监委派驻市科技局纪检监察组在新闻媒体上发表文章的汇编，其中包括各项活动纪要、座谈会、谈话、会议等内容。（嘎拉贝日汗）

林业法律知识手册

鄂尔多斯市林业局　编

内新图准字〔2001〕54号

2001年12月

32开　193页

内容提要：本资料选编了涉及造林绿化、防沙治沙、林木种苗、资源林政、病虫害防治检疫、野生动植物保护、森林草原防火、森林公安等方面的法律、法规、规章、适用性文件等内容，采取一问一答的形式，共计343题，约12.7万字。（其利格尔）

林业生态建设宣传手册

　　伊金霍洛旗林业局　编
　　2016年1月
　　32开　160页
　　内容提要：本资料分林业概况、"十二五"林业发展思路、林业生态绿化工程简介、森林草原防火、森林病虫害防治、林木种苗管理、林地征占用、营林造林、天保生态工程九个部分，对伊金霍洛旗林业生态建设情况进行宣传。（其利格尔）

领导干部报告个人有关事项指导手册

　　中共鄂尔多斯市委组织部　编
　　2017年4月
　　32开　16页
　　内容提要：本资料内容包括《领导干部报告个人有关事项提醒函》《领导干部报告个人有关事项规定》《领导干部个人有关事项报告查核结果处理办法》《致领导干部的一封公开信》等。（其利格尔）

领导干部个人有关事项填报指南

　　鄂尔多斯市委组织部干部监督处　编
　　2017年4月
　　32开　23页
　　内容提要：本资料说明了领导干部个人有关事项填报总要求、报告表封面、报告人基本情况等领导干部个人有关事项填报规范要求和指导。（其利格尔）

领导干部网络舆情工作指南

　　中共伊金霍洛旗委员会宣传部　编
　　2017年3月
　　32开　58页
　　内容提要：本资料主要记录领导干部应对网络舆情的态度、计策、方法、网络舆情事件分析和相关规定。（其利格尔）

领导讲话及税务经验材料汇编

　　付新民　编著
　　伊金霍洛旗地方税务局　编
　　2004年
　　32开　345页
　　内容提要：本资料内容包括综合性材料、税务系统材料，以及讲话精神与工作经验材料，目的在于指导和帮助全旗地税系统干部深入思考与研究自身工作，从而紧紧围绕地方政府发展稳定的大局，立足全局，服务中心，借鉴其他地方的税务工作经验，促进自我发展。（其利格尔）

领导讲话及税务经验材料汇编（二）

　　伊金霍洛旗地方税务局　编
　　32开　220页
　　内容提要：本资料汇编《求真务实　与时俱进　努力实现地税系统党风廉政建设工作新进步——高虎社纪检组长在全市地税工作暨党风廉政建设工作会议上的讲话》等领导讲话及税务经验材料。（其利格尔）

留守儿童健康教育

阿勒腾席热镇人民政府、阿勒腾席热镇卫生和计划生育办公室 编

2019年8月

32开

内容提要：本资料主要包括留守儿童如何注意合理饮食、保护牙齿、睡眠卫生、儿童保健、预防手足口病、运动对健康的影响、自觉做好"十不"、预防甲流的小诀窍、七步洗手法、近视原因等儿童健康知识。（其利格尔）

露天煤矿安全培训教材

吴海云 主编

2011年3月

32开 153页

内容提要：本资料为露天煤矿安全培训教材，主要从露天煤矿工作所应注意的安全问题入手，旨在从各个方面给作业人员提供安全培训。（其利格尔）

论文成果汇编（人文社会科学版）（第一卷）

刘松 主编

鄂尔多斯职业学院 编

2014年12月

16开 365页

内容提要：本资料汇编了自鄂尔多斯职业学院转型高等职业教育后至2014年11月期间广大教师发表的优秀学术论文成果，共计169篇，其中期刊论文145篇、会议论文24篇、软科学研究成果13篇，入编论文包括获得地厅级以上成果奖励的论文26篇，获SCIE、EI等收录的论文18篇。这些成果充分展示了学院广大教师的学术专长与研究潜力，也是对学院已有科研工作成绩的总结与肯定。（其利格尔）

旅游工作手册

伊金霍洛旗文化和旅游局 编

2011年12月

16开 285页

内容提要：本手册包括旅游行政处罚程序、旅游行政执法依据、《导游人员管理条例》、《导游人员管理实施办法》、《出境旅游领队人员管理办法》、《旅行社条例》、《旅行社条例实施细则》、《旅行社质量保证金赔偿试行标准》等内容。（其利格尔）

绿色之光——鄂尔多斯林业生态建设聚焦

鄂尔多斯市林业局 编

16开 252页

内容提要：本资料为一本画册，分为关怀、建设、保护、产业、和谐五个部分，是鄂尔多斯林业生态建设情况的聚焦，全景式展现了鄂尔多斯林业生态建设光辉历程，借影像印证历史，以历史注解影像，既镌刻了林业建设者的不朽功绩，也折射出鄂尔多斯人多年来治理生态的执着探索。（其利格尔）

蒙泰·2018鄂尔多斯国际马拉松官方手册

鄂尔多斯国际马拉松组委会 编

2018年

16开　50页

内容提要：本资料为蒙泰·2018鄂尔多斯国际马拉松赛事指南，以图文形式介绍了本次国际马拉松赛事竞赛规则、赛事亮点、特色活动等，也附加了本届赛事的赞助商、合作媒体等信息。（其利格尔）

面向新世纪再创新优势——盟委扩大会议精神学习资料汇编

中共伊克昭盟委办公室　编

1999年9月

32开　198页

内容提要：本资料汇编了雷额尔德尼同志在全盟经济工作暨盟行署2000年第一次全体会议上的讲话《抢抓机遇　优化结构　把持续快速发展的鄂尔多斯推向新世纪》、云峰同志在盟行署2000年第二次全体会议上的讲话《贵在真抓　重在落实》，以及伊克昭盟委扩大会议精神学习资料，第二次创业几个重点问题解释等资料。（其利格尔）

民族团结进步创建工作知识问答手册

鄂尔多斯市创建全国民族团结进步创建工作领导小组办公室　编

2018年7月

32开　32页

内容提要：本资料分民族知识常识、民族理论政策、民族团结进步创建知识三个部分，汇编了民族团结进步创建工作知识。（其利格尔）

民族团结宣传册

康巴什区民族宗教事务局　编

32开　26页

内容提要：本资料汇编了民族团结进步创建的重要意义，民族平等、民族团结进步创建的内涵，四个认同，解决民族的"八个坚持"，《中华人民共和国民族区域自治法》，我国民族政策的主要内容，《内蒙古自治区民族教育条例》等内容。（其利格尔）

民族宗教蒙古语文工作文件汇编

鄂尔多斯市民族事务委员会　编

2008年3月

16开　151页

内容提要：本资料汇编了《胡锦涛总书记在内蒙古考察工作结束时的讲话》《曾庆红在内蒙古自治区成立60周年庆祝大会上的讲话》《回良玉在全国宗教工作系统表彰大会暨2008年全国宗教工作会议上的讲话》《李德洙在全国民委主任会议上的讲话》等民族宗教蒙古语文工作文件。（其利格尔）

民族宗教蒙古语文工作文件汇编

鄂尔多斯市民族事务委员会　编

2009年3月

16开　123页

内容提要：本资料汇编了《贾庆林在全国民族工作座谈会上的讲话（摘要）》《杨晶在全国民委主任会议上的讲话（摘要）》《刘新乐在首届乌兰夫蒙古语言文字奖表彰大会上的讲话》

《刘新乐在全区民族宗教和蒙古语文工作会议上的讲话》等民族宗教蒙古语文工作文件。（其利格尔）

民族宗教蒙古语文工作文件汇编

鄂尔多斯市民族事务委员会　编
2010年3月
16开　67页
内容提要：本资料汇编了《胡锦涛在国务院第五次全国民族团结进步表彰大会上的讲话》《李长春在会见全国少数民族文化工作会议代表讲话（摘要）》《回良玉在国家民委委员全体会议上的讲话（摘要）》等民族宗教蒙古语文工作文件。（其利格尔）

民主生活会会前集中学习暨党组中心组第1次集中学习资料汇编（2020年度）

中共伊金霍洛旗总工会党组　编
2021年1月
16开　148页
内容提要：本资料汇编了《中共中央政治局召开民主生活会》《习近平总书记在省部级主要领导干部学习贯彻党的十九届五中全会精神专题研讨班开班式上发表的重要讲话》《习近平总书记在全国抗击新冠肺炎疫情表彰大会上的讲话》等12篇学习内容。（其利格尔）

明码标价手册

伊克昭盟物价检查所　编
32开　19页
内容提要：本资料汇编了《价格违法行为行政处罚规定》《国家发展计划委员会关于商品和服务实行明码标价的规定》《内蒙古自治区发展计划委员会关于商品和服务实行明码标价的实施细则》《伊克昭盟明码标价监制办法》等文件。（其利格尔）

美丽中国·全民环保宣传手册

鄂尔多斯市环境保护局、康巴什区环境保护局　编著
32开　25页
内容提要：本资料分美丽中国之普篇解读、美丽中国之生态文明、美丽中国之绿水青山就是金山银山、美丽中国之我是行动者四个部分，整体宣传了建设美丽中国的重要性、政策、方式和意义。（其利格尔）

内蒙古白绒山羊种羊场

中共苏布尔嘎镇委员会、苏布尔嘎镇人民政府　编
2007年1月
32开　38页
内容提要：本资料为内蒙古白绒山羊种羊场宣传册，主要包括内蒙古白绒山羊种羊场简介、阿尔巴斯白绒山羊简介、肉用羊品种简介、先进技术等。（其利格尔）

内蒙古鄂托克旗综合农业区划

伊克昭盟农业综合区划小组办公室　编
1986年6月

32开

内容提要：本资料主要汇编了鄂托克旗农业特征，综合分析评价各种自然资源和经济条件，研究和调整生产布局，建立合理的经济结构，研究农业技术改革措施等方面的数据资料。（荷梅）

内蒙古鄂托克前旗水质评价一览表

鄂托克前旗水利水保局　编
1986年9月
16开

内容提要：本资料主要收录了鄂托克前旗河流、湖泊、水库、沼泽、潮汐河口等方面的评价表。（荷梅）

内蒙古乌审旗图克镇

鄂尔多斯市乌审旗图克镇人民政府　编
2007年8月
16开　24页

内容提要：本资料用蒙汉双语介绍了图克镇，并以图文形式展示了图克镇的丰富资源、工业、农牧产业、民俗风情等内容。（其利格尔）

内蒙古县域经济发展的数量化探析与展望

包俊臣　著
内蒙古人民出版社
ISBN 978-7-204-08969-7
2007年10月
16开　1692页　380.00元

内容提要：本书对内蒙古69个旗县的发展状况进行数量化探析，按照《内蒙古统计年鉴》的出版时间，本书所采用的数据截至2005年底。本书对内蒙古69个旗县经济发展进行了综合分析和分别探析与展望，采用理论分析与实证分析、系统分析与比较分析相结合的研究方法，对加快形成优势明显、规模较大、特色鲜明的特色经济，走出一条适合内蒙古县域经济实际的可持续发展方式具有较高的实践价值。（其利格尔）

内蒙古自治区1995年工业普查资料汇编（伊盟卷）

刘旺林　主编
伊克昭盟第三次工业普查办公室　编
1998年10月
16开　1181页

内容提要：本资料汇编伊克昭盟第三次工业普查汇总的225个表格。同时，为了便于各级领导了解和掌握伊克昭盟各地区的工业经济状况和企业基本情况，资料中还增加了地区基本情况和企业基本情况的内容，供各级党政领导和有关部门参考使用。（嘎拉贝日汗）

内蒙古自治区安全生产条例

康巴什区安全生产监督管理局　编
2017年6月
32开　20页

内容提要：本资料收录《内蒙古自治区安全生产条例》（2005年5月27日内蒙古自治区第十届人民代表大会常务委员会第十六次会议通过；2017年5月26日

内蒙古自治区第十二届人民代表大会常务委员会第三十三次会议修订）全文。（其利格尔）

内蒙古自治区促进民族团结进步条例

中共鄂尔多斯市委员会统一战线工作领导小组办公室　编

2021年5月

32开　51页

内容提要：本资料用蒙汉双语的形式收录了《内蒙古自治区促进民族团结进步条例》全文。（其利格尔）

内蒙古自治区档案局文件

内蒙古自治区档案局　编

内档发〔2004〕8号

2004年2月

16开　56页

内容提要：本资料是关于印发全区档案工作暨表彰先进会议的相关通知文件。（嘎拉贝日汗）

内蒙古自治区第二届蒙商大会金融服务实体经济高质量发展政金企推进会发言材料汇编

内蒙古自治区人民政府、鄂尔多斯市人民政府、内蒙古自治区金融工作办公室　编

2018年8月

16开　52页

内容提要：本资料汇编了内蒙古自治区人民政府金融工作办公室、中国人民银行呼和浩特中心支行、内蒙古自治区科技厅、内蒙古自治区经济和信息化委员会、中国农业银行内蒙古分行、内蒙古银行、中国人保财险内蒙古分公司、内蒙古财信投资集团有限公司、内蒙古庆源绿色金融资产管理有限公司、内蒙古伊泰集团有限公司、内蒙古土豆集团农业科技公司、内蒙古湖北商会、内蒙古股权交易中心等部门、金融机构、企业在内蒙古自治区第二届蒙商大会金融服务实体经济高质量发展政金企推进会上的发言材料。（其利格尔）

内蒙古自治区第二届蒙商大会金融服务实体经济高质量发展政金企推进会政策汇编

内蒙古自治区人民政府、鄂尔多斯市人民政府、内蒙古自治区金融工作办公室　编

2018年8月

16开　350页

内容提要：本资料汇编了内政发〔2017〕22号《内蒙古自治区人民政府关于构建绿色金融体系的实施意见》、内政办发〔2018〕44号《内蒙古自治区人民政府办公厅关于印发自治区推进企业上市挂牌三年实施计划（2018—2020年）的通知》、发改财金〔2018〕152号《关于市场化银行债权转股权实施中有关具体政策问题的通知》等2017年自治区相关金融政策、2018年自治区相关金融政策、近期国家部委出台的重要金融政策文件。（其利格尔）

内蒙古自治区鄂尔多斯市第一次全国污染源普查技术报告

内蒙古自治区鄂尔多斯市污染源普查办公室　编

2009年7月

16开　108页

内容提要：本资料分鄂尔多斯概况、普查工作概况、普查的技术路线和方法、清查单位及普查对象的确定、普查质量保证、普查结果与分析、主要结论七个部分。（其利格尔）

内蒙古自治区节约用水条例

内蒙古自治区人大常委会法制工作委员会　主编

伊金霍洛旗水利局　编

2012年10月

32开　14页　3.00元

内容提要：本资料主要包括《内蒙古自治区第十一届人民代表大会常务委员会公告》《内蒙古自治区节约用水条例》。（嘎拉贝日汗）

内蒙古自治区伊金霍洛旗2010年人口普查资料

伊金霍洛旗统计局　编

2010年

16开　392页

内容提要：本资料分为三个部分。第一与第二部分是伊金霍洛旗人口数据，包括普查表短表、长表的内容，反映了全旗人口的基本状况及人口各种结构情况，分17卷；第三部分是附录，主要是普查的有关规定和技术文件。（其利格尔）

内蒙古自治区伊金霍洛旗国民经济统计资料汇编（1949—1962）

伊金霍洛旗统计局　编

1966年2月

64开　173页

内容提要：本资料汇编1949—1962年伊金霍洛旗国民经济统计资料，内容包括概况，农业，工业，交通，邮电，基本建设，物资，商业，劳动工资，财政金融，教育卫生等。（嘎拉贝日汗）

内蒙古自治区伊金霍洛旗农牧业生产统计资料汇编（1968—1970）

伊金霍洛旗生产建设指挥部计统组　编

1971年5月

32开　719页

内容提要：本汇编包括1969—1970年农牧业生产统计年报资料，1968年、1969年农牧业生产统计夏季普查资料。（嘎拉贝日汗）

内蒙古自治区伊克昭盟达拉特旗土壤

伊克昭盟土壤普查办公室　编

1983年10月

16开　134页

内容提要：本资料系达拉特旗土壤普查试点的成果之一，共分七章，综合概述了达拉特旗自然条件状况及活动对土壤发生发育的影响，重点论述了各类土壤的生成、发育过程、特征及其分类

和分布，评述了土壤肥力状况和生产性能，并在此基础上进行了各类型土壤的数量统计和质量评述。（嘎拉贝日汗）

内蒙古自治区伊克昭盟第三次人口普查资料汇编

伊克昭盟人口普查办公室　编
1984年3月
16开　127页

内容提要：本资料精选第三次人口普查伊克昭盟的资料，内容分为综合类（包括民族），年龄类，文化程度类，行业、职业类，家庭婚姻类，家庭规模类，生育、死亡类等。（荷梅）

内蒙古自治区伊克昭盟毛乌素沙地农牧业资源调查及区划

伊克昭盟农牧业区划办公室　编
内蒙古人民出版社
ISBN 7-204-00580-5
1989年
16开　156页　7.00元

内容提要：本书包括农牧业综合区划、农牧业气候资源调查及区划、土地资源调查、土地风蚀沙化调查与改造四部分内容。（其利格尔）

内蒙古自治区伊克昭盟农业环境质量报告书（初报）

伊盟农业处　编
1987年12月
16开　85页

内容提要：本资料是按照内蒙古自治区农委、农业环境监测站的要求，在伊克昭盟有关单位的大力协助下编写的实地调查研究和采样分析报告书，旨在为伊克昭盟农业环境质量的改善和农业的可持续发展提供有益的参考和启示。（嘎拉贝日汗）

内蒙古自治区伊克昭盟伊金霍洛旗第三次人口普查手工汇总资料汇编

伊金霍洛旗人口普查办公室　编
1982年10月
16开　94页

内容提要：本资料汇编了伊金霍洛旗行政区划表总人口及其增长状况，总户数、总人口数，性别比例，家庭户与集体户的总户数和总人口数，1981年人口自然变动情况，各民族人口、各种文化程度人口数，每千人拥有的小学以上文化程度人口数，常住人口的户口登记状况等内蒙古自治区伊克昭盟伊金霍洛旗第三次人口普查手工汇总资料。（其利格尔）

凝心聚力　转型发展　创新创业　再铸辉煌　把鄂尔多斯建成祖国北疆亮丽风景线上的璀璨明珠——市委三届五次全委（扩大）会议精神解读

中共鄂尔多斯市委组织部、中共鄂尔多斯市委党校　编
2014年8月
16开　74页

内容提要：本资料共分三个部分：第一部分收录了全委（扩大）会议公报；第二部分收录了《鄂尔多斯日报》

评论员文章；第三部分收录了鄂尔多斯市委党校老师撰写的系列解读文章。（其利格尔）

农民工应了解的60种职业病及预防常识

伊金霍洛旗就业服务局　编

2005年8月

32开　347页　30.00元

内容提要：本资料是以安全生产为主的预防常识书。主要包括职业病的一般常识、生产性粉尘和尘肺病及预防、生产性毒物和职业中毒及预防、物理危害因素所致职业病及预防、职业肿瘤和职业性传染病及预防、职业性皮肤病与职业性眼病及预防、职业卫生事故预防与应急处理、个体防护用品及使用要求、职业病的工伤认定与维权等内容。（其利格尔）

农民进城就业100问（农民务工培训读本）

伊金霍洛旗劳动就业服务局　编

2004年6月

32开　44页

内容提要：本资料以问答形式设置了有关基本政策、法律法规、职业培训与找工作、打工与劳动合同、工资与劳动时间、社保与劳动安全、工伤与抚恤待遇、劳动争议处理等方面的100个问题，并附有关进城务工农民政策、法律、法规文件目录，各省、自治区、直辖市及重点城市公共职业介绍机构，各省、自治区、直辖市及重点城市劳动保障厅（局）劳动保障监察举报电话。（其利格尔）

农牧民法律知识读本

伊金霍洛旗依法治旗领导小组办公室　编

2015年9月

32开　112页

内容提要：本资料从公民的基本权利和义务、土地承包、征地补偿与房屋宅基地、生产经营、婚姻家庭、农牧民维权、信访、刑事法律、治安管理13个方面，深入浅出地介绍了农村牧区生产生活中实用的法律法规，希望广大农牧民认真学习，深刻领会，不断提高自己的法律素质和法治意识，依法维护自身的合法权益。（其利格尔）

农牧民工引导性培训读本

伊金霍洛旗就业服务局　编

2010年10月

32开　84页

内容提要：本资料为农牧民工引导性培训读本，主要包括国务院下达的切实做好农民工工作的通知、指导意见，促进就业的意见，就业、创业、维权方面的知识。（其利格尔）

农牧民实用法律知识读本

伊克昭盟司法局、伊克昭盟依法治盟办公室　编

1999年8月

32开　104页

内容提要：本资料主要包括《中华人民共和国宪法》《中华人民共和国民族区域自治法》《中华人民共和国国家赔偿法》《中华人民共和国行政处罚法》《中华人民共和国行政诉讼法》《中华人民共和国刑法》《中华人民共和国刑事诉讼法》《中华人民共和国民事诉讼法》《中华人民共和国民法通则》《中华人民共和国婚姻法》《中华人民共和国继承法》《中华人民共和国土地管理法》《中华人民共和国草原法》《中华人民共和国森林法》《中华人民共和国经济合同法》《中华人民共和国消费者权益保护法》《中华人民共和国反不正当竞争法》《中华人民共和国产品质量法》《中华人民共和国仲裁法》《中华人民共和国行政复议法》《中华人民共和国律师法》《中华人民共和国公证暂行条例》《中华人民共和国治安管理处罚条例》等法律、法规。（荷梅）

农牧民实用技术培训读本

乔树成　主编

布尔台格农牧业服务中心　编

2004年8月

32开　159页

内容提要：本资料是贯彻中央一号文件精神，牢固树立科学发展观，按照统筹城乡经济社会发展的要求，调整农业结构，加快技术进步的读本，主要包括种植业、养殖业、饲草加工配制技术相关知识。（其利格尔）

农牧民外出务工引导性培训教材

杜存良、白志敏　主编

伊金霍洛旗农村牧区人口转移领导小组　编

2010年10月

32开　88页

内容提要：本资料为农牧民外出务工引导性培训教材，由做好务工准备、学会寻找工作、签订劳动合同，维护合法权益、注意安全生产，做好劳动保护、遵守公民道德，适应城市生活四部分构成。（其利格尔）

农牧区改革之路

千奋勇　主编

内蒙古人民出版社

ISBN7-204-01676-9

1991年11月

32开　415页　5.70元

内容提要：本书主要由两个部分构成。第一部分为调查报告，作者深入基层，基于实地调查研究，报告结果具有针对性和典型性。第二部分为理论探讨，作者依据马克思列宁主义、毛泽东思想的基本原理，以及党的路线、方针、政策，针对本地区、本部门的实际情况，进行深入分析与研究，为农村牧区的未来改革和发展提供了有价值的对策和思路，具有一定的参考意义（嘎拉贝日汗）

农业普查福到农家

康巴什新区第三次全国农业普查领

导小组办公室　编

2016年12月

32开　19页

内容提要：本资料主要收录了第三次全国农业普查的原因、普查对象、普查范围、普查所涉内容、普查四阶段、普查设备、普查时点等内容。（其利格尔）

农业税收法规汇编（1981—1995）

伊克昭盟地方税务局　编

1996年1月

32开　67页

内容提要：本资料汇编了农牧业税、农业特产税、契税、耕地占用税等农业税收法规。（其利格尔）

农业税收法规汇编（1989—1991）

伊盟财政处农税站　编

1991年4月

32开　148页

内容提要：本资料汇编内蒙古自治区耕地占用税、农林特产税、牧业税、契税、其他类的相关通知和复函。（其利格尔）

培育和践行社会主义核心价值观

中共伊金霍洛旗委宣传部、伊金霍洛旗文明办　编

2015年8月

48开　86页

内容提要：本资料包括每日一学的《十九大报告》摘录、每日一省引文和日历等内容。（其利格尔）

平安康巴什

康巴什公安　编

2018年

32开

内容提要：本资料以图文形式全面展示了2018年康巴什地区公安工作的具体情况、所取得的成果以及相关改革措施。（其利格尔）

平安伊金霍洛居民安全防范手册

中共伊金霍洛旗委政法委员会、伊金霍洛旗社会管理综合治理委员会办公室　编

32开　79页

内容提要：本资料为伊金霍洛居民安全防范手册，主要针对当前常见的交通安全、防火、用气安全、用电安全、防溺水、防抢、防盗、防骗、禁毒、反邪教、其他安全等问题提供了一些如何判断危险，如何正确及时地采取措施规避危险的方法，以及在紧急情况下自救、互救的知识。（其利格尔）

旗委理论学习中心组2019年第八次集体学习会暨大学习大讨论集中研讨会材料汇编

中共伊金霍洛旗委办公室　编

2019年7月

16开　125页

内容提要：本资料汇编了《郝永耀同志专题研讨发言提纲》《华瑞锋同志

专题研讨发言提纲》《巴图吉雅同志专题研讨发言提纲》《王雁军同志专题研讨发言提纲》《何向国同志专题研讨发言提纲》等伊金霍洛旗委理论学习中心组2019年第八次集体学习会暨大学习大讨论集中研讨会材料。（其利格尔）

旗委十五届43次常委（扩大）会议全旗经济运行暨重点项目建设情况材料汇编

中共伊金霍洛旗委办公室　编著
2019年5月
16开　20页

内容提要：本资料汇编了《旗发改委主任徐建刚的汇报提纲》《旗人民政府副旗长张勇的汇报提纲》《旗委常委、政府副旗长刘槐予的汇报提纲》等伊金霍洛旗委十五届43次常委（扩大）会议全旗经济运行暨重点项目建设情况材料。（其利格尔）

旗委十五届46次常委（扩大）会议材料汇编

中共伊金霍洛旗委员会办公室　编
2019年12月
16开　115页

内容提要：本资料汇编了《郭平同志的汇报提纲》《王雁军同志的汇报提纲》《何向国同志的汇报提纲》《刘槐予同志的汇报提纲》等14篇伊金霍洛旗委十五届46次常委（扩大）会议汇报提纲材料。（其利格尔）

企业工资集体协商工作规程

鄂尔多斯市总工会　编
2012年3月
32开　71页

内容提要：本资料汇编了《内蒙古自治区企业工资集体协商工作规程》及工资集体协商相关文本，供广大工会干部和企业经营管理者在工作实践中学习应用。（其利格尔）

企业工资集体协商工作手册

鄂尔多斯市总工会　编
2017年6月
32开　183页

内容提要：本手册由《中华人民共和国劳动合同法》《集体合同规定》《工资集体协商试行办法》《内蒙古自治区企业集体合同条例》等法律法规，《中共内蒙古自治区委员会办公厅、内蒙古自治区人民政府办公厅转发〈自治区总工会关于全面推进企业工资集体协商制度的意见〉的通知》《鄂尔多斯市人民政府关于印发〈企业工资集体协商试行办法〉的通知》《关于印发〈内蒙古自治区企业工资集体协商工作规程〉的通知》等有关文件构成。（其利格尔）

契税手册

伊盟地税局税政四科　编
1998年7月
32开　30页

内容提要：本资料汇编了《中华人民共和国契税暂行条例》《中华人民共

和国契税暂行条例细则》《内蒙古自治区契税实施办法（暂行）》《关于契税征收中几个问题的批复》《契税宣传提纲》等文件。（其利格尔）

前进中的鄂尔多斯——伊克昭盟近四十年经济社会发展成就专辑

中共伊盟盟委宣传部　编
1987年9月
32开　128页

内容提要：本资料从人口构成情况、土地构成情况、城乡建设日新月异等40多个方面回顾了伊克昭盟经济和社会的发展历程，认真总结了改革与建设中的经验、教训，对进一步认清形势、振作精神、坚定信心、深化改革，把伊盟的"两个文明"建设推向更高水平具有重大意义。（荷梅）

前进中的鄂托克前旗水利建设

鄂托克前旗水利水保局　编
1990年8月
32开　15页

内容提要：本资料以图文形式介绍了鄂托克前旗水利建设的基本情况、水利建设成果、经验教训、今后工作概况等内容。（其利格尔）

前进中的伊克昭盟畜牧业

奇凤山　主编
内蒙古教育出版社
ISBN 7-5311-3435-7
1997年12月
32开　344页　10.00元

内容提要：本书比较全面、系统、科学地记述总结了伊克昭盟50年畜牧业发展过程。本书分六篇："综述篇"以党在各个不同历史时期的畜牧业方针、政策为指导，概述了半个世纪以来的草原、畜牧、兽医、经营管理等方面工作；"专业篇"比较详细地记述了各自专业在不同发展阶段所做的工作及取得的成绩；"项目篇"以国家在伊克昭盟四大建设项目为内容，核心问题是通过现代先进的项目管理，规范建设者的行为，增强管理水平，提高建设效益，开畜牧业管理上的先河，起到项目管理示范作用；"成果篇"汇集了科技人员在推广实用技术、科学研究方面的成果和论文，展示他们辛勤活动在畜牧业生产中所做出的贡献和成果；"依法治牧篇"是介绍适应改革开放的大好形势，进一步深化改革，逐步走向依法治牧的路子；"展望篇"拟抓住"九五"期间的良好发展契机，进一步深化改革，拓展思路，展望世纪之交腾飞的伊克昭盟畜牧业。本书既有指导畜牧业发展的现实意义，又有可供参考的史料价值。（其利格尔）

潜心筑路铺坦途·砥砺共圆圣地梦

伊金霍洛旗交通运输局　编
16开　6页

内容提要：本手册主要以图文方式展示了地区运输服务质量显著提升，行业改革和治理成效明显，行业管理体系日益

健全，干部队伍建设不断加强，交通改善民生作用凸显的景象。（其利格尔）

勤学善思笃行——纪检监察干部队伍建设年活动学习资料汇编

中共伊金霍洛旗纪律检查委员会、伊金霍洛旗监察局　编

16开　64页

内容提要：本资料汇编了严格执行监督执纪规则，不断强化自我监督、全面从严治党，强化问责、贯彻落实六中全会精神，推进全面从严治党等纪检监察干部队伍建设年活动学习资料。（其利格尔）

请您礼让斑马线文明交通

中共伊金霍洛旗委宣传部、伊金霍洛旗文明办，伊金霍洛旗交管大队　编

2020年11月

32开

内容提要：本资料为伊金霍洛旗交通安全指导，主要包括请您礼让斑马线、菱形标线、前方学校减速慢行、机动车过斑马线要礼让行人、"好安达·请您礼让斑马线"倡议书等文明交通内容。（其利格尔）

庆祝新中国成立60周年优秀统战论文汇编

中共鄂尔多斯市委统战部　编著

2009年

32开　238页

内容提要：本资料共分为八个部分，分别是参政议政和多党合作，民族、宗教，非公有制经济，侨务工作，科学发展观与统一战线，新农村建设，统战文化、和谐社会，统战人物春秋等。（荷梅）

庆祝中国共产党成立90周年优秀统战论文汇编

中共鄂尔多斯市委统战部　编

2011年12月

32开　307页

内容提要：本资料收录47篇优秀调研报告、论文，涵盖探讨做好新形势下的民族宗教工作、大力培养民族干部和党外干部、促进民族团结进步和社会管理创新、积极引导非公有制经济发展、发挥民主党派和无党派人士重要作用等方面内容。（荷梅）

全国地方政协秘书长工作会议材料汇编

鄂尔多斯市政协办公厅　编

2018年6月

16开　84页

内容提要：本资料汇编了在全国地方政协秘书长工作会议上的讲话，如全国政协副主席兼秘书长夏宝龙的《打造政治过硬、服务优质、协调顺畅、落实到位的一流机关》、全国政协副秘书长、机关党组副书记潘立刚的《人民政协是民主党派的辽阔天地》等。（其利格尔）

全国第21个税收宣传月地方税收宣传手册

鄂尔多斯地方税务局　编

2012年4月

32开　72页

内容提要：本手册主要收录国家税务总局、内蒙古自治区地方税务局、内蒙古自治区财政厅等部门有关税收问题的通知和公告。（其利格尔）

全国文明旗调研手册

中共乌审旗委员会、乌审旗人民政府　编

2020年5月

32开　15页

内容提要：本资料为乌审旗全国文明旗调研安排资料，主要包括行程安排、人员名单、旗情概况、专项汇报、调研点简介等内容。（其利格尔）

全媒体看伊金霍洛

伊金霍洛旗文化和旅游局　编

2017年12月

32开　110页

内容提要：本资料汇编了2017年伊金霍洛37篇旅游宣传报道。报道充分展示伊金霍洛旗在创建全域旅游示范区进程中的经验做法，为进一步宣传伊金霍洛旗旅游环境创造了良好的舆论氛围，同时也极大地提升了伊金霍洛旗的对外影响力。（其利格尔）

全面建设小康社会开创中国特色社会主义事业新局面——在中国共产党第十六次全国代表大会上的报告

鄂尔多斯市地方税务局　编

32开　36页

内容提要：本资料收录了江泽民同志在党的十六次全国代表大会上的报告全文。（其利格尔）

全国电力行业职工桥牌锦标赛秩序册（2019年）

内蒙古电力公司工会、鄂尔多斯电业局　编

16开　24页

内容提要：本资料为2019年全国电力行业职业桥牌锦标赛秩序册，包括比赛通知、竞赛规程、补充规定、组织机构、开闭幕式议程、参赛队联络表、参赛队名单、开闭幕式参赛队站序等内容。（其利格尔）

全面深化改革读本（2017年）

鄂托克旗委改革办　编

32开　110页

内容提要：本资料从中国改革历程回顾、图解全面深化改革、中央全面深化改革领导小组第三十一至三十四次会议精神、专家解读、2017年改革要点名词释义、图说改革六个方面解读了2017年全面深化改革相关内容。（其利格尔）

全市党的建设工作会议典型材料汇编

中共鄂尔多斯市委办公厅、中共鄂尔多斯市委组织部　编

2011年9月

16开　139页

内容提要：本资料汇编了鄂尔多斯全市党的建设工作会议典型材料。主要

分为两个部分：第一部分是发言篇，第二部分是书面交流篇。（嘎拉贝日汗）

全市建筑新材料　农村牧区人居环境治理　实用技术房地产楼盘展洽会暨住房城乡建设70周年成就展纪念册

鄂尔多斯市住房和城乡建设局　编

2020年12月

16开　85页

内容提要：本资料以丰富翔实的史料，记载了鄂尔多斯住房和城乡建设事业发展的曲折历程，即鄂尔多斯从穷乡僻壤，蝶变成为宜居宜业宜游的现代名城所经历的过程；以鲜活多彩的图片和影像资料，展示了鄂尔多斯住房和城乡建设事业的沧桑巨变，描绘了鄂尔多斯住房和城乡建设事业的美好未来。（其利格尔）

全市宣传思想工作会议学习资料汇编

中共鄂尔多斯市委员会宣传部　编

2018年11月

16开　270页

内容提要：本资料汇编了全国宣传思想工作会议新闻通稿、《人民日报》系列评论员文章、《人民日报》人民观点、《人民日报》理论文章、新华社系列评论员文章、中央电视台评论员文章、《求是》杂志评论员文章、《求是》杂志系列署名文章、《红旗》文稿署名文章、全区宣传思想工作会议新闻通稿、党的十八大以来自治区宣传思想文化工作综述、《内蒙古日报》评论员文章等学习资料。（其利格尔）

全市组织工作会议暨农村牧区基层党组织建设工作现场会会序册

2018年9月

32开　63页

内容提要：本资料为全市组织工作会议暨农村牧区基层党组织建设工作现场会会序册，主要包括鄂尔多斯市组织工作会议暨农村牧区基层党组织建设工作现场会会议须知、日程安排、参会人员名单及住宿安排、分组安排、乘车安排、线路安排、观摩点简介、气象信息等内容。（其利格尔）

《人民防空法》学习材料

伊盟人民防空办公室　编

1996年12月

32开　22页

内容提要：本资料为伊盟人民防空办公室编撰的《中华人民共和国人民防空法》学习材料。（嘎拉贝日汗）

人大代表履职相关法律及解读

鄂尔多斯市人大常委会办公厅、鄂尔多斯市人大常委会选任联委员会　编

2013年1月

32开　72页

内容提要：本书第一部分汇编了《中华人民共和国全国人民代表大会和地方各级人民代表大会代表法》《中华人民共和国全国人民代表大会和地方各级人民代表大会选举法》《中华人民共

和国地方各级人民代表大会和地方各级人民政府组织法》等人大代表履职相关的法律。第二部分汇编了人大代表的产生、人大代表的性质等人大代表履职相关的法律解读。（其利格尔）

人防领域党纪法规辑要

中共鄂尔多斯市纪律监察委员会、鄂尔多斯市监察委员会　编

2019年10月

32开　6页

内容提要：本资料主要包括《失职渎职行为适用法纪条例规定》《违反财经纪律适用法纪条例规定》。（其利格尔）

人防应急宣传手册

伊金霍洛旗人民防空办公室　编

32开　39页

内容提要：本宣传手册主要介绍了地震防护常识、核化生武器防护常识、人防知识、人防工程、火灾防范与自救、安全使用燃气常识、家庭应急准备常识七种人防应急措施。（其利格尔）

人民币知识宣传

鄂尔多斯银行　编

32开　8页

内容提要：本资料为人民币知识宣传手册，主要宣传了中华人民共和国的法定货币：人民币、为什么要整治拒收现金行为、不宜流通人民币纸币、爱护人民币人人有责等知识。（其利格尔）

认清形势　明确任务　保持稳定　加快伊盟经济建设步伐

中共伊盟盟委宣传部　编

1994年4月

32开　50页

内容提要：本资料以邓小平同志建设有中国特色社会主义的理论和党的基本路线为指导，依据中央提出的"抓住机遇、深化改革、扩大开放、促进发展、保持稳定"二十字方针，布置伊克昭盟经济建设工作。（其利格尔）

三送一提——"送政策　送技能　送健康　提素质"宣讲便民手册

哈巴格希街道　编

2013年6月

32开　38页

内容提要：本手册主要包括《创建全国文明城市倡议书》、《康巴什新区生态移民一期安置住房分配方案》、分配原则、《康巴什新区生态移民公租房申请及管理办法》、民政保障知识、《康巴什新区城乡居民养老保险说明》、计划生育知识、《哈巴格希街道办事处信访接待须知》、哈巴格希街道各部门工作职能及负责人联系电话、哈巴格希街道便民服务各项工作流程图、便民服务热线等内容。（其利格尔）

桑梓新风——鄂尔多斯市强农富民手册

马保荣　主编

鄂尔多斯市委农村牧区工作部　编

2016年5月

16开 269页

内容提要：本资料分为县域经济、新农村新牧区建设、生态移民扶贫三个篇章。其中，"县域经济"篇重点收录了全市8个旗区县域经济概况，各地领导的实践思考和49个苏木乡镇经济社会发展概况，并附重要经济指标数据。"新农村新牧区建设"篇重点收录了新农村新牧区示范点和城乡统筹精品移民小区建设情况，并配以图片进行成果展示。"生态移民扶贫"篇重点收录了2013—2015年鄂尔多斯市生态脆弱区移民扶贫工程涉及旗区的做法、成效。（其利格尔）

扫黑除恶专项斗争宣传册

鄂尔多斯市工商行政管理局康巴什区分局　编

32开　7页

内容提要：本资料内容为以"扫黑除恶、净化环境、共建平安"为主题的18个扫黑除恶专项斗争知识解答。（其利格尔）

扫黑除恶专项斗争应知应会手册

中共伊金霍洛镇委员会、伊金霍洛镇人民政府　编

32开　29页

内容提要：本资料内容为40个扫黑除恶专项斗争政策简答。（其利格尔）

扫黑除恶专项斗争政策解答

鄂尔多斯市扫黑除恶专项斗争领导小组办公室　编

32开　50页

内容提要：本资料为扫黑除恶专项斗争政策宣传册，采用蒙汉双语形式编写了38项扫黑除恶专项斗争政策解答。（其利格尔）

商标管理法律法规汇编

伊克昭盟工商行政管理局商广科　编

1996年8月

32开　62页

内容提要：本资料主要包括《中华人民共和国商标法》《中华人民共和国商标法实施细则》《全国人民代表大会常务委员会关于惩治假冒注册商标犯罪的补充规定》《国家工商行政管理局转发最高人民检察院〈关于假冒注册商标犯罪立案标准的规定〉的通知》《国家工商行政管理局关于执行〈商标法〉及其〈实施细则〉若干问题的通知》等13个部分内容。（其利格尔）

设备维修中心党员领导干部常用党规党纪选编

中共神华神东设备维修中心委员会　编

2017年7月

32开　287页

内容提要：本资料包括《中国共产党章程》《中国共产党廉洁自律准则》《党员廉洁自律规范》《党员领导干部廉洁自律规范》《中国共产党纪律处分条例》等党规党纪。（嘎拉贝日汗）

《社会保险法》相关法规汇编

鄂尔多斯市社会保险事业管理局　编

2011年9月

内容提要：本资料包括《中华人民共和国社会保险法》、《工伤保险条例》（2010年修订）、中华人民共和国人力资源和社会保障部令第13号《实施〈中华人民共和国社会保险法〉若干规定》、中华人民共和国人力资源和社会保障部令第14号《社会保险个人权益记录管理办法》、中华人民共和国人力资源和社会保障部令第15号《社会保险基金先行支付暂行办法》、中华人民共和国人力资源和社会保障部令第16号《在中国境内就业的外国人参加社会保险暂行办法》六个《社会保险法》相关法规。（其利格尔）

社会主义市场经济理论大学习大讨论专题问答（1996年）

伊盟党委大学习大讨论办公室、伊盟党委讲师团　编

1996年3月

32开　41页

内容提要：本资料概括了党的十四届五中全会、自治区党委六届三次全委会议及盟委扩大会议及盟扩大会议的精神，较为全面地反映了当年大学习大讨论所涉及的基本内容和工作重点等。（嘎拉贝日汗）

社会保险办事服务指南

伊金霍洛旗社会保险事业管理局　编

32开　30页

内容提要：本资料以问答形式汇编了社会保险一系列相关问题，并对这些问题进行解释说明。（其利格尔）

社会主义精神文明建设学习材料：党的十三届四中全会以来党和国家领导人对精神文明建设的论述

伊盟文明办　编

1992年7月

32开　77页

内容提要：本资料汇编了《党的十三届四中全会以来党和国家领导人对精神文明建设的论述（摘要）（1989年—1992年初）》《中共中央关于社会主义精神文明建设指导方针的决议》《伊克昭盟文明单位管理暂行条例》《伊克昭盟（1991—1995）社会主义精神文明建设"八五"规划》等党的十三届四中全会以来党和国家领导人对精神文明建设的论述。（其利格尔）

社会主义市场经济理论大学习大讨论百题问答

伊盟党委讲师团　编

1995年4月

32开　67页

内容提要：本资料以问答的形式，就社会主义市场经济的基本知识，建立和发展社会主义市场经济的若干问题，十四届四中全会加强党的建设的有关问题，伊盟经济建设、改革与发展的方针、政策和工作思路以及内蒙古自治区第六次党代会提出的奋斗目标和工作要求

等进行了阐述。书后还附有考试样题，供学习考试参考使用。（其利格尔）

申报城市园林绿化企业资质材料（三级）

内蒙古富源园林绿化有限责任公司　编
2016年1月
16开　190页
内容提要：本资料是城市园林绿化企业资质申报材料，主要包括申请表、代表人身份信息、企业营业证件、公司章程、验资报告、资产评估报告、主要负责人任命书、所有人员劳动合同书等申报资料。（嘎拉贝日汗）

申报自治区级重点普通中专评估——自评报告

内蒙古伊克昭盟农牧学校　编
1999年5月
16开　74页
内容提要：本资料包括申报自治区级重点普通中专学校自评报告、伊盟农牧学校办学水平评估情况汇总表、内蒙古自治区全日制普通中专办学水平评估表等内容。（其利格尔）

神东煤炭集团安全管理制度汇编

布尔台煤矿　编
2014年5月
16开　405页
内容提要：本资料汇编《神东煤炭集团本质安全型单位建设达标考评管理办法》《神东煤炭集团本质安全管理信息系统运行管理办法》等神东煤炭集团安全管理制度文件。（其利格尔）

神东煤炭集团布尔台煤矿经营管理制度汇编（2010.7—2012.6）

布尔台煤矿　编
2012年6月
16开　430页
内容提要：本资料汇编神东布矿〔2010〕79号《布尔台煤矿合同管理细则（试行）》、神东布矿〔2010〕124号《布尔台煤矿班组核算管理办法（试行）》、神东布矿〔2010〕125号《布尔台煤矿办公用品管理办法（试行）》、东布矿〔2010〕126号《布尔台煤矿矿务工程用车管理办法（试行）》等神东煤炭集团布尔台煤矿经营管理制度文件。（其利格尔）

神东煤炭集团公司管理提升活动学习宣传手册（第一册）

神东煤炭集团公司党委工作部　编
2012年6月
32开　132页
内容提要：本资料为神东煤炭集团公司管理提升活动学习宣传手册，主要汇编了《关于中央企业开展管理提升活动的指导意见》以及公司各级重要领导讲话内容。（其利格尔）

神华集团下属企业基本情况简明手册

神华集团办公厅　编

2011年9月

32开　103页

内容提要：本资料主要汇集神华集团下属的42家企业的基本情况，包括企业历史沿革、主营业务范围、经营状况、企业规模、组织结构、职工结构、领导班子成员名单、联系方式等方面内容。（嘎拉贝日汗）

生态文明科普手册

鄂尔多斯市环境保护局室　编

32开　25页

内容提要：本资料分科普知识、绿色生活、生态保护三个部分，主要介绍生态文明知识，旨在倡导全民正确热爱大自然，科学保护大自然。（其利格尔）

"四好农村路"之达拉特实践

中共达拉特旗委、达拉特旗人民政府　组织编写

人民交通出版社股份有限公司

ISBN 978-7-114-14915-3

2018年9月

16开　100页　48.00元

内容提要：本书记录了达拉特旗创建首批"四好农村路"全国示范县的经验、做法和成效。（荷梅）

十八大以来党规党纪党内文件学习汇编

中共鄂尔多斯市东胜区纪委机关、中共鄂尔多斯市东胜区委组织部　编

2017年

16开　544页

内容提要：本资料汇编了十八大以来有关党规党纪的党内文件。（其利格尔）

十八大以来反"四风"法规制度选编（中央·内蒙古自治区·鄂尔多斯市）

中共鄂尔多斯市纪律检查委员会、鄂尔多斯市监察局　编

2014年1月

16开　305页

内容提要：本资料选编中央、内蒙古自治区和鄂尔多斯市发布的反"四风"的法规制度。（嘎拉贝日汗）

时代的脚本

张国英　主编

《企业与市场》杂志社　编

内新图准字（98）号

1998年9月

32开　424页　30.00元

内容提要：本书分为两部分。第一部分精选作者从事新闻工作20余年来，在各级报刊上发表的具有较大影响、指导性和可读性的作品。这些作品反映了作者对党的十一届三中全会以来党的好政策带来的新变化和社会主义市场经济理论的实践探索，全面展现了伊克昭盟在工、农、牧、林、文化教育等多方面取得的"两个文明"建设成果。第二部分收录了作者在异地采访中发表的一些见闻、纪行和散文类文章，充分展现了作者追求真善美，对祖国美好山河的向

往和热爱。（其利格尔）

实施人才鄂尔多斯战略政策文件汇编

中共鄂尔多斯市委办公厅、鄂尔多斯市人民政府办公厅　编

2011年7月

32开　62页

内容提要：本资料包括《中共鄂尔多斯市委、鄂尔多斯市人民政府关于进一步加强人才工作、实施"人才鄂尔多斯战略"的意见》《中共鄂尔多斯市委办公厅、鄂尔多斯市人民政府办公厅关于印发〈鄂尔多斯市高层次人才认定评定实施办法〉等办法的通知》《鄂尔多斯市高层次人才认定评定实施办法》等10个文件。（其利格尔）

实现跨越——鄂尔多斯改革开放30年纪实

王静有　主编

中共鄂尔多斯市委组织部、中共鄂尔多斯市委党史研究室　编

内新图准字〔2009〕153号

2009年10月

16开　307页　90.00元

内容提要：本资料主要分为文献篇、概述篇、综合篇、企业篇、驻军篇，主要介绍鄂尔多斯市改革开放30年的发展历程、整体风貌和近年来取得的辉煌成就，旨在全面展示鄂尔多斯各行各业各具特色的改革发展成果，总结经验，面向未来，推动鄂尔多斯加快走进全国前列，走向世界一流，走向现代化。（荷梅）

食品药品从业人员培训教材（药品和医疗器械）

鄂尔多斯市文远职业培训学校、伊金霍洛旗食品药品监督管理局　编

2009年6月

32开　183页

内容提要：本资料为食品药品从业人员培训教材，主要分为《中华人民共和国药品管理法》、行政许可管理服务指南、药品不良反应基础知识问答三个部分。（其利格尔）

市直基层党组织书记党建工作述职材料汇编（2015年度）

中共鄂尔多斯市直属机关工作委员会　编

2015年12月

16开　208页

内容提要：本资料汇编了《市委办公厅机关党委2015年党建工作述职报告》《市人大常委会机关党委2015年党建工作述职报告》《市政府办公厅机关党委2015年党建工作述职报告》《市政协机关党委2015年党建工作述职报告》《市纪委监察局机关党委2015年党建工作述职报告》《市委组织部机关党委2015年党建工作述职报告》等党建工作述职报告。（嘎拉贝日汗）

市对旗实绩考核材料汇编（2016年度）

伊金霍洛旗委办公室　编著

2016年12月

16开　267页

内容提要：本汇编主要内容为2016年度市对旗实绩考核材料，包括工作总结报告、《永耀述责述廉报告》、《瑞锋述责述廉报告》、《图吉雅述责述廉报告》、《文奎述责述廉报告》等。（其利格尔）

市直基层党组织书记党建工作述职材料汇编（2016年度）

中共鄂尔多斯市直属机关工作委员会　编

2016年12月

16开　278页

内容提要：本汇编包括《市委办公厅机关党委2016年党建工作述职报告》《市人大常委会机关党委2016年党建工作述职报告》《市人民政府办公厅机关党委2016年党建工作述职报告》《市政协机关党委2016年党建工作述职报告》等鄂尔多斯市直基层党组织书记党建工作述职报告。（嘎拉贝日汗）

市对伊金霍洛旗考核汇报材料汇编（2018年）

中共伊金霍洛旗委员会办公室　编

2019年1月

16开　260页

内容提要：本资料汇编了《2018年度领导班子工作总结报告》《伊金霍洛旗干部选拔任用工作专题报告》《王美斌同志述职述廉报告》《华瑞锋同志述职述廉报告》等伊金霍洛旗考核汇报材料。（其利格尔）

市委旗委全委会精神学习手册

中共伊金霍洛旗委宣传部　编

2015年2月

32开　62页

内容提要：本资料为市委旗委全委会精神学习手册，包括鄂尔多斯市委三届六次全委会议内容、伊金霍洛旗委十四届十一次全委会议内容。（其利格尔）

市政协机关党员干部学习资料汇编

鄂尔多斯市政协机关党建工作领导小组办公室　编

2020年5月

64开　123页

内容提要：本资料为鄂尔多斯市政协机关党员干部学习资料，由新党章学习90问、人民政协基本知识50条、中发〔2015〕3号《中共中央关于加强社会主义协商民主建设的意见》政协协商部分知识要点、中办发〔2015〕36号《关于加强人民政协协商民主建设的实施意见》知识要点、中办发〔2017〕13号《关于加强和改进人民政协民主监督工作的意见》知识要点等五部分组成。（其利格尔）

市直基层党组织常用党内法规文件汇编

中共鄂尔多斯市直属机关工作委员会　编

2020年8月

16开　222页

内容提要：本资料汇编了《中国共

产党章程》《中国共产党党和国家机关基层组织工作条例》《中国共产党支部工作条例（试行）》《中国共产党发展党员工作细则》《中国共产党党员教育管理工作条例》《中国共产党问责条例》等常用党内法规文件。（其利格尔）

市直宣传文化系统学习资料汇编

中共鄂尔多斯市委员会宣传部、鄂尔多斯市纪委监委派驻市委宣传部纪检监察组　编著

16开　954页

内容提要：本资料上册汇编了习近平总书记关于宣传思想文化工作的重要论述，中央、自治区关于宣传思想文化工作的相关文件；下册汇编了习近平总书记关于全面从严治党的重要论述、党的十八大以来党规党纪和相关文件、新修订的国家法律法规等内容。（其利格尔）

事业单位人事制度改革文件汇编

鄂尔多斯市人事局　编

2005年6月

32开　154页

内容提要：本资料分综合类、考核类、岗位设置类、搞活内部分配类、人事争议仲裁及合同鉴证类、未聘人员安置类、人事代理类七个部分，汇编了事业单位人事制度改革文件。（其利格尔）

事业行政财务文件选编（上）

伊克昭盟财政处　编

1985年7月

32开　795页

内容提要：本资料选编1982年7月1日—1985年7月底有关农牧林水和行政、文教科学等项事业财务管理办法及其综合性开支标准制度文件。因为财务规章及其开支标准制度的政策性和连贯性较强，所以编辑过程中力求将中央、内蒙古自治区和伊克昭盟制定的财务规章及开支标准有关文件收集汇入本编，以便查阅和了解财务管理的全过程。（其利格尔）

事业行政财务文件选编（下）

内蒙古自治区伊克昭盟财政处　编

1990年12月

32开　795页

内容提要：本资料汇编了1985年8月1日—1990年12月底现行的中央、内蒙古自治区和伊克昭盟颁发的有关农牧林水和文教行政财务管理办法以及综合性规章制度文件。（其利格尔）

守望相助·亮丽北疆——内蒙古鄂尔多斯70年成就系列报告汇编

鄂尔多斯市统计局　编

32开　68页

内容提要：本资料包括《北疆明珠正璀璨——自治区成立70年鄂尔多斯经济社会发展综述》《不忘初心　扬帆竞发——70年鄂尔多斯工业经济发展成就综述》《沧桑巨变展新颜——自治区成立70周年鄂尔多斯市城市建设回

眸》《构建产业新格局　引领经济新发展——自治区成立70周年鄂尔多斯市服务业发展回眸》等10篇报告。（其利格尔）

《税收征管法》修订前后对照

伊克昭盟地方税务局、乌兰木伦征收管理局　编

2015年1月

32开　57页

内容提要：本资料为《中华人民共和国税收征收管理法》修订前后对照学习材料，分总则、税务管理、税款征收、税务检查、法律责任、附则六个部分，旨在引导对照修订前后的《中华人民共和国税收征收管理法》进行学习。（其利格尔）

税收法律法规汇编增补本（2011.3—2012.2）

鄂尔多斯市税务局　编

2012年3月

32开　184页

内容提要：本资料收集了2011年3月—2012年2月国务院以及各级国税机关新出台的涉及增值税、消费税、企业所得税、进出口税收、发票管理等方面的政策和相关征收管理办法等。（其利格尔）

税收政策法规汇编（2008.1—2009.4）

鄂尔多斯市税务局　编

2009年5月

32开　363页

内容提要：本汇编包括《税收征收管理法及其实施细则》、新《企业所得税法及其实施条例》、新《增值税暂行条例及其实施细则》、新《消费税暂行条例及其实施细则》的对照详解、《中华人民共和国发票管理办法》、《增值税专用发票使用规定》，2008年1月—2009年4月出台的所得税、增值税、消费税、车辆购置税的新税收政策文件。（其利格尔）

税收征管工作文件汇编

伊克昭盟税务局　编

1999年7月

32开　271页

内容提要：本资料是1995年征管改革以来伊克昭盟税务局下发的税收征管工作文件、办法、制度及部分税务文书制作说明的汇编，分税收征管部分、税务稽查部分、计算机管理与运用部分、法治建设、税务稽查文书制作说明五个部分。（其利格尔）

税收政策手册

鄂尔多斯市地方税务局　编

2014年4月

32开　91页

内容提要：本资料汇编了《鄂尔多斯市地方税务局税务稽查局涉税违法案件举报事项公告》《鄂尔多斯市地方税务局关于明确房地产有关税收政策问题的公告》《财政部国家税务总局关于调整岩金矿石等品目资源税税额标准的通

知》《财政部国家税务总局关于企业和自收自支事业单位向职工出租的单位自有住房房产税和营业税政策的通知》等税收政策文件。（其利格尔）

税收政策宣传手册

国家税务总局鄂尔多斯市康巴什区税务局　编

2018年8月

16开　74页

内容提要：本资料包括《财政部国家税务总局关于免征蔬菜流通环节增值税有关问题的通知》（财税〔2011〕137号）、《财政部税务总局商务部、科技部、国家发展改革委关于将服务贸易创新发展试点地区技术先进典型服务企业所得税政策推广至全国实施的通知》（财税〔2018〕44号）等税收政策文件。（其利格尔）

苏布尔嘎镇农牧民应知宣传手册

中共苏布尔嘎镇委员会、苏布尔嘎镇人民政府　编

32开　48页

内容提要：本资料分为六个部分，分别是综合执法知识，土地、矿产审批与处罚，民政支农惠农政策，计划生育奖励扶助政策，农牧林水应知政策，农村牧区危房改造等，旨在为广大牧民群众提供一份较为权威的政策资料，帮助大家深入理解和掌握相关内容，以惠及于民。（荷梅）

绥远地区垦务档案选编

鄂尔多斯市达拉特旗民族文化研究学会　编

广西师范大学出版社

ISBN 978-7-5598-2641-1

2020年4月

内容提要：本书辑录了伪蒙古联合自治政府"地政总署"编纂的绥远地区垦务档案，主要包括绥远垦务卷宗目录表、绥远垦区清理丈放并荒租章程集、绥远垦区清理丈放地图、绥远垦务总局资料（伊克昭盟·杭锦旗）、绥远垦务总局资料（伊克昭盟·准噶尔旗）、绥远垦务总局资料（伊克昭盟·王爱召），共计6种。本书对于研究内蒙古地区的垦务状况及相关社会矛盾、生态变迁、人口流动，乃至内蒙古地区的历史发展、经济发展等都具有重要的意义。（荷梅）

桃力民学员手册

桃力民爱国主义教育培训服务公司　编

2021年5月

16开　12页

内容提要：本资料包括寄语学员、温馨提示、学院纪律、日程安排以及《中共中央组织部关于在干部教育培训中进一步加强学员管理的规定（摘录）》《桃力民爱国主义教育基地简介》等内容。（其利格尔）

体系管理手册

神华包神铁路有限责任公司　编
2010年12月
32开　62页
内容提要：本资料明确了神华包神铁路有限责任公司管理方针、目标，描述了本质安全管理体系涉及的过程及其相互关系，展示了本质安全管理体系总体框架，明确了公司各部门及相关单位的职责和权利，适合公司高、中层管理人员学习使用。（其利格尔）

铁律生威——作风建设有关规定汇编

中共鄂尔多斯市纪委监委派驻市政府办公厅纪检组　编
2018年8月
16开
内容提要：本资料汇编中央、自治区、市本级的作风建设有关规定。（其利格尔）

土地管理执法检查学习文件选编

伊克昭盟土地管理处　编
1994年9月
32开　114页
内容提要：本资料主要收集土地管理法律、法规以及党和国家领导人讲话，内蒙古自治区人民政府、伊克昭盟行署等有关文件。（嘎拉贝日汗）

土地矿产争议典型案例与处理依据（第二辑）

中国土地矿产法律事务中心、国土资源部土地争议调处事务中心　编著
中国法制出版社
ISBN 978-7-80226-754-1
2007年3月
16开　299页　48.00元
内容提要：本书紧密结合伊金霍洛旗实际，以生动的实例、通俗易懂的语言阐述了与土地和矿产资源相关的法律、法规、政策的本意，并针对土地矿产开发方面存在的问题进行了释疑解惑，具有较强的针对性、实用性和指导性，既是土地、矿产资源管理工作者的工具书，也是广大人民群众用以维权的实用教材。（其利格尔）

土地确权工作手册

伊金霍洛旗人民政府法制办公室　编
2009年7月
32开　247页
内容提要：本资料收录《中华人民共和国土地管理法》《中华人民共和国森林法》《中华人民共和国草原法》《中华人民共和国渔业法》及其配套规定；根据适用法律从实体到程序的不同角度，收录《确定土地所有权和使用权的若干规定》《土地权属争议调查处理办法》；从如何行使救济权的不同角度，收录《中华人民共和国行政复议法》《中华人民共和国行政复议法实施条例》《中华人民共和国行政诉讼法》；从实务操作的角度，明确行政区域界线争议与土地确权纠纷案件的区别，明确镇、旗两级人民政府处理土地

确权纠纷案件的权限划分，拟定处理土地确权纠纷案件工作流程及制作各类法律文书的参考样式。（其利格尔）

土壤污染防治手册

鄂尔多斯市环境保护局　编

32开　25页

内容提要：本资料主要包括土壤污染防治、土壤污染防治科普篇、《土壤污染防治行动计划》解读等内容。（其利格尔）

推进非公团建　激发青春活力

共青团鄂尔多斯市非公有制经济组织工作委员会　编

2017年

16开

内容提要：本资料以图文形式展示了共青团鄂尔多斯市非公有制经济组织工作委员会的推进非公团建，激发青春活力的工作掠影。（其利格尔）

脱贫攻坚应知应会手册

鄂尔多斯市委办公厅　编

32开　65页

内容提要：本资料主要由总书记"精准扶贫"思想的形成，总书记何时提出"三大攻坚战""两个确保"等中央政策；贫困人口识别办法和程序，扶贫小额贷款的政策要点，电商扶贫工程等自治区部署，分年度脱贫情况；建档立卡未脱贫人口现状等全市扶贫基本情况三个部分组成。（其利格尔）

统一战线优秀论文汇编（2010年）

中共鄂尔多斯市委统战部　编

2010年10月

32开　291页

内容提要：本资料汇编统战工作优秀调研报告和理论文章，分为参政议政和多党合作，民族、宗教，非公有制经济，统战文化、和谐社会，基层统战，侨务工作，新农村建设，论苑八个章节。（荷梅）

统计系统优秀分析报告汇编（2018年）

鄂尔多斯市统计局　编

32开　179页

内容提要：本资料汇编2018年鄂尔多斯市统计局和各旗区局评选出的统计系统优秀分析报告汇编。（荷梅）

外事涉外工作手册

伊克昭盟外事办公室　编

1994年10月

32开　239页

内容提要：本资料主要包括涉外人员的外事纪律、礼节礼貌和礼宾知识教育等内容，供涉外单位和涉外人员学习、参考。（其利格尔）

万象

杜奎老师及2017届高三一班全体学生　著

2017年10月

32开　153页

内容提要：本资料以图文形式收录

了北京师范大学鄂尔多斯附属学校2017届高三一班的高中生活和作文等内容。（其利格尔）

微道伊金霍洛

中共伊金霍洛旗宣传部　编
32开　186页
内容提要：本资料是一本记录"伊金霍洛旗发布"政务微平台成长的宣传册，主要展现了伊金霍洛旗古地、美景、美食等内容。（其利格尔）

违法业务处理大厅业务指南

伊旗交管大队　编
2019年10月
32开　4页
内容提要：本资料主要包括八种交通违法情形、提交资料、办理流程、监督举报电话等内容。（其利格尔）

卫生计生改革与发展文件汇编（2015）

鄂尔多斯市卫生和计划生育委员会　编
2018年2月
16开　677页
内容提要：本资料汇编了2015年度中央和国务院、国家部门、自治区政府、自治区各部门关于卫生计生改革与发展的文件。（其利格尔）

卫生计生改革与发展文件汇编（2016）

鄂尔多斯市卫生和计划生育委员会　编
2018年2月
16开　1017页
内容提要：本资料汇编了2016年度中央和国务院、国家有关部门、自治区政府、自治区各部门关于卫生计生改革与发展的文件。（其利格尔）

卫生计生改革与发展文件汇编（2017）

鄂尔多斯市卫生和计划生育委员会　编
2018年2月
16开　736页
内容提要：本资料汇编了2017年度中央和国务院、国家有关部门、自治区政府、自治区各部门关于卫生计生改革与发展的文件。（其利格尔）

卫生与健康教育手册

鄂尔多斯市康巴什新区管委会　编
2008年
32开　46页
内容提要：本资料为康巴什地区卫生健康宣传资料，主要汇编了卫生与健康常识普及教育内容。（其利格尔）

为党旗增辉·为国土添彩

鄂尔多斯市国土资源局机关党委　编
2011年8月
16开　61页
内容提要：本资料为鄂尔多斯市国土资源局庆祝建党90周年暨创先争优活动剪影。主要包括鄂国土党组发〔2011〕19号《鄂尔多斯市国土资源局党组关于开展纪念建党90周年活动的通知》、鄂国土党委发〔2011〕1号《鄂尔多斯市国土资源局机关党委关于组织开展纪念建党90周年活动的通知》、鄂国土党组发〔2011〕38号《鄂尔多斯市国土资源局党组关于表彰奖励先进基层党组织和优秀共产党员优秀党务工作者的决定》、鄂国土资发〔2011〕90号《鄂尔多斯市国土资源局关于举办庆祝中国共产党成立90周年和第21个全国土地日知识竞赛的通知》、《全市国土资源系统纪念建党90周年暨庆祝第21个全国"土地日"知识竞赛获奖名单》等内容。（其利格尔）

文化体制改革文件材料汇编

鄂尔多斯市文化体制改革专项领导小组　编

2016年7月

16开　461页

内容提要：本资料汇编了《中共中央、国务院关于深化文化体制改革的若干意见》（中发〔2005〕14号）及相关文件。（荷梅）

文化新闻出版广电文物扶持政策汇编

鄂尔多斯市文化新闻出版广电局　编

2017年

16开　229页

内容提要：本资料主要收录了国家、内蒙古自治区及鄂尔多斯市政府发布出台的涉及文化、文物、文化市场、新闻出版、广播影视等领域的法律法规、规章和规范性文件共176部（个），分为法律、行政法规、部门规章、规范性文件四大类，80余万字。（荷梅）

文明市民手册

康巴什新区党工委、康巴什新区管委会　编

2010年6月

32开　36页

内容提要：本手册主要包括公民基本道德规范、市民"十不"守则，即公务员信用守则、市民信用公约、乘客文明守则、游客文明守则、观众听众文明守则、居民文明守则、十字文明用语、创建文明城市须知、全国文明城市测评调查问卷等内容。（其利格尔）

乌兰木伦煤矿档案管理制度汇编

乌兰木伦煤矿　编

1997年12月

16开　58页

内容提要：为更好地落实《中华人民共和国档案法》，把乌兰木伦煤矿档案室建成高标准、高质量的综合档案室，乌兰木伦煤矿汇编了这份资料，主要包括档案管理工作制度、岗位责任制、乌兰木伦煤矿档案信息网络图、乌兰木伦煤矿档案分类方案等档案管理制度内容。（其利格尔）

乌兰木伦煤矿档案文件资料汇编

乌兰木伦煤矿　编

1997年12月

16开　45页

内容提要：本资料汇编了《乌兰木伦煤矿关于申请档案管理达标验收的报告》《乌兰木伦煤矿关于成立综合档案室的通知》《关于收集档案资料的通知》《乌兰木伦煤矿档案工作（95—97）三年发展规划》等乌兰木伦煤矿档案文件资料。（其利格尔）

乌审旗畜牧业优化结构模型

乌审旗规划组　编

1986年

16开　48页

内容提要：本资料汇编了关于对乌审旗畜牧业结构优化的资料，主要是减少牛、羊数量，并进行品种改良等方面。（荷梅）

乌审旗林业发展战略规划报告

吴兆军　主编

乌审旗规划组　编

1986年

16开　21页

内容提要：本资料为乌审旗林业发展规划相关内容，其中包括无定河流域两岸景观林建设和乌兰陶勒盖治沙站生态防护林、景观林建设等方面的规划材料。（荷梅）

乌审旗绵羊群结构优化方案

吕世一、李欣荣　主编

乌审旗规划组　编

1986年

16开　34页

内容提要：本资料是关于乌审旗优化绵羊群结构的方案。方案重点介绍了适当的养殖山羊，并改善绵羊的品种（如细毛羊、杜泊羊）等方面内容。（荷梅）

乌审旗气象灾害防御规划

李兴飞　主编

气象出版社

ISBN 978-7-5029-5873-2

2013年12月

16开　96页　48.00元

内容提要：本书主要介绍鄂尔多斯市乌审旗气象灾害时空分布特征，并在此基础上对气象灾害风险区划进行划分，对气象灾害给全旗各行业造成的影响进行分析，同时还制定了气象灾害防御的相关措施。（荷梅）

乌审旗沙地改造利用区划报告

乌审旗农牧业区划委员会办公室　编

1985年5月

16开

内容提要：本资料是关于乌审旗沙地改造利用区划的报告，记述了在沙漠地区种植树木和沙柳、沙蒿、臭柏等植物，以此方式来改造沙地的优势及成效。（荷梅）

乌审旗水资源利用规划报告

郝新华　主编

乌审旗规划组　编

1986年

16开　53页

内容提要：本资料为乌审旗水资源利用规划的报告，其中主要包括水库、河流、湖泊、沼泽等方面的规划。（荷梅）

乌审旗种植业与多种经营发展战略规划

乌审旗规划组　编

1986年

16开　58页

内容提要：本资料为乌审旗种植业与多种经营发展战略规划，主要包括种植业与多种经营方式、养殖业、服务业、加工业等各方面规划资料。（荷梅）

五月的鲜花·为青春绽放——共青团鄂尔多斯市非公有制经济组织先进事迹材料

共青团鄂尔多斯市非公有制经济组织工作委员会　编

2018年5月

16开　106页

内容提要：本资料主要汇编了《让青春色彩在接力奋斗中更加绚烂——共青团鄂尔多斯市非公有制经济组织工作委员会工作综述》等相关文件、内蒙古吉泰恒岳建设集团团委先进事迹、鄂托克前旗蒙银村镇银行团支部先进事迹等30项共青团鄂尔多斯市非公有制经济组织先进事迹材料。（其利格尔）

物业管理法规条例宣传手册

伊金霍洛旗房地产管理局　编

2010年1月

32开　45页

内容提要：本资料汇编了《关于印发〈业主大会和业主委员会指导规则〉的通知》《业主大会和业主委员会指导规则》《鄂尔多斯市普通住宅物业管理服务文明行业标准》等物业管理法规条例相关内容。（其利格尔）

物业管理条例

东胜区房产管理局　编

2010年4月

32开　58页

内容提要：本资料包括《中华人民共和国物业管理条例》《内蒙古自治区物业管理条例》《东胜地区住宅小区物业管理实施细则》等物业管理条例相关内容。（其利格尔）

物业纠纷调处百问百答

包金　主编

东胜区司法局诃额伦街道司法所　编

32开　92页

内容提要：本资料通过问答的形式，就物业矛盾纠纷中经常涉及的问题进行详细解答，明确纠纷双方的权利义务，帮助读者"对号入座"，轻松掌握物业矛盾纠纷解决法律知识。资料所收录文件皆为国家颁布的现行法律、行政法规，对从事物业纠纷调解工作的调解员来说，具有一定指导意义和参阅价值。（其利格尔）

习近平总书记关于民族宗教工作重要论述（摘编）

城川民族干部学院　编

2018年9月

16开　116页

内容提要：本资料汇编了《习近平总书记引用古语名句谈民族工作（摘编）》《习近平总书记赴民族地区调研及发表重要讲话要点（摘编）》《习近平总书记关于民族工作的重要论述（摘编）》《习近平总书记关于民族工作的重要讲话（摘编）》《习近平总书记关于牵挂少数民族的那些事儿（摘编）》等内容。（其利格尔）

习近平总书记关于意识形态工作重要讲话选编

中共伊金霍洛旗委员会宣传部　编

2017年3月

32开　117页

内容提要：本资料汇编了《习近平总书记在全国宣传思想工作会议上的讲话摘要》（2013年8月19日）、《在文艺工作座谈会上的讲话》（2014年10月15日）、《在党的新闻舆论工作座谈会上的讲话》（2016年2月19日）、《在网络安全和信息化工作座谈会上的讲话》（2016年4月19日）、《在哲学社会科学工作座谈会上的讲话》（2016年5月17日）、《会见中国记协第九届理事会全体代表和中国新闻奖、长江韬奋奖获奖者代表时的讲话摘要》（2016年11月7日）、《在中国文联十大、中国作协九大开幕式上的讲话》（2016年11月30日）、《在全国高校思想政治工作会议上的讲话摘要》（2016年12月8日）、《在会见第一届全国文明家庭代表时的讲话》（2016年12月12日）等关于意识形态工作的重要讲话。（其利格尔）

喜迎党的十九大　庆祝自治区成立70周年鄂尔多斯统一战线优秀论文汇编

中共鄂尔多斯市委统战部　编

2017年9月

16开　315页

内容提要：本资料分为统战理论政策调研论文、统战工作实践创新研究成果两个部分，收入了鄂尔多斯统一战线工作的优秀论文。（荷梅）

"下基层　心连心"工作经验交流材料

准格尔旗"下基层　心连心"活动领导小组办公室　编

16开　88页

内容提要：本资料为准格尔旗"下基层　心连心"工作经验交流资料，是准格尔旗下基层工作文献选编之一，分乡镇街道类、部门单位类、农村社会企业类三个部分。（其利格尔）

"下基层　进万家　心连心"第二个百日行动文件汇编

伊旗农村牧区"三个代表"重要思想学习教育活动领导小组办公室　编

2001年3月

32开　150页

内容提要：本汇编资料包括《中共中央关于制定国民经济和社会发展第十个五年计划的建议》（2000年10月11日中国共产党第十五届中央委员会第五次全体会议通过）、《中共中央、国务院关于做好2001年农业和农村工作的意见》、《内蒙古党委、政府关于做好2001年农牧业和农村牧区工作的意见》等11个文件。（其利格尔）

"下基层　进万家　心连心"第三次百日活动资料汇编

伊旗农村牧区"三个代表"重要思想学习教育活动领导小组办公室　编

2002年3月

32开　129页

内容提要：本资料汇编了《公民道德建设实施纲要》《内蒙古党委、政府关于做好2002年农牧业和农村牧区工作的意见》等相关文件。（其利格尔）

"下基层　进万家　心连心"宣传手册

伊旗"下基层、进万家、心连心"工程领导小组　编

2000年8月

32开　183页

内容提要：本资料分为四篇：第一篇为领导讲话，第二篇为经济社会发展形势，第三篇为各项政策法规，第四篇为实用科技。（荷梅）

"下基层、办实事、促统筹"主题实践活动宣传手册

伊金霍洛旗"下基层、办实事、促统筹"主题实践活动领导小组办公室　编

32开　164页

内容提要：本资料分为五篇，分别是理论政策篇、法律法规篇、治安防治篇、实用知识篇、党建知识篇。（荷梅）

消防安全知识手册

康巴什区公安消防大队　编

32开　24页

内容提要：本资料内容主要包括消防基本知识、正确使用消防器材、家庭防火、火灾的应急处置、逃生技巧、相关法律法规等。（其利格尔）

新冠肺炎防控疫情工作手册

鄂尔多斯市成吉思汗陵旅游区管理委员会　编

2020年3月

32开　16页

内容提要：本资料主要内容包括《成吉思汗陵旅游区关于恢复开放的公告》《鄂尔多斯市成吉思汗陵旅游区复工疫情防控实施方案》《文化和旅游部资源开发司关于印发〈旅游景区开放疫情防控措施指南〉的通知》等。（其利格尔）

新农合住院统筹报销政策

鄂尔多斯市第三人民医院　编

2015年6月

32开　5页

内容提要：本资料主要介绍了新农合住院统筹报销政策具体内容，并含鄂尔多斯市第三人民医院简介。（其利格尔）

信访宣传手册

伊金霍洛旗党委政府信访局　编

2014年12月

32开　45页

内容提要：本资料汇编了《伊金霍洛旗信访工作机构的设立及其主要工作职责》，《〈信访条例〉（节选）》，2013年公安部印发的《关于公安机关处置信访活动中、违法犯罪行为适用法律的指导意见》，2014年中共中央办公厅、国务院办公厅印发的《关于依法处理涉法涉诉信访问题的意见》的主要精神等相关伊金霍洛旗信访工作内容和文件。（其利格尔）

行走鄂尔多斯——鄂尔多斯精品旅游线路

鄂尔多斯市文化和旅游局　编

16开　44页

内容提要：本资料是在对鄂尔多斯市旅游要素整合、优化而形成的专项旅游线路宣传册，层次清晰，内容丰富，为不同需求、不同爱好的游客享受鄂尔多斯、体验鄂尔多斯提供参考。（其利格尔）

兴泰集团资格审查资料

鄂尔多斯市兴泰建筑有限责任公司　编

16开　356页

内容提要：本资料为鄂尔多斯市兴泰建筑有限责任公司的资格审查材料汇总，其中包括投标申请函、企业简介、授权委托书、企业和法人营业执照、企业代码证等多方面内容。（嘎拉贝日汗）

学习贯彻中央、自治区党委和市委关于统一战线系列重大决策部署论文汇编

鄂尔多斯市委统战部　编

2016年9月

16开　278页

内容提要：本资料共分为七篇，分别是综合篇，协商民主、多党合作，民族、宗教篇，非公有制经济篇，港澳台及海外统战篇，基层统战篇，心得体会篇。（荷梅）

学习资料

市直机关党校　编

2004年4月

32开　106页

内容提要：本资料汇编了《中国共产党章程》《中国共产党纪律处分条例》《中国共产党党内监督条例（试行）》等文件。（其利格尔）

学校德育与安全教程

北京师范大学鄂尔多斯附属学校高中部　编

32开　240页

内容提要：本资料分为做人篇、安全篇两个部分，是北京师范大学鄂尔多斯附属学校的德育校本教材。（其利格尔）

项目资料汇编（2006年）

鄂尔多斯市发展和改革委员会　编

32开　93页

内容提要：本资料汇编包括2006年国家、自治区发改委审批的鄂尔多斯市项目表，2006年市发改委审批项目表，2006年争取项目投资情况表，2006年亿元以上重点建设项目进展情况表，2006年竣工亿元以上重点项目表等2006年度项目资料。（其利格尔）

项目资料汇编（2007年）

鄂尔多斯市发展和改革委员会　编

2007年12月

48开　104页

内容提要：本资料汇编包括2007年国家、自治区发改委审批的鄂尔多斯市项目表，包括2007年市发改委审批项目表，2007年争取项目投资情况表，2007年亿元以上重点建设项目进展情况表，2007年竣工亿元以上重点项目表等鄂尔多斯市发展和改革委员会2007年度项目资料。（其利格尔）

项目资料汇编（2008年）

鄂尔多斯市发展和改革委员会　编

2008年12月

32开　143页

内容提要：本资料汇编包括2008年国家、自治区发改委审批的鄂尔多斯市项目表，2008年鄂尔多斯市发改委审批项目表，2008年鄂尔多斯市争取项目投资情况表，2008年鄂尔多斯市5000万元以上重点建设项目进展情况表，2008年鄂尔多斯市5000万元以上竣工重点项目表等2008年度项目资料。（其利格尔）

项目资料汇编（2009年）

鄂尔多斯市发展和改革委员会　编

2009年12月

32开　229页

内容提要：本资料汇编包括2009年市发改委申报审批项目表、2009年争取项目投资情况表、2009年亿元以上重点建设项目进展情况表、2009年亿元以上竣工重点项目表四个部分。（其利格尔）

项目资料汇编（2010年）

鄂尔多斯市发展和改革委员会　编

2010年12月

32开　219页

内容提要：本资料汇编了2010年鄂尔多斯市发改委申报审批项目表、2010年争取项目投资情况表、2010年亿元以上重点建设项目进展情况表、2010年亿元以上竣工重点项目表等2010项目资料。（其利格尔）

畜群草库伦水利建设经验汇编

内蒙古自治区水利局　编
1986年12月
32开　216页
内容提要：本资料收录了各地水利局和水利处提供的有关畜群草库伦水利建设的文件以及领导们的意见和建议，旨在为各地提供参考和推广畜群草库伦水利建设。（其利格尔）

阳光采购

王峰　主编
鄂尔多斯市政府采购中心　编
2007年10月
8开　396页　78.00元
内容提要：本资料是鄂尔多斯市政府采购中心制定的一系列相关的管理办法、内部规章制度、工作流程、工作人员守则等规章制度，主要包括法令、政策、制度、操作程序、案例、知识、研究和宣传等内容。（其利格尔）

谣言粉碎机——让你远离谣言告别食品安全恐慌

鄂尔多斯市食品药品监督管理局　编
32开　38页
内容提要：本资料主要包括告别食品安全恐慌、网上传言不可信、戳破六大食物相克谣言等相关内容，旨在帮助消费者科学辨别食品安全谣言、增强食品安全意识和自我保护能力。（其利格尔）

药品流通监督管理办法（暂行）　医疗器械监督管理条例　医疗器械经营企业监督管理办法

伊盟药品监督管理局　编
2000年5月
32开　39页
内容提要：本资料汇编了《药品流通监督管理办法（暂行）》《医疗器械监督管理条例》《医疗器械经营企业监督管理办法》等文件。（其利格尔）

一九八八年伊克昭盟各级党政机关、群众团体和所属事业单位及企业管理部门机构、编制、实有人数统计资料汇编

伊克昭盟编制委员会办公室　编
1989年5月
32开　209页
内容提要：本资料汇编了《伊克昭盟盟直党政机关和群众团体机构设置及编制、实有人数统计表》《伊克昭盟盟直党政机关和群众团体内设科室名称表》《伊克昭盟盟直事业单位和占事业编制的机构、编制及实有人数统计表》《伊克昭盟旗市级党政机关和群众团体编制、实有人数综合表》等统计资料。（其利格尔）

一路走来（综合篇）

政协鄂尔多斯市第二届委员会　编
2012年12月
32开　316页
内容提要：本资料包括《政协鄂尔多斯市第二届委员会的组织机构及工作

综述》《市政协办公厅及各专门委员会工作综述》《旗区政协2007—2012年工作综述》等。（嘎拉贝日汗）

"一心为民　科学发展"培训教育活动学习资料

中共鄂尔多斯市直属机关工作委员会　编

2006年5月

32开　348页

内容提要：本资料为中共鄂尔多斯市直属机构工作委员会"一心为民　科学发展"培训教育活动学习资料，内容包括《中国共产党章程》《中央农村工作会议精神》《中共中央关于制定国民经济和社会发展第十一个五年规划的建议》《内蒙古党委七届十一次全会精神》等。通过对这些资料的学习，可以帮助党员领导干部深入理解党的农村工作方针政策，掌握国民经济和社会发展的总体布局和战略布局，为实现全面建设社会主义现代化国家、全面深化改革等做出贡献。（荷梅）

伊金霍洛

伊金霍洛旗新闻中心　编

2006年

32开　129页

内容提要：本资料是为宣传、贯彻伊金霍洛旗十三次党代会精神，积极推动经济社会实现新一轮跨越式发展，推出的组合报道《伊金霍洛》（2006特刊），主要包括对"十一五"的决策思路篇、对"十五"的总结经验篇、对"十一五"的展望篇等内容。（其利格尔）

伊金霍洛旗那达慕·第十五届成吉思汗旅游文化周活动指南（2019年）

大会筹备领导小组办公室　编

2019年8月

16开　66页

内容提要：本资料为2019年伊金霍洛旗那达慕、第十五届成吉思汗旅游文化周活动指南，包括活动须知、日程安排表、《2019年伊金霍洛旗那达慕第十五届成吉思汗旅游文化周实施方案》、《2019年伊金霍洛旗那达慕第十五届成吉思汗旅游文化周执行方案》等内容。（其利格尔）

伊金霍洛日记网言微语（2013年）

中共伊金霍洛旗委宣传部　编

2013年

16开　274页

内容提要：本资料主要分为加强网络媒体推稿、全力打造双微平台两部分，具体包括2013年网上报道精选专题报道、2013年重点报道网络推稿部分列表、新华网·伊金霍洛频道推稿精选、"伊金霍洛发布"2013年微博精选等内容。（其利格尔）

伊金霍洛旗"两学一做"学习教育进行时

中共伊金霍洛旗委员会组织部　编

2017年8月

16开　52页

内容提要：伊金霍洛旗贯彻落实中央、自治区党委和市委相关文件精神，把"两学一做"学习教育作为年度党建工作的龙头任务来抓。在旗委的坚强领导下，全旗18个基层党委、7个党组织、447个党支部、10701名党员精心组织，扎实推进，坚持领导带头；层层示范，坚持问题导向、立行立改；坚持以学促做、学做结合，充分发挥党员先锋模范作用，统筹推进各项工作，切实用全旗重大项目、重点工作成果来检验"两学一做"学习教育成效。（其利格尔）

伊金霍洛旗"十一五"统计手册（2006—2010）

燕志斌、王雄昌　主编
伊金霍洛旗统计局　编
2011年11月
64开　176页

内容提要：本资料以统计资料为主，较为全面地反映了"十一五"时期（2006—2010）伊金霍洛旗经济社会发展的主要情况，全旗主要经济指标在全市的位次，以及部分全国百强县（市）主要经济指标比较情况。同时，编者还整理和摘编了新统计法、主要统计指标释义及统计原理、统计用全旗行政区划和城乡划分代码、中国基本国情以及常用统计术语精释等内容。（嘎拉贝日汗）

伊金霍洛旗2012年理论政策

中共伊金霍洛旗委员会、建设学习型党组织工作协调小组办公室　编著
2012年6月
32开　70页

内容提要：本资料汇编了医疗卫生、农牧政策、国土资源知识、法律维权、法律知识、交通安全、计划生育、食品药品安全·社会保障、"创城"知识、用电知识、健康饮水、理论政策等15个方面的200条政策内容。（其利格尔）

伊金霍洛旗2013年"惠民五送"主题实践活动便民手册

中共伊金霍洛旗委宣传部　编
2013年6月
32开　78页

内容提要：本资料分医疗卫生、法律知识、工商惠民、计划生育、社会保障、农业知识、国土资源知识、"十八"大知识八个部分，解答了伊金霍洛旗2013年"惠民五送"主题实践活动相关问题。（其利格尔）

伊金霍洛旗财政收支分析

伊金霍洛旗财政局　编
2018年2月
32开　31页

内容提要：本资料主要包括2018年2月伊金霍洛旗财政收支分析报告、2018年2月伊金霍洛旗一般公共预算收支分析表、2018年2月伊金霍洛旗财政收支图例分析表三个部分。（其利格尔）

伊金霍洛旗残疾人康复服务指南

伊金霍洛旗残疾人联合会　编

2008年7月

32开　104页

内容提要：本资料为伊金霍洛旗残疾人康复服务指南，其内容以公众需求及残疾人应该了解掌握的康复知识为基础，涉及各类残疾的预防和康复训练，内容丰富，图文并茂，言简意赅，通俗易懂，具有较强的可操作性和实用性。（其利格尔）

伊金霍洛旗创建国家级食品安全示范县资料读本

伊金霍洛旗食品安全协调委员会办公室　编

2008年4月

32开　171页

内容提要：本资料分伊金霍洛旗创建国家级食品安全示范县法律法规篇、伊金霍洛旗创建国家食品安全示范县方案制度篇、伊金霍洛旗创建国家食品安全示范县组织机构篇三个部分，汇编了伊金霍洛旗创建国家级食品安全示范县资料。

伊金霍洛旗创建全国民族团结进步示范旗工作手册

伊金霍洛旗创建全国民族团结进步示范旗工作领导小组办公室　编著

2018年5月

16开　94页

内容提要：本资料汇编了民委发〔2014〕94号《国家民委关于推动民族团结进步创建活动进机关、企业、社区、乡镇、学校、寺庙的实施意见》、内民委〔2011〕17号《内蒙古自治区党委宣传部、党委统战部、自治区民委关于进一步开展民族团结进步创建活动的实施意见》、内民委发〔2013〕24号《内蒙古自治区民族团结进步创建活动示范单位命名管理办法》等文件。（其利格尔）

伊金霍洛旗创建全国民族团结进步示范旗系列读本一：伊金霍洛旗民族团结进步风采

伊金霍洛旗创建全国民族团结进步示范旗工作领导小组办公室　编

2019年7月

16开　124页

内容提要：本资料汇编2017年以来受自治区，市委、市政府，旗委、旗政府表彰的部分模范集体和模范个人的先进事迹材料，使民族团结进步模范的先进事迹广为人知、深入人心，充分发挥各类先进典型作用，用群众身边的人和事教育群众，带动全旗各族干部群众积极参与民族团结进步事业。（其利格尔）

伊金霍洛旗创建全国民族团结进步示范旗系列读本二

伊金霍洛旗创建全国民族团结进步示范旗工作领导小组办公室　编

2005年5月

16开　29页

内容提要：本资料汇编了《中华人民共和国民族区域自治法》《内蒙古自治区蒙古语言文字工作条例》《城市民族工作条例》等法律法规。（其利格尔）

伊金霍洛旗创建全国民族团结进步示范旗系列读本三

伊金霍洛旗创建全国民族团结进步示范旗工作领导小组办公室　编

2020年8月

16开　54页

内容提要：本资料汇编了《十九大报告"关键词"》《党的十九大为新时代民族工作开辟新境界》《十九大为新时代民族团结进步教育指明方向》等习近平总书记关于民族工作及参加内蒙古代表团审议时重要讲话精神等内容。（其利格尔）

伊金霍洛旗创建全国民族团结进步示范旗系列读本四：伊金霍洛旗民族团结宣传手册

伊金霍洛旗创建全国民族团结进步示范旗工作领导小组办公室　编

2016年7月

16开　13页

内容提要：本资料以图文形式展示了伊金霍洛旗"六进"创建活动具体做法、民族团结进步创建"六进"活动之"进机关"等创建全国民族团结进步示范旗工作内容。（其利格尔）

伊金霍洛旗大学习大讨论调研成果汇编

伊金霍洛旗委大学习大讨论领导小组办公室　编

2019年7月

16开　132页

内容提要：本资料汇编了《伊金霍洛旗领导班子和班子成员关于全旗重点项目和民生实事项目建设情况的调研报告》《关于矿区生态修复综合治理的调研报告》《关于建设跨省区合作工业园区的几点建议》等伊金霍洛旗大学习大讨论调研成果。（其利格尔）

伊金霍洛旗党委政府信访局宣传手册

伊金霍洛旗党委政府信访局　编

2018年8月

32开　16页

内容提要：本资料主要包括信访局全体工作人员联系点及联系电话、各镇信访分管领导及工作人员联系电话、信访名词解释、信访局工作职责、关于依法处置进京非正常上访行为的意见、国务院信访工作条例等内容。（其利格尔）

伊金霍洛旗第九届学习使用蒙古语文模范集体、模范个人模范事迹申报材料

伊金霍洛旗民族事务局　编

2014年9月

16开　80页

内容提要：本资料用蒙汉双语汇编了伊金霍洛旗第九届学习使用蒙古语文模范集体、模范个人模范事迹申报材料。（其利格尔）

伊金霍洛旗第七届职工运动会秩序册

伊金霍洛旗体育局　编

2015年

16开　197页

内容提要：本资料为伊金霍洛旗第七届职工运动会秩序册，主要包括《关于举办伊金霍洛旗第七届职工运动会的通知》《伊金霍洛旗第七届职工运动会裁判员名单》《体育道德风尚奖、优秀组织奖评选条件》等内容。（其利格尔）

伊金霍洛旗第三批保持共产党员先进性教育活动学习材料

伊旗党委保持共产党员先进性教育活动领导小组办公室　编

2005年11月

32开　86页

内容提要：本资料汇编了争当新农民、建设新农村、新农村建设"五字歌"，先进性教育活动有关文件资料选编，农村牧区党的建设"三级联创"活动内容，鄂尔多斯市泰达驾驶员培训学校（农牧民驾校）简介，伊旗人口转移服务中心介绍等伊金霍洛旗第三批保持共产党员先进性教育活动学习材料。（其利格尔）

伊金霍洛旗发展和改革局机关工作制度

伊金霍洛旗发展和改革局　编

2006年2月

32开　42页

内容提要：本资料汇编了党务工作制度、班子议事制度、工青妇工作制度、精神文明建设工作制度、社会治安综合治理工作制度、计划生育管理工作制度、机关工作制度等伊金霍洛旗发展和改革局机关工作制度。（其利格尔）

伊金霍洛旗妇女发展规划　伊金霍洛旗儿童发展规划宣传册（2011—2020）

伊金霍洛旗人民政府　编

32开　46页

内容提要：本资料汇编了《伊金霍洛旗人民政府办公室关于印发〈伊金霍洛旗妇女发展规划和儿童发展规划〉的通知》《伊金霍洛旗妇女发展规划（2011—2020年）》《伊金霍洛旗儿童发展规划（2011—2020年）》等内容。（其利格尔）

伊金霍洛旗国家税务局各项工作制度

伊金霍洛旗国家税务局　编

2010年7月

16开　56页

内容提要：本资料汇编了《伊金霍洛旗国家税务局工作规则》《伊金霍洛旗国家税务局机关工作制度》《伊金霍洛旗国家税务局行政问责实施办法（试行）》等文件。（其利格尔）

伊金霍洛旗国土资源政策法规汇编

伊金霍洛旗国土资源局　编

32开　362页

内容提要：本资料汇编了伊金霍洛旗国土资源政策法规，包括三部分内容：第一部分为法律、行政法规、地方性法

规等法律法规，第二部分为政府规章、法律等政府部门规章，第三部分为规范性文件、有关文件等。（其利格尔）

伊金霍洛旗红十字会第四次会员代表大会会议材料

伊金霍洛旗红十字会　编

2016年10月

16开　42页

内容提要：本资料汇编了《国际红十字与红新月运动基本原则》《牢记使命履行职责携手人道服务民生全力推动伊金霍洛旗红十字事业跨越发展》《伊金霍洛旗红十字事业2016—2020年发展规划（草案）》《伊金霍洛旗红十字会第四届理事会选举办法（草案）》《伊金霍洛旗红十字会第四届理事会理事候选人名单》等伊金霍洛旗红十字会第四次会员代表大会会议材料。（其利格尔）

伊金霍洛旗基层宣传思想工作报道选编

中共伊金霍洛旗委宣传部　编

2014年6月

16开　72页

内容提要：本资料分"惠民五送"、百姓讲堂、村支书座谈式宣讲、乡镇"去机关化"、乡风文明大行动五个部分，选编了伊金霍洛旗基层宣传思想工作报道。（其利格尔）

伊金霍洛旗精准扶贫惠农惠牧政策手册

伊金霍洛旗扶贫开发领导小组办公室　编

32开　28页

内容提要：本资料主要分伊金霍洛旗精准扶贫惠农惠牧政策的目标任务、扶贫方略、精准识别、精准帮扶、贫困退出、贫困人口动态管理六个部分，全面介绍伊金霍洛旗的扶贫政策和工作实践，从六个方面深入剖析了伊金霍洛旗的扶贫工作经验，为其他地区推进精准扶贫工作提供了借鉴和参考。（其利格尔）

伊金霍洛旗精准扶贫政策应知应会手册

伊金霍洛旗扶贫开发领导小组办公室　编

2019年7月

32开　33页

内容提要：本资料的内容有目标内容、扶贫方略、精准识别、精准扶贫、贫困退出、贫困人口动态管理、贫困人口基本医疗政策、"三个一批"行动计划等。（嘎拉贝日汗）

伊金霍洛旗精准扶贫知识手册

伊金霍洛旗政府、伊金霍洛旗扶贫办　编

2017年

32开　24页

内容提要：本资料包括《关于伊旗贫困人口四大主要致贫原因》《伊旗2017年底国家级建档立卡贫困人口识别标准》等内容。（其利格尔）

伊金霍洛旗精准脱贫工作手册

伊金霍洛旗扶贫开发领导小组办公

室　编

2018年4月

32开　108页

内容提要：本资料汇编了《伊金霍洛旗脱贫攻坚工作领导小组的通知》《白玉刚书记在市委扶贫开发工作会议上的讲话》《尚志强书记在全旗脱贫攻坚动员大会上的讲话》等12篇文章。（其利格尔）

伊金霍洛旗精准脱贫攻坚方案

中共伊金霍洛旗委员会、伊金霍洛旗人民政府　编

2016年2月

16开　236页

内容提要：本资料汇编了《伊金霍洛旗委办公室、伊金霍洛旗人民政府办公室关于成立精准脱贫领导小组的通知》《伊金霍洛旗精准脱贫攻坚方案》《伊金霍洛旗在册贫困户重大疾病患者救助实施办法》《伊金霍洛旗贫困学生资助实施办法》《伊金霍洛旗建档立卡贫困户畜产品直接补贴办法》《伊金霍洛旗精准脱贫年度任务分解表》《伊金霍洛旗委办公室、伊金霍洛旗人民政府办公室关于进一步明确精准扶贫结对帮扶工作责任的通知》等文件。（其利格尔）

伊金霍洛旗就业服务局宣传册

伊金霍洛旗就业服务局　编

2018年12月

32开

内容提要：本资料主要包括伊金霍洛旗2018年申请创业担保贷款对象范围及条件、技能培训政策宣传、公共职业介绍知识宣传、援助企业稳定就业岗位"护航行动"政策、失业保险支持参保职工提升职业技能政策、2018年申请参加创业培训条件、失业保险知识宣传等内容。（其利格尔）

伊金霍洛旗决战决胜脱贫攻坚工作材料汇编

伊金霍洛旗扶贫开发领导小组办公室　编

2020年4月

16开　133页

内容提要：本资料汇编了《鄂尔多斯市精准脱贫攻坚工作领导小组关于全力做好全市决战决胜脱贫攻坚各项工作的通知》《伊金霍洛旗决战决胜脱贫攻坚工作方案》等伊金霍洛旗决战决胜脱贫攻坚工作材料。（其利格尔）

伊金霍洛旗兰家塔富源煤炭有限责任公司煤矿露天技术改造修改初步设计说明书

内蒙古煤矿设计研究院有限责任公司　编

2011年10月

16开　374页

内容提要：本资料分为矿田概况及建设条件、采掘场与排土场边坡稳定、矿田境界及储量、生产能力与服务年限、采区划分、拉沟位置等25章，详细说明了伊金霍洛旗兰家塔富源煤炭有限

责任公司煤矿露天技术改造修改初步设计。（其利格尔）

伊金霍洛旗民生实事项目代表票决制材料汇编（讨论稿）

伊金霍洛旗人大常委会办公室　编著
2018年12月
16开　49页
内容提要：本资料汇编了《中共伊金霍洛旗委办公室关于成立伊金霍洛旗民生实事项目代表票决制工作领导小组的通知》《伊金霍洛旗人大常委会关于旗人大代表对旗民生实事项目实施票决的决定》《伊金霍洛旗第十七届人民代表大会第三次会议民生实事》等伊金霍洛旗委、旗人大常委会、旗政府相关文件。（其利格尔）

伊金霍洛旗农村劳动力转移就业引导性培训读本

伊金霍洛旗就业服务局　编
2010年10月
32开　146页
内容提要：本资料是专门为培训进城务工者编写，其内容贴近广大进城务工者的实际需求，既讲了进城务工"是什么"和"为什么"，也着重介绍了进城务工面临各方面问题时的"怎么办"，具有针对性和实用性。（其利格尔）

伊金霍洛旗气象灾害防御规划

白利云　主编
气象出版社
ISBN 978-7-5029-5872-5
2013年1月
16开　85页　48.00元
内容提要：本书主要介绍了鄂尔多斯市伊金霍洛旗气象灾害时空分布特征，并在此基础上对气象灾害风险区划进行划分，对气象灾害给全旗各行业造成的影响进行分析，同时还制定了气象灾害防御的相关措施。（荷梅）

伊金霍洛旗全域旅游宣传报道汇编（2016.7—2016.9）

中共伊金霍洛旗委宣传部　编
2016年9月
16开　206页
内容提要：本资料汇编了国家级媒体、省级媒体、重点商业网站、市级媒体的关于伊金霍洛旗旅游方面的集中采访活动报道。（其利格尔）

伊金霍洛旗人民政府各分管口2020年重点项目表

伊金霍洛旗人民政府办公室　编
2019年12月
16开　33页
内容提要：本资料汇编了《伊金霍洛旗人民政府各分管口2020年重点项目表总述》《刘槐予副旗长分管口2020年重点项目表》《白剑刚主任分管口2020年重点项目表》《李晓刚副旗长分管口2020年重点项目表》《闫彩煜副旗长分管口2020年重点项目表》《张勇副旗长分管口2020年重点项目表》《孟都巴

雅尔副旗长分管口2020年重点项目表》《边永祥副主任分管口2020年重点项目表》等内容。（其利格尔）

伊金霍洛旗山（沙）水林田湖草综合治理与绿色发展规划（2019—2035年）（报批稿）

国家林业和草原局调查规划设计院、伊金霍洛旗生态绿化建设委员会　编

2019年4月

16开　222页

内容提要：本资料是国家林业和草原局调查规划设计院作为规划编制单位，通过组建编制团队、研究思路、编制大纲、现场调研、形成规划报告，并征求吸纳内蒙古林业厅、鄂尔多斯市、伊金霍洛旗等多方意见建议，反复研讨、数易其稿而形成的，是伊金霍洛旗山（沙）水林田湖草综合治理与绿色发展的指导性文件。规划基准年为2018年，规划期为2019—2035年。其中，近期为2019—2020年，中期为2021—2025年，远期为2026—2035年。（其利格尔）

伊金霍洛旗山（沙）水林田湖草综合治理与绿色发展建设项目（2019—2021年）实施方案

国家林业和草原局调查规划设计院、伊金霍洛旗生态绿化建设委员会　编

2019年11月

16开　212页

内容提要：本资料由《伊金霍洛旗山（沙）水林田湖草综合治理与绿色发展建设项目（2019—2021年）实施方案具体内容》《伊金霍洛旗山（沙）水林田湖草综合治理与绿色发展建设项目汇总表》《伊金霍洛旗山（沙）水林田湖草综合治理与绿色发展建设项目明细表》《伊金霍洛旗山（沙）水林田湖草综合治理与绿色发展建设项目治理分区图》《伊金霍洛旗山（沙）水林田湖草综合治理与绿色发展建设项目实施方案规划示意图》等内容构成。（其利格尔）

伊金霍洛旗蔬菜病虫害防治技术手册

伊金霍洛旗农牧业局　编

2009年9月

32开　95页

内容提要：本资料汇编根据伊金霍洛旗农牧业局专业技术人员在蔬菜病虫害防治工作中积累的经验，结合伊金霍洛旗地理气候等自然条件，总结出的蔬菜病虫害防治的有效办法，包括农药的基础知识、农药残留及植物药害、伊金霍洛旗主要蔬菜病虫害识别及防治三部分内容。（其利格尔）

伊金霍洛旗苏木乡镇人民代表大会换届选举资料选编

伊金霍洛旗人大常委会人事代表办公室　编

2000年

32开　240页

内容提要：本资料选编伊金霍洛旗苏木乡镇人民代表大会换届选举的有关

资料，可为各苏木乡镇换届选举工作提供参考。（荷梅）

伊金霍洛旗委"不忘初心、牢记使命"主题教育学习贯彻党的十九届四中全会精神专题研讨材料汇编

中共伊金霍洛旗委员会办公室、主题教育领导小组办公室　编

2019年11月

16开　149页

内容提要：本资料汇编了中共伊金霍洛旗委员会、伊金霍洛旗人大常委会、伊金霍洛旗人民政府、政协伊金霍洛旗委员会、伊金霍洛旗人民法院、伊金霍洛旗检察院、园区的"不忘初心、牢记使命"主题教育学习贯彻党的十九届四中全会精神专题研讨材料。（其利格尔）

伊金霍洛旗乡村振兴工作推进会发言材料汇编

中共伊金霍洛旗委员会办公室、伊金霍洛旗人民政府办公室　编

2018年9月

16开　206页

内容提要：本资料汇编了伊金霍洛旗农牧业局发言材料、伊金霍洛旗发改局发言材料、伊金霍洛旗住建局发言材料、阿勒腾席热镇发言材料、乌兰木伦镇发言材料等伊金霍洛旗乡村振兴工作推进会发言材料。（其利格尔）

伊金霍洛旗乡村振兴战略实施方案（2018—2022）

伊金霍洛旗发展和改革委员会　编

2019年4月

16开

内容提要：本资料主要包括发展基础、总体要求、构建乡村振兴新格局、加快推进产业兴旺、建设生态宜居乡村、繁荣发展乡村文化、健全乡村治理体系、加快实现生活富裕、完善城乡融合发展政策体系、保障措施、抓好评估考核等内容。（其利格尔）

伊金霍洛旗住房和城乡规划建设局党委党的群众路线教育实践活动学习材料汇编

伊金霍洛旗住房和城乡规划建设局、党委党的群众路线教育实践活动领导小组办公室　编

2014年2月

16开　160页

内容提要：本资料汇编了《习近平在党的群众路线教育实践活动工作会议上的讲话》《刘云山同志在党的群众路线教育实践活动工作会议上的讲话》等中央文件，以及《王君同志在自治区党委党的群众路线教育实践活动工作会议上的讲话内容》等自治区文件。（其利格尔）

伊金霍洛我的家　城市文明靠大家

中共伊金霍洛旗委宣传部、伊金霍洛旗文明办　编

2017年7月

32开　58页

内容提要：本资料为伊金霍洛旗市民文明手册，以图文形式简述了中国梦、社会主义核心价值观守望相助、伊金霍洛旗市民文明公约、群众性精神文明创建活动等21项内容。（其利格尔）

伊克昭盟"八五""九五"期间财政统计资料（1991—2000）

鄂尔多斯市财政局综合税政科　编
2004年3月
32开　69页

内容提要：本资料共分三部分，即图表、综述、数据资料，以便于各级财政部门领导和有关部门及时了解鄂尔多斯财政经济运行情况，加强对财政问题的分析研究，更好地制定有关政策，指导财政工作。（其利格尔）

伊克昭盟财贸支援二农牧业生产重要资料统计

伊盟行政公署财贸办公室　编
1980年3月
32开　61页

内容提要：本资料主要包括工农牧业主要产品提供产品量、全盟粮食产量情况、全盟油料产量情况、全盟分旗县社会商品零售额、权门所有制单位三材消费情况、全盟分旗县财政支出情况、全盟分旗县财政收入完成情况等内容。（嘎拉贝日汗）

伊克昭盟党委伊克昭盟行署各部门及群众团体工作职能汇编

伊克昭盟党委办公室伊克昭盟行署办公室　编
1996年6月
32开　81页

内容提要：本资料分党委、纪律检查委员会、监察局、行政公署、群众团体五个部分，汇编了盟委、行署各部门及各人民团体工作职能，便于各旗市、各部门和各直属单位工作联系，统一掌握。（其利格尔）

伊克昭盟档案馆晋升自治区特级档案馆材料汇编（续编）

内蒙古伊克昭盟档案馆　编
1999年9月
16开　117页

内容提要：本资料汇编了关于申请认定伊盟档案馆为自治区特级综合档案馆的报告、内蒙古自治区各级综合档案馆目标管理考评申报表和管理体制、经费与人员素质、基础业务工作、档案的检索编研和利用、馆务行政管理六个方面的关于伊克昭盟档案馆晋升自治区特级档案馆材料。（其利格尔）

伊克昭盟档案馆升级材料汇编（续编）

内蒙古伊克昭盟档案馆　编
1998年8月
16开

内容提要：本资料汇编了关于申请认定伊盟档案馆为自治区一级综合档案

馆的报告，包括内蒙古自治区各级综合档案馆目标管理考评申报表、机构、人员、编制、经费、基础业务工作、档案技术保护、档案的检索编研和利用、馆务行政管理等材料。（其利格尔）

伊克昭盟地方税收征管文件汇编

伊克昭盟地税局　编
1996年1月
32开　86页

内容提要：本资料汇编了《伊克昭盟地方税税收管理办法》《伊盟计委、伊盟地税局关于固定资产投资方向调节税征收管理办法》《伊盟地方税务局个人所得税征收办法》《伊克昭盟地方税税收减免管理办法》等地方税收征管文件。（其利格尔）

伊克昭盟地方税务局大事记（1994—1997）

张俊琴　主编
伊盟地税局档案室　编
1998年11月
16开　5页

内容提要：本资料记录了伊克昭盟地税局机关1994—1997年的重大活动和各项重要工作。（其利格尔）

伊克昭盟地方税务局全宗指南（1994—1998）

张俊琴　主编
伊盟地税局档案室　编
1998年12月
16开　4页

内容提要：本资料包括伊克昭盟地方税务局机构职能、历任领导成员情况、档案内容简介等内容。（其利格尔）

伊克昭盟地方税务局组织史（1994—1998）

张俊琴　主编
伊盟地税局档案室　编
1998年12月
16开　3页

内容提要：本资料包括1994—1998年的伊盟地税局党组成员表、伊克昭盟地方税务局行政领导任职情况表、中共伊盟地税局机关党委任职情况表等伊克昭盟地方税务局组织史内容。（其利格尔）

伊克昭盟电影发行放映公司档案管理定级材料汇编

伊盟电影发行放映公司档案室　编
1997年7月
16开　35页

内容提要：本资料汇编了关于档案管理定级的报告、1997年档案工作计划、1997年上半年档案工作总结、分管档案工作经理的岗位责任制、主管档案工作办公室主任岗位责任制、伊盟电影发行放映公司档案管理体系网络图等伊克昭盟电影发行放映公司档案管理定级材料。（其利格尔）

伊克昭盟检察分院档案管理晋升自治区特级先进单位续编材料汇编

杨美仙　主编

伊克昭盟检察分院档案室　编

1999年11月

16开　226页

内容提要：本资料主要包括申报材料、档案工作管理体制、目标、档案工作制、业务建设及保管期限表、其他文件材料等内容。（其利格尔）

伊克昭盟林业普查资料（截至1980年底）

伊克昭盟林业局　编

1982年7月

16开　97页

内容提要：本资料收录截至1980年底的伊克昭盟林业普查资料，供各级领导和有关部门系统了解伊克昭盟林业建设的发展情况。（嘎拉贝日汗）

伊克昭盟农业志（征求意见稿）

杨之畅　主编

伊克昭盟农业处　编

1991年10月

16开　212页

内容提要：本资料是《伊克昭盟农业志》征求意见稿第三稿，主要记录了伊盟农业发展历程，勾画伊盟在中华人民共和国成立前后的农业生产发展大体轮廓，全面反映了伊盟农业的地方特点、民族特点和当代农业的技术成果。（嘎拉贝日汗）

伊克昭盟农业续志

白祥林　主编

伊克昭盟农业局　编

2003年5月

16开　530页　100.00元

内容提要：本资料包括述、记、表、录等内容，以志为主，以马列主义、毛泽东思想和邓小平理论为指导，主要记述伊克昭盟地区农业经济的历史和现状，重点是1990—2000年伊克昭盟农业的发展历程。（嘎拉贝日汗）

伊克昭盟税收征管改革文件汇编

内蒙古伊盟水务处　编

1991年7月

32开　237页

内容提要：本资料分两部分，第一部分汇集征管改革的主要文件，第二部分汇集伊克昭盟现行的税务征管规章制度主要文件，旨在便于全盟广大税务干部学习和掌握征管改革的主要精神和具体内容，并不断总结经验，开拓未来，在伊克昭盟逐步建立起一套既适应税收工作，又符合伊盟实际的科学严密的税收征收管理体系，供在工作人员学习和使用。（其利格尔）

伊克昭盟土地管理局档案定级材料汇编

伊盟土地管理局　编

1999年4月

16开　380页

内容提要：本资料汇编了《关于机关档案工作目标管理自治区二级考评的

报告》《关于成立档案鉴定领导小组的通知》《关于调整档案室人员的通知》《伊盟土地管理局关于印发1996年业务档案工作总结和1997年业务档案工作安排》《关于印发〈档案管理各项制度及保管期限表〉的通知》等伊克昭盟土地管理局档案定级材料。（其利格尔）

伊克昭盟卫生防疫站档案工作目标管理认定材料汇编

伊克昭盟卫生防疫站　编
1998年11月
16开　85页
内容提要：本资料汇编了《关于晋升科技事业单位档案工作管理自治区级的报告》《科技事业单位档案管理升级登记表基本情况调查表》《伊盟防疫站关于成立档案室的通知》《伊盟防疫站关于认真做好卫生防疫档案工作的通知》《伊盟防疫站关于成立档案鉴定和撤销领导小组的通知》《关于印发〈分管档案工作站长岗位责任制〉等文件的通知》等伊克昭盟卫生防疫站档案工作目标管理认定材料。（其利格尔）

伊克昭盟文学艺术工作者第二次代表大会资料汇编

伊克昭盟文学艺术界联合会　编
1984年12月
32开　84页
内容提要：本资料包括伊克昭盟文学艺术工作者第二次代表大会开幕词《在改革的实践中勤奋创作，进一步繁荣社会主义文艺》、《伊克昭盟文学艺术界联合会章程》等十多篇讲话、报告、章程等。（荷梅）

伊克昭盟文学艺术工作者第三次代表大会资料汇编

伊克昭盟文学艺术界联合会　编
1989年5月
32开　77页
内容提要：本资料收录了《关于召开伊克昭盟文学艺术工作者第三次代表大会的决议》《在伊盟第三次文代会闭幕式的讲话、贺词》《关于修改文联章程的说明》等20多篇讲话、报告等。（荷梅）

伊克昭盟乡（苏木）干部素质优化研究报告

伊克昭盟党委组织部课题组　编
1990年11月
32开　186页
内容提要：本资料主要包括伊克昭盟乡（苏木）干部素质现状与大环境改善、乡（苏木）干部低素质的原因、提高乡（苏木）干部素质的途径、伊克昭盟乡（苏木）干部考核、伊克昭盟乡（苏木）干部培训、伊克昭盟乡（苏木）干部调整等内容。（嘎拉贝日汗）

伊克昭盟行政公署办公室基础数字汇编

伊克昭盟行政公署办公室档案室　编著
1998年8月

16开

内容提要：本资料包括综合性基础数字汇编和专题性基础数字汇编，收录了经济、文化教育、商业贸易等综合数据。（其利格尔）

伊克昭盟行政公署办公室全宗指南

伊克昭盟行政公署办公室档案室　编

1998年8月

16开　8页

内容提要：本资料为伊克昭盟行政公署办公室全宗指南，分为伊克昭盟行政公署办公室组织沿革、职能及领导人员情况，档案内容，情况说明三个部分。（其利格尔）

伊克昭盟行政公署办公室统计基础数字汇编（1991—2001）

伊克昭盟行政公署办公室秘书科　编

2001年9月

16开　30页

内容提要：本资料由伊克昭盟行政公署办公室发文工作情况表、伊克昭盟行政公署办公室发文工作情况表、伊克昭盟行政公署办公室信访件处理工作情况表三个部分构成。（其利格尔）

伊克昭盟行政公署大事记

伊克昭盟行政公署办公室档案室　编

1998年8月

16开　143页

内容提要：本资料按年、月的顺序真实地记录了1990年1月—1997年12月间的伊克昭盟行政公署的重大政务活动。作为伊克昭盟政史的重要补充，这部大事记将对今后指导各项政务工作具有重要参考价值。（其利格尔）

伊克昭盟行政公署大事记续编（1998—2001）

伊克昭盟行政公署办公室档案室　编

16开　38页

内容提要：本资料按年、月顺序真实记录了1998年1月—2001年9月间的伊克昭盟行政公署的重大政务活动，作为伊克昭盟政史的重要补充，将对指导各项政务工作具有重要参考价值。（其利格尔）

伊克昭盟行政公署重要文件汇编（1949—1987）

伊克昭盟行政公署办公室、伊克昭盟档案馆　编

1989年5月

32开　361页

内容提要：本资料收录了中华人民共和国成立以后至1987年伊克昭盟行政公署颁发的目前仍适用的重要文件共57件。按性质和内容可以分为农牧林水、工业交通、财政贸易、计划物资、工商物价、文卫科教、城乡建设、劳动人事、社会治安、民族工作、机关工作、保险12个部分。（荷梅）

伊克昭盟行政公署重要文件汇编（1988）

伊克昭盟行政公署办公室　编

1989年5月

32开　260页

内容提要：本资料收录了1988年伊克昭盟行政公署颁发的34件重要文件。收录的重要文件包含盟行政公署根据国家和自治区法律、法规、行政规章精神，结合我盟实际情况制定的，在全盟范围内具有普遍约束力的规范性文件。按其性质和内容分为综合、农牧林水、扶贫、土地管理、交通、财政税务、审计、保险、物资、烟草、科技、劳动人事、机构编制、民政、公安、监察、档案、机关工作18类。（库布其）

伊克昭盟行政公署组织沿革（1958—1997）

伊克昭盟行政公署办公室档案室　编
1998年8月
16开　24页

内容提要：本资料收录了1958—1997年伊克昭盟行政公署机构建制沿革，历届伊克昭盟人民政府主任、副主任、盟长、副盟长信息，工作概述等组织沿革内容。（其利格尔）

伊克昭盟医院档案工作目标管理材料汇编

伊克昭盟医院办公室　编
1998年11月
16开　92页

内容提要：本资料汇编了晋升汇报、成立档案室与发展规划、档案管理制度、工作制度与分类方案等伊克昭盟医院档案工作目标管理材料。（其利格尔）

伊盟档案局文件

伊盟档案局　编
伊档发〔1999〕19号
1999年12月
16开　5页

内容提要：本资料是关于贯彻《内蒙古自治区人物档案全部管理办法（试行）》，做好伊盟著名人物档案的征集、管理工作的通知。（嘎拉贝日汗）

伊盟纪念十一届三中全会十周年理论讨论会论文集（1988）

《伊盟社联通讯》编辑部　编
1988年12月
16开　169页

内容提要：本资料为伊克昭盟纪念十一届三中全会十周年理论讨论会论文集，其内容主要包括中国社会已经形成并确立的建设有中国特色的社会主义理论的基本观点和轮廓。（嘎拉贝日汗）

伊盟地税局基础数字汇编（续）（1995—1997）

张俊琴　主编
伊盟地税局档案室　编
1998年12月
16开　4页

内容提要：本资料包含了伊盟地税系统基础数字三大汇集，不仅是地方税收成果的客观反映，也是指导地税工作为领导宏观决策服务的重要依据，将对今后的地税工作具有重要的参考使用价值。（其利格尔）

伊盟地税局总揽（1994—1997）

张俊琴　主编
伊盟地税局档案室　编
1998年11月
16开　7页

内容提要：本资料包括了伊盟地税局简介，连续四年大幅度超额完成税收任务、税收征管改革取得突破性发展，依法治税得到进一步加强、班子建设，队伍建设和精神文明建设取得新进展等部分内容。（其利格尔）

伊盟地税直属征管局档案晋级汇报材料

伊盟地税局直属征管局档案室　编
1997年12月
16开　83页

内容提要：本资料汇编了《关于申请晋升自治区级档案管理二级标准的报告》《伊盟地税直属征管局关于1997年度领导班子成员分工的通知》《伊盟地税局直属征管局档案管理体系网络图》《伊盟地税局直属征管局档案分类方案》等伊盟地税直属征管局档案晋级汇报材料。（其利格尔）

伊盟图书馆档案管理定级材料汇编

伊盟图书馆档案室　编
1997年8月
16开　31页

内容提要：本资料汇编了《关于档案管理定级的报告》《伊盟图书馆1997年工作计划》《关于成立档案管理定级领导小组的报告》《1997年档案工作计划》《1997年上半年档案工作总结》《分管档案工作行政馆长的岗位职责》等伊盟图书馆档案管理定级材料。（其利格尔）

伊盟乌审旗草场资源调查报告

乌审旗农牧业区划委员会办公室　编
1985年5月
16开

内容提要：本资料汇编了对乌审旗草场资源的调查资料，对草地进行分类，包括牧草地、草原、沼泽草地、沙漠草原等类型。（荷梅）

伊旗交管大队规章制度资料汇编

伊旗交管大队　编
2013年5月
16开　122页

内容提要：本资料为伊金霍洛旗交管大队多年规范化建设的工作成果，收录了伊旗交管大队的规章制度资料，集中反映了伊旗交管大队的发展轨迹与工作状况，伊旗交管大队全体干警多年工作经验与智慧的结晶，标志着大队的管理水平迈上了新的台阶。（其利格尔）

伊旗森林公安局宣传册

伊旗森林公安局　编
2005年12月
32开　46页

内容提要：本资料汇编了《森林公安管辖治安案件范围》《中华人民共和国森林法》《中华人民共和国森林法实施条例》《内蒙古自治区实施〈中华人

民共和国野生动物保护法〉的办法》等制度和相关文件内容。（其利格尔）

医疗纠纷调解·医学鉴定手册

鄂尔多斯市医疗纠纷人民调解委员会　编
2014年10月
32开　91页

内容提要：本手册汇编了鄂尔多斯市医疗纠纷调解和医疗鉴定工作相关通知、程序、法律法规、意见和实施方案等内容。（其利格尔）

医疗卫生法律法规汇编

康巴什新区医疗急救中心　编
2012年1月
32开　333页

内容提要：本资料汇编了《医疗机构管理条例》《医疗机构管理条例实施细则》《中华人民共和国执业医师法》《中华人民共和国护士管理办法》《中华人民共和国药品管理法》等医疗卫生法律法规。（其利格尔）

医疗卫生法律法规汇编（第一册）

鄂尔多斯市蒙医研究所　编
2009年
16开　504页

内容提要：本资料包括《内蒙古自治区人民政府关于进一步扶持蒙医中医事业发展的决定》《鄂尔多斯市人民政府关于进一步扶持蒙医中医事业发展的意见》《卫生部关于印发〈2008年"以病人为中心，以提高医疗服务质量为主题"的医院管理年活动方案〉的通知》《医疗机构管理条例》医疗卫生法律法规。（其利格尔）

以党建带团建促共建全市个体私营经济组织党建带团建现场观摩推进会材料汇编

鄂尔多斯市工商行政管理局　编
2017年7月
16开　160页

内容提要：本资料主要包括全市个体私营经济组织总结表彰暨党建带团建现场观摩推进会材料辑选，推进全市非公有制经济组织党团建设集体和个人先进经验与先进事迹辑选两个部分，试从各方面反映出全市个体私营经济组织党团建设工作的全貌。（其利格尔）

义务和责任学习宣传保密法手册

鄂尔多斯市国家保密局　编
32开　30页

内容提要：本手册分保密工作基本概念、涉密人员的义务和责任、国家秘密载体的保密管理、保密要害部门部位管理、计算机信息系统、涉密设备及移动存储介质保密管理、法律责任、《中华人民共和国保守国家秘密法》七个部分，汇编了义务和责任学习宣传保密法。（其利格尔）

应急预案手册

神华包神铁路有限责任公司　编
2010年12月

32开　154页

内容提要：本资料体现了安全第一、预防为主、防救并举、先通后复的原则，对应急处置的工作原则、预警预防、组织体系、职责任务、信息报告、响应行动、处置程序、人员物资保障、培训演练和预案管理等方面提出了明确的要求，包括1个综合预案、13个专项预案，涵盖了铁路交通、地质、火灾、群体性突发事件、公共卫生、防洪、恶劣天气等方面的内容。（其利格尔）

应知社会知识手册

鄂尔多斯市圣园投资集团有限责任公司　编

2020年

64开　175页

内容提要：本资料主要内容包括常用名词解释、习近平新时代中国特色社会主义思想、党章党规党纪知识、党的理论基础知识、国有企业党的建设工作会议精神、金融知识、"学习强国"《挑战答题》题库及标准答案参考等。（其利格尔）

迎宾卡

鄂托克旗人民政府接待办　编

2015年8月

32开

内容提要：本资料主要包括鄂尔多斯市原任副地级以上离退休老干部一行在鄂托克旗住宿安排相关内容。（其利格尔）

硬道理

鄂尔多斯市发展和改革委员会"执政为民、加快发展"培训教育活动领导小组　编

2004年

32开　148页

内容提要：本资料是"执政为民，加快发展"培训教育活动的29名干部理论学习成果展示。这些文章均为29名同志在各自的工作岗位上所思所想、所感所悟，具有较强的针对性和现实性，见解独到而深刻，充分表达了广大干部职工致力于加快鄂尔多斯市经济社会发展的炽热情怀。（其利格尔）

用电宣传材料

伊金霍洛供电局　编

2001年7月

32开　14页

内容提要：本宣传材料包括电力法宣传、居民安全用电常识、居民客户用电指南、电度计量与收费、违约用电与窃电、服务承诺等内容。（其利格尔）

优秀调研成果汇编

鄂尔多斯市党的建设研究会、中共鄂尔多斯市委员会组织部　编

2018年12月

16开　266页

内容提要：本资料主要收入鄂尔多斯市2018年重点课题和2018年自选课题的31篇优秀调研成果，其中一等奖6篇、二等奖10篇、三等奖15篇。（其利格尔）

与时代同行·与改革同行——伊金霍洛旗工商行政管理发展历程（1949—2018）

伊金霍洛旗工商行政管理局　编
2019年8月
16开　149页
内容提要：本资料全面翔实地记录了中华人民共和国成立以来69年间伊旗工商行政管理事业的发展概况与重要成就，充分展示出伊旗工商部门为维护全旗良好市场秩序付出的努力，生动展现了伊旗工商事业发生的深刻变化和广大工商干部队伍的精神风采。本资料主要包括历史沿革、机构变迁、职能演变、重大事件、政策导向、统计资料、大事记等内容。（其利格尔）

与税同行的日子——成陵地税局大事记（2009—2013）

成陵地税局　编
2014年5月
16开　96页
内容提要：本资料为成陵地税局2009—2013年的大事记，分为序言、简介、大事记（2009—2013）、成就荣誉、纳税排行、重点企业六个部分。（其利格尔）

"遇见·伊金霍洛"2018中国（鄂尔多斯）户外大会媒体推广总结报告

2018年8月
16开　913页
内容提要：本资料为"遇见·伊金霍洛"2018中国（鄂尔多斯）户外大会媒体推广总结报告，包括2018中国鄂尔多斯户外大会广告宣传、2018中国鄂尔多斯户外大会会前报道、2018中国鄂尔多斯户外大会会后报道三个部分，并汇编了"遇见·伊金霍洛"2018中国（鄂尔多斯）户外大会期间来自各个网络媒体的报道。（其利格尔）

员工每日健康资讯（1—150期合订本）

张俊丽　主编
鄂尔多斯电业局　编
16开　150页
内容提要：本资料为《员工每日健康资讯》1—150期合订本，主要包括健康资讯前沿、健康行为标准、日常保健知识、饮食健康频道、慢病控制方法、心理健康干预等内容。（其利格尔）

员工培训手册

矿业服务公司　编
2013年12月
32开　362页
内容提要：本资料主要介绍了矿业服务公司主要工种在操作、维修工作中的基础、安全、操作应知应会基本知识，可供从事此类操作人员参考学习、培训使用。（其利格尔）

阅读——达拉特旗脱贫攻坚好故事（2018.1—2020.5）

中共达拉特旗委员会宣传部　编
16开　431页

内容提要：本资料主要收录了2018年1月—2020年5月中央级、自治区级、市级主流媒体和2020年旗级新闻媒体关于达拉特旗决战决胜脱贫攻坚的部分新闻报道稿件，全方位展示了达拉特旗争分夺秒冲刺，全力以赴攻坚，夺取脱贫攻坚战全面胜利，高质量全面建成小康社会的目标。（嘎拉贝日汗）

云峰同志文稿选编

云峰　主编
中共鄂尔多斯市委办公厅　编
2008年12月
16开　763页

内容提要：本资料收录的是云峰同志2000—2008年的重要文稿，分为战略决策、经济发展、社会进步、政治思想、经验总结、署名文章六个篇章，共计110篇。（其利格尔）

运动员村工作方案汇编

第十届全国少数民族传统体育运动会运动员村管理委员会　编
2015年6月
16开　206页

内容提要：本资料为第十届全国少数民族传统体育运动会运动员村工作方案汇编，主要包括此次运动会的总体工作方案、通知、办公室工作方案、物业服务方案、医疗卫生工作方案、新闻宣传工作方案等内容。（嘎拉贝日汗）

运政指挥及投诉中心工作手册

内蒙古鄂尔多斯市道路运输管理局　编
2014年3月
16开　284页

内容提要：本资料结合鄂尔多斯市道路运输管理工作实际，以方便全市广大道路运输管理人员熟知内蒙古鄂尔多斯市道路运输管理知识为目的，编写了道路运输管理知识、熟悉道路运输管理流程、履行道路运输管理职责、严格道路运输管理程序、规范道路运输管理行为、提高依法行政的能力等内容。（其利格尔）

怎样当好乡（苏木）干部（送审稿）

《怎样当好乡（苏木）干部》教材编写组　主编
伊盟党委宣传部　编
16开　274页

内容提要：本资料汇编了新时期的战略目标与任务、乡（苏木）干部的职责；牢固树立全心全意为人民服务的思想；密切联系群众做农牧民的贴心人；切实加强农牧区党的建设和政权建设；正确执行党在农村牧区的各项方针政策；提高经济管理水平，促进农牧区各项经济事业；从实际出发做好农牧民的思想政治工作；大力加强农牧区社会主义精神文明建设；抓好农牧区教育事业依靠科技兴农兴牧兴乡；大兴调查研究之风学会抓典型以点带面的工作方法；注重自身修养，做一名合格的乡（苏

木）干部；等等。（其利格尔）

增强全民防范意识·创建平安伊金霍洛

伊金霍洛旗实施创建"平安伊旗"领导小组办公室　编

2006年8月

32开　139页

内容提要：本资料为居民安全知识手册，主要分为防盗篇、防火篇、防抢篇、旅行安全篇、防骗篇、交通安全篇、禁毒篇、综合篇八个部分，以图文形式介绍了防盗、防火、防抢、旅行安全、防骗、交通安全、禁毒、自救知识。（其利格尔）

朝霞灿烂夕阳红

鄂尔多斯市关心下一代工作委员会　编

2012年8月

16开　171页

内容提要：本资料包括20年的历程、重视与关心、教育结硕果、关爱发新枝、服务创新路、"五老"风采、朝霞灿烂、旗区篇八个部分，以图文形式记录了关工委走过的历程，反映了老同志们为青少年健康成长所做的工作及取得的成绩，宣传了"五老"人员和"美德少年"的先进事迹，介绍了各旗区关工委的概况。（其利格尔）

招商引资实用政策汇编（2014—2016）

屈永祥　主编

鄂尔多斯市康巴什新区商务局　编

2016年

16开　358页

内容提要：本资料分三个部分，分别是国家政策、自治区政策、鄂尔多斯市政策，共收集51条，并将研究制定的《康巴什新区产业投资促进工作实施意见》一并收录，方便大家查阅使用。（嘎拉贝日汗）

征占用林地知识手册

鄂尔多斯市林业局　编

2007年4月

64开　28页

内容提要：本手册主要介绍征占用林地相关知识，含有25项关于征用林地方面的知识问答。（其利格尔）

整党学习材料汇编

伊盟党委整党办公室　编

1985年5月

32开　317页

内容提要：本资料由两部分构成：第一部分是领导的重要讲话、重要意见、工作汇报等内容；第二部分主要以《人民日报》《解放军报》为主的工作人员拥护党政、党政政策的评论。（其利格尔）

政府投资项目法规文件汇编

鄂尔多斯市发展和改革委员会　编

2005年

32开　304页

内容提要：本资料汇编国家、自治

区及鄂尔多斯市出台的有关政府投资项目部分管理方面的法规与政策共分五大块，分别是综合管理类、基本建设程序管理类、财务资金管理类、招投标管理类、建筑工程管理类。本资料对政府投资项目管理具有重要的指导意义。（其利格尔）

政府信息公开工作文件资料汇编

鄂尔多斯市政务公开领导小组办公室　编

2014年8月

32开　258页

内容提要：本资料汇编中华人民共和国国务院令（第492号）《中华人民共和国政府信息公开条例》、《中共中央办公厅、国务院办公厅印发〈关于深化政务公开加强政务服务的意见〉的通知》等29项党中央、国务院、内蒙古自治区、鄂尔多斯市关于政府信息公开工作的文件资料。（其利格尔）

政协协商建议委员意见建议社情民意信息2020年度汇编

政协鄂尔多斯市委员会办公室　编

16开　155页

内容提要：本汇编包括2020年度政协协商建议、委员意见建议、社情民意信息等内容。（其利格尔）

政协委员履职导引（工作制度篇）（2020年）

政协鄂尔多斯市委员会办公室　编

16开　151页

内容提要：本资料从党建制度、履职制度等角度讲解了2020政协委员履职导引工作制度。（其利格尔）

政治学习问答题解

穆向阳　主编

中共伊盟盟委宣传部　编

1990年3月

32开　167页

内容提要：本资料是为配合全盟广大干部、工人、教师、学生和农牧民的学习，结合伊克昭盟进一步治理整顿的部署和措施而编写，主要包括认真学习江泽民同志在国庆四十周年庆典上的《讲话》，进一步贯彻落实党的十三届四中、五中、六中全会精神，旗帜鲜明地坚持四个基本原则、反对资产阶级自由化，维护全国稳定的政治局面，促进治理整顿、深化改革各项任务的顺利完成。（其利格尔）

制度汇编（一）

中共鄂尔多斯市纪律检查委员会、鄂尔多斯市监察局、中共鄂尔多斯市纪律检查委员会　编

2008年12月

176页

内容提要：本资料是为适应新世纪新阶段纪律监察工作的新要求和鄂尔多斯市纪检监察工作的新变化，不断开创纪检监察工作新局面而制作的内部制度汇编资料，包括会议制度、机关建设制

度、机关工作行为规范及内部监察工作制度、案件查办工作制度、行政监察工作制度、党风廉政建设工作制度、宣传信息工作制度、内部管理工作制度、机关后勤事务管理制度九个部分。（其利格尔）

智慧鄂尔多斯建设行动计划（2014）

鄂尔多斯市人民政府　编

2014年4月

16开　35页

内容提要：本资料包括智慧鄂尔多斯建设行动指导思想、基本原则、主要目标、主要任务和重点工程、保障措施，智慧鄂尔多斯建设行动计划（2013—2014）重点项目表（财政主导类），智慧鄂尔多斯建设行动计划（2013—2014）重点项目表（财政引导类），智慧鄂尔多斯建设行动计划有关名词解释等。（其利格尔）

中共鄂尔多斯市委办公厅工作制度汇编

2017年6月

32开　203页

内容提要：本资料包括鄂尔多斯市委办公厅领导班议事规则、领导班子民主生活会制度、"三重一大"事项集体决策制度、主要领导负责同志"五个不直接分管"和决策事项末位表态制度、领导班子成员"一岗双责"制度等一系列制度。（其利格尔）

中共鄂尔多斯市委党校2015届政治学二班通讯录

中共鄂尔多斯市委党校　编

内容提要：本资料记录了中共鄂尔多斯市委党校2015届政治学二班的相关信息，其中包括教员学员的姓名、单位、职务、电话等内容的记录。（其利格尔）

中共鄂尔多斯市委员会老干部局机关工作制度

中共鄂尔多斯市委员会老干部局　编

2017年11月

32开　124页

内容提要：本资料汇编中共鄂尔多斯市委员会老干部局的各项规章制度，旨在进一步提升机关工作的规范化、科学化、制度化水平，努力在平凡的岗位上做出不平凡的业绩。（其利格尔）

中共鄂托克旗大事记——献给中国共产党成立八十周年

鄂托克旗史志办公室、鄂托克旗档案馆　编

2001年6月

32开　180页

内容提要：本资料记载了鄂托克旗自1935年开始党的活动以来的革命斗争和社会主义建设的大事、要事、重要会议及各级党组织发展壮大的历史足迹。（嘎拉贝日汗）

中国共产党乌审旗党史大事记

那顺巴图　编译

辽宁民族出版社

ISBN 978-7-5497-1262-5

2016年1月

16开　280页　40.00元

内容提要：本书主要记述了中国共产党乌审旗工委及委员会1925—1985年的党史大事。（那顺巴图）

中共伊金霍洛旗党史大事记（1948—1989）

中共伊金霍洛旗委党史旗志办公室　编

内新图出准字（91）第106号

1991年12月

32开

内容提要：本书主要记述了中国共产党从1948年正式在伊金霍洛旗开辟工作以来，蒙汉各族人民在党的领导下争取解放、进行社会主义革命和建设40多年来的重要历史事件。（荷梅）

中共伊金霍洛旗党史大事记（1990—2001）

赵和平　主编

中共伊金霍洛旗委党史旗志征编办公室　编

2004年5月

16开　213页

内容提要：本资料以伊金霍洛旗第十次、十一次、十二次党的代表大会及历年党委（扩大）会议为主线，力争缕述1990—2001年各个时期制定、出台实施的重大决策、具体方针政策，党委、人大、政府、政协召开的重要会议，自治区级以上领导前来伊金霍洛旗考察、视察，历年的国内生产总值、增长率，城乡人均国民收入，财政收入等需要载入史册的大事。（其利格尔）

中共伊金霍洛旗委办公室制度汇编

2017年11月

16开　196页

内容提要：本资料主要汇编机关党建、党风廉政、综合材料、政策研究、信息调研、综合协调、档案管理、督查落实、日常管理、考勤考核、工作程序、机要保密、信访维稳、后勤保障、财务管理、表彰奖励等中共伊金霍洛旗委办公室制度。（其利格尔）

中共伊金霍洛旗委理论学习中心组集中学习会研讨材料汇编

中共伊金霍洛旗委办公室　编

2019年3月

16开　20页

内容提要：本资料主要汇编了《王美斌同志研讨发言提纲》《郝永耀同志研讨发言提纲》《华瑞锋同志研讨发言提纲》《巴图吉雅同志研讨发言提纲》等中共伊金霍洛旗委理论学习中心组集中学习会研讨材料。（其利格尔）

中共伊克昭盟党校毕业学员名录

伊盟党校50周年校庆筹委会　编

1999年9月

32开　143页

内容提要：本资料主要包括中共伊克昭盟党校正规化教育、中青干部培训、函授教育三个班次毕业学员名录。（嘎拉贝日汗）

中共伊克昭盟党校学员名录

伊盟党校50周年筹委会　编

1999年6月

32开　143页

内容提要：本资料是在中共伊盟盟委党校50华诞庆典之际，为增进师生、校友之间的友谊，为加强师生、校友之间的联系而编纂，包括正规化教育、中青年干部培训、函授教育三个班次的毕业学员信息。（其利格尔）

中共伊克昭盟委和盟委办公室机关公文处理细则

中共伊克昭盟委办公室　编

1998年4月

32开　28页

内容提要：本资料为中共伊克昭盟委和盟委办公室机关公文处理细则，包括中共伊克昭盟委和盟委办公室机关公文的种类、标印格式、版头形式和适用范围、起草、校核、签发、蒙古文翻译、印发、办理、管理等内容。（其利格尔）

中共准格尔旗党史大事记（1929—1993）

准格尔旗史志编纂委员会办公室　编

内新图准字93（90）号

1994年6月

32开　169页　10.00元

内容提要：本书主要记述了中国共产党自1929年以来在准格尔旗开辟革命工作，领导全旗各族人民英勇斗争，翻身得解放，进行社会主义革命和社会主义建设的64年的光辉战斗历程。内容分为第二次国内革命战争时期、抗日战争时期、解放战争时期、基本完成社会主义改造时期等七个部分，反映了与党组织有密切联系的政治、经济、军事、文化、教育等方面的重要事件和人物。（荷梅）

《中华人民共和国档案法》宣传材料

伊克昭盟档案局　编

1996年8月

32开　20页

内容提要：本资料包括中华人民共和国主席令、《全国人大常委会关于修改〈中华人民共和国档案法〉的决定》、《中华人民共和国档案法》、伊克昭盟档案馆简介、认真贯彻《档案法》、促进全盟档案事业发展的意见、机关档案工作条例等相关内容。（嘎拉贝日汗）

《中华人民共和国煤炭法》及煤炭法规汇编

伊金霍洛旗煤炭工业管理局　编

32页　67页

内容提要：本资料包括《中华人民

共和国煤炭法》《煤炭生产许可证管理办法》《乡镇煤矿管理条例》等煤炭相关法规。（其利格尔）

《中华人民共和国民族区域自治法》学习材料

伊克昭盟民族事务局、伊克昭盟委统战部、伊克昭盟委宣传部、伊克昭盟人大工委法制处、伊盟政协民族宗教祖国统一委员会　编

伊克昭盟司法局

2001年5月

32开　78页

内容提要：本资料收有《中华人民共和国区域自治法》、《全国人大常委会关于修改〈民族区域自治法〉的决定》、《内蒙古自治区党委政府关于进一步加强民族工作的决定》、《中共伊克昭盟委办公室、伊克昭盟行署办公室、批转盟民族事务局等6部门关于在全盟各族干部群众中开展〈《中华人民共和国民族区域自治法》学习宣传活动实施方案〉的通知》等内容。（嘎拉贝日汗）

《中国共产党纪律处分条例》核心条文学习一览表（2018年）

中共鄂尔多斯市纪律检查委员会、鄂尔多斯市监察委员会　编

2018年12月

32开　28页

内容提要：本资料以表格的形式列举了《中国共产党纪律处分条例》条文、渊源及注解。（其利格尔）

中国·伊金霍洛

伊金霍洛旗人民政府　编

2006年7月

16开　47页

内容提要：本资料包括伊金霍洛基本情况、投资环境、投资导向、投资成本、项目审批明细等内容，是一本关于伊金霍洛旗综合介绍的指南手册。（其利格尔）

中国革命和建设与中国共产党问答

伊盟党委讲师团　编

1992年2月

32开　66页

内容提要：本资料汇编了《怎样理解中国的基本国情》《近代西方列强入侵给中国社会带来哪些后果》《近代中国农民阶级和资产阶级进行了哪些寻求中国革命道路的伟大实践》《为什么说中国共产党的创立是近代中国革命发展的客观要求》等中国革命和建设与中国共产党的相关问题。（其利格尔）

中国共产党第十四次全国代表大会文件汇编

伊盟党委宣传部　编

1992年11月

32开　72页

内容提要：本资料主要汇编《加快改革开放和现代化建设步伐夺取中国特色社会主义事业的更大胜利》《在中国共产党第十四次全国代表大会上的报告》《中国共产党章程》《中国共产

第十四届中央委员会第一次全体会议公报》等文件。（嘎拉贝日汗）

中国共产党东胜市第四次代表大会文件材料汇集

中共东胜市委办公室、组织部　编
1996年5月
16开　201页

内容提要：本资料主要汇集自1995年9月东胜市第四次党代会开始筹备至1995年12月18日党代会工作总结期间的各类文件材料。（荷梅）

中国共产党鄂托克旗历次代表大会简介（1956—1984）

伊克昭盟鄂托克旗档案馆　编
1984年10月
16开　15页

内容提要：本资料介绍了中国共产党鄂托克旗历次代表大会的情况，为了解和研究中国共产党在鄂托克旗的发展历程提供了宝贵资料。（嘎拉贝日汗）

中国共产党伊金霍洛旗第十二次代表大会文件汇编

中国共产党伊金霍洛旗委办公室、组织部　编
2000年12月
16开　90页

内容提要：本资料主要收录了《全旗经济社会发展情况的报告》《旗人民法院工作报告》《旗人民检察院工作报告》《旗人民政府伊金霍洛旗国民经济和社会发展计划执行情况的报告》《旗人民政府财政决算（草案）》等文件。（荷梅）

中国建设银行伊克昭盟分行机关大事记（1989—1999）

中国建设银行伊克昭盟分行办公室　编
1999年12月
32开　70页

内容提要：本资料主要记录了中国建设银行伊克昭盟分行11年来（1989—1999）机关历史沿革和所走过的曲折发展道路，起到史为今用、促进改革的作用。（嘎拉贝日汗）

中国建设银行伊克昭盟分行盟行机关档案晋升自治区档案特级管理材料汇集1

王桂芬　编著
中国建设银行伊克昭盟分行档案室　编
1997年11月
16开　86页

内容提要：本资料汇编了《关于申请机关档案管理升级的报告》《关于上报〈一九九六年档案管理工作总结及一九九七年档案管理工作安排〉的报告》《关于召开全盟建行档案管理工作会议的通知》《关于档案管理工作检查评比情况的通报》等中国建设银行伊克昭盟分行盟行机关档案晋升自治区档案特级管理材料。（其利格尔）

中国建设银行伊克昭盟分行盟行机关档案晋升自治区档案特级管理材料汇集2

王桂芬　主编
中国建设银行伊克昭盟分行档案室　编
1997年11月
16开　40页

内容提要：本资料汇编了《关于申请机关档案管理升级的报告》《档案管理工作晋升特级的自检报告》《关于进一步加强档案管理工作的通知》《档案管理人员岗位责任制》等中国建设银行伊克昭盟分行盟行机关档案晋升自治区档案特级管理材料。（其利格尔）

中国建设银行伊克昭盟分行组织沿革（1959—1999）

中国建设银行伊克昭盟分行办公室　编
1999年12月
32开　23页

内容提要：本资料收录了1959—1999年伊克昭盟银行组织机构沿革和领导人名录，概述了伊盟建设银行发展演变过程及各种组织、历届领导人情况。（嘎拉贝日汗）

中国人民政治协商会议第七届全国委员会提案选编

全国政协提案委员会办公室　编
中国文史出版社
ISBN 7-5034-0601-1
1993年3月
32开　327页　6.50元

内容提要：本书共编入提案166件，按提案内容分为三个方面，即经济建设方面70件、科教文卫体方面47件、统战综合方面49件。这些提案按每次全体会议先后顺序编排。（其利格尔）

中国人民政治协商会议鄂尔多斯市第四届委员会第二次会议文件汇编

中国人民政治协商会议鄂尔多斯市委员会　编
2019年3月
16开　359页

内容提要：本资料汇编《鄂尔多斯市政协四届二次会议筹备情况汇报提纲》《关于征集政协鄂尔多斯市第四届委员会第二次会议大会发言材料的通知》《关于征集政协鄂尔多斯市第四届委员会第二次会议提案和社情民意的通知》《关于召开政协鄂尔多斯市第四届委员会第二次会议的通知》等文件。（其利格尔）

中国神华神东本质安全管理知识手册

神东煤炭集团安监局　编
2011年11月
32开　119页

内容提要：本资料包括本质安全管理体系、相关法律法规、煤矿安全风险预控管理体系规范三个部分，旨在进一步普及本安管理知识，深化本安体系应用，推动"本质安全型"企业建设。（其利格尔）

中华人民共和国安全生产法（2014年最新修正版）

康巴什新区安全生产监督管理局　编

32开　34页

内容提要：本资料包括《中华人民共和国主席令（第十三号）》《中华人民共和国安全生产法》等内容。（其利格尔）

中华人民共和国环境保护法

鄂尔多斯市环境保护局　编

2017年2月

32开　46页

内容提要：本资料内容分为总则、监督管理、保护和改善环境、防治污染和其他公害、信息公开和公众参与、法律责任、附则七个章节。（其利格尔）

中华人民共和国老年人权益保障法

鄂尔多斯市卫生健康委员会、鄂尔多斯市老龄委员会办公室宣　编

32开　16页

内容提要：本资料包括总则、家庭赡养与扶养、社会保障、社会服务、社会优待、宜居环境、参与社会发展、法律责任及附则等内容。（其利格尔）

中华人民共和国食品安全法2015版

鄂尔多斯市食品药品监督管理局　编

2017年5月

32开　64页

内容提要：本资料包括总则、食品安全风险监测和评估、食品安全标准、食品生产经营、食品安全事故处置、监督管理、法律责任、附则等内容。（其利格尔）

中华人民共和国消费者权益保护法

鄂尔多斯市工商行政管理局　编

2014年8月

32开　41页

内容提要：本资料收录《中华人民共和国消费者权益保护法》《〈中华人民共和国消费者权益保护法〉修改前后对照表》等内容。（其利格尔）

中外邪教认知

鄂尔多斯市反邪教协会　编

2010年3月

32开　208页

内容提要：本资料重点列出中外33种具有代表性的邪教组织，旨在让人们从中了解邪教、认识邪教，提高识别邪教的能力，从而形成人人憎恶邪教、抵制邪教，进而在全社会形成主动防范邪教侵蚀的良好氛围，为人民群众的生活安定、社会的和谐美满做出积极贡献。（其利格尔）

中学生环保知识教育读本

鄂尔多斯市环境保护局、康巴什区环境保护局　编

32开　25页

内容提要：本资料为中学生环保知识宣传教育读本，主要包括了解我们的地球、环境问题你知多少、如何保护我

们的地球等内容。（其利格尔）

中央、自治区、伊旗社会治安综合治理工作重要文件选编

伊金霍洛旗社会治安综合治理委员会办公室　编

2003年3月

32开　75页

内容提要：本资料汇编了《中共中央、国务院关于进一步加强社会治安综合治理工作意见》《中央综治委关于加强社会治安防范工作意见》《内蒙古自治区社会治安重特大案（事）件领导责任查究制度的规定》等中央、自治区、伊金霍洛旗社会治安综合治理工作重要文件。（其利格尔）

中央关于保持共产党员先进性四个长效机制文件

中共鄂尔多斯市直属机关工作委员会　编

2006年12月

32开　27页

内容提要：本资料包括《关于加强党员经常性教育的意见》《关于做好党员联系和服务群众工作的意见》《关于加强和改进流动党员管理工作的意见》《关于建立健全地方党委、部门党组（党委）抓基层党建工作责任制的意见》等文件。（其利格尔）

重大动物疫情应急条例

鄂尔多斯市兽医工作站　编

2005年11月

64开　26页

内容提要：本资料由总则、应急准备、检测、报告和公布、应急处理、法律责任、附则六个部分构成。（其利格尔）

珠江社区居民手册

高海胜　主编

青春山街道办事处珠江社区　编

2016年6月

32开　60页

内容提要：本资料主要包括珠江社区居民公约、居民守则、组织机构、职能职责、办事指南、通讯录、物业知识、便民服务电话等内容。（其利格尔）

住建系统适用党纪法规速查手册

中共鄂尔多斯市纪律监察委员会、鄂尔多斯市监察委员会　编

32开　14页

内容提要：本资料主要收录了关于住建系统的建筑、施工、质监方面，房地产、招投标、物业、公积金方面，安危、危房改造；违规经商办企业、参与营利性活动、在企业或者营利性组织中兼任职务等，行贿受贿类职务犯罪，滥用职权类职务犯罪，失职渎职类职务犯罪等党纪法规等内容，为住建系统提供一份较为全面的学习资料，帮助大家深入理解和掌握住建工作相关的法律法规。（其利格尔）

追求卓越提升住建系统团队凝聚力

鄂尔多斯市住建委　编

32开　49页

内容提要：本资料以图文形式记录了市住建委团队如何进一步提升凝聚力和战斗力的历程。2012年8月19日，市住建委机关党委组织全体干部职工开展了"积极向上、团结协作"的拓展训练。训练过程中，大家体验了丰富多彩的项目和游戏，经教练的指导和队员的努力，大家共同克服难题，完成任务，实现提升，表现出团结协作、勇争第一、群策群力、集思广益、努力奋斗、团结拼搏的精神。（其利格尔）

准格尔旅游

准格尔旗文化和旅游局　编

32开　112页

内容提要：本资料分游、住、行、购、娱五个部分，以图文形式展示了准格尔旗概况、旅游景色景区、住宿酒店、旅游路线、地方美食特色、特色旅游产品等内容。（其利格尔）

准格尔旅游攻略

准格尔旗文化旅游广电局　编

32开

内容提要：本资料为准格尔旗的旅游攻略，主要介绍了准格尔旗的风光游、乡村游、民俗游、旅游路线、特色美食及特色商品。准格尔旗旅游资源丰富，在这片神奇古老的土地上可以观古刹名寺，闻晨钟暮鼓，拜千年古松，览高原沧桑，行河道峡谷，阅自然奇观。（嘎拉贝日汗）

准格尔旗气象灾害防御规划

道尔吉　主编

气象出版社

ISBN 978-7-5029-5871-8

2013年12月

16开　100页　48.00元

内容提要：本书主要介绍了鄂尔多斯市准格尔旗气象灾害时空分布特征，并在此基础上对气象灾害风险区划进行划分，并对气象灾害给全旗各行业造成的影响进行了分析，同时，还制定了气象灾害防御的相关措施。（荷梅）

准格尔旗中蒙医院

准格尔旗中蒙医院　编

2007年7月

32开　14页

内容提要：本资料以图文形式展示了准格尔中蒙医院五年办院规划、科室介绍、就医指南、主要医疗设备等内容。（其利格尔）

综合安全培训读本

神东煤炭分公司教育培训中心　编著

2016年8月

16开　373页

内容提要：本资料为神东煤炭分公司内部使用的培训教材，包括设备安全技术操作规程、危险危害因素辨识、综合管理体系等知识，旨在让每位员工按照规程、规定进行生产作业，并掌握综合管理体系及危险危害因素辨识的基本知识，懂得在日常工作中如何预防各类事故发生。（其利格尔）

足迹流金（主席篇）

政协鄂尔多斯市第二届委员会　编
2012年12月
32开　196页
内容提要：本资料收录了政协鄂尔多斯市第二届委员会主席、副主席、秘书长的简历及在政协的工作情况。（嘎拉贝日汗）

最高人民法院指导性案例汇编（11—20批）

鄂尔多斯市中级人民法院　编
2019年1月
16开　336页
内容提要：本资料收录了《最高人民法院关于发布第11—20批指导性案例的通知》和53—106号53个指导案例。（其利格尔）

C　报　纸

鄂尔多斯非公经济报（2020.1—2020.12合订本）

内蒙古鄂尔多斯市委统战部　主编
（蒙连）内资11-19020-B
16开　192页
内容提要：本资料是《鄂尔多斯非公经济报》2020年第1—24期（总第151—174期）报纸的全部内容。（其利格尔）

鄂尔多斯市税收快报（2020.3）

国家税务总局鄂尔多斯市税务局　编
2020年3月
32开　55页
内容提要：本快报整理汇编了2020年三期鄂尔多斯地区各项收入执行情况、分税（费）种组织收入情况表、分地区非税收入情况表、2020年全市税收收入分地区完成情况对比图、2020年分旗区税收收入比重图、2020年全市分税种完成情况对比图等税收情况数据表。（其利格尔）

鄂尔多斯市税收快报（2020.5）

国家税务总局鄂尔多斯市税务局　编
2020年5月
32开　55页
内容提要：本快报汇编了2020年5月鄂尔多斯地区各项收入执行情况、分税（费）种组织收入情况表、分地区非税收入情况表、2020年全市税收收入分地区完成情况对比图、2020年分旗区税收收入比重图、2020年全市分税种完成情况对比图等税收情况数据表。（其利格尔）

鄂尔多斯市税收快报（2020.6）

国家税务总局鄂尔多斯市税务局　编
2020年6月
32开　55页

内容提要：本快报汇编了2020年6月鄂尔多斯地区各项收入执行情况、分税（费）种组织收入情况表、分地区非税收入情况表、2020年全市税收收入分地区完成情况对比图、2020年分旗区税收收入比重图、2020年全市分税种完成情况对比图等税收情况数据表。（其利格尔）

鄂尔多斯市税收快报（2020.11）

国家税务总局鄂尔多斯市税务局　编

2020年11月

32开　55页

内容提要：本快报整理汇编了2020年11月鄂尔多斯地区各项收入执行情况，如分税（费）种组织收入情况表、分地区非税收入情况表、2020年全市税收收入分地区完成情况对比图、2020年分旗区税收收入比重图、2020年全市分税种完成情况对比图等税收情况数据表。（其利格尔）

鄂尔多斯市统计月报（2011.9）

鄂尔多斯市人民政府办公厅、鄂尔多斯市统计局、国家统计局鄂尔多斯调查队　编

2011年9月

32开　13页

内容提要：本统计月报主要统计了鄂尔多斯2011年全市生产总值，分旗区生产总值，农牧业、工业企业经济效益，分旗区工业经济效益，城镇居民人均可支配收入，农牧民人均现金收入，景气指数等。（嘎拉贝日汗）

鄂尔多斯市统计月报（2013.3）

鄂尔多斯市人民政府办公厅、鄂尔多斯市统计局　编

2013年3月

16开　32页

内容提要：本统计月报分上、下册。上册汇编了中国信息报《深入学习宣传贯彻党的十八大精神奋力开创共和国统计事业更加辉煌灿烂的明天》、中国统计信息网《国家统计局党组书记、局长马建堂的采访语录（节选）》、全市生产总值、分旗区生产总值、农牧业工业企业经济效益、分旗区工业经济效益、城镇居民人均可支配收入、分旗区城镇居民人均可支配收入、农牧民人均现金收入、分旗区农牧民人均现金收入、城镇单位劳动工资、分盟市地区生产总值、分盟市第一产业增加值、分盟市第二产业增加值、分盟市第三产业增加值、分盟市工业企业利润总额、分盟市工业企业税金总额、分盟市城镇居民人均可支配收入、分盟市农牧民人均现金收入、分盟市在岗职工平均工资等各统计数据。下册主要收录全市生产总值、分旗区生产总值、农牧业、工业企业经济效益、分旗区工业经济效益、城镇居民人均可支配收入、农牧民人均现金收入、城镇单位劳动工资、分盟市地区生产总值、分盟市第一产业增加值、分盟市第二产业增加值、分盟市第三产业增加值等数据资料。（其利格尔）

鄂尔多斯市统计月报（2019.12）

鄂尔多斯市人民政府办公厅、鄂尔多斯市统计局、国家统计局鄂尔多斯调查队　编

2019年12月

32开　43页

内容提要：本统计月报综述了2019年鄂尔多斯市经济运行情况，展示了全市经济基本情况、旗区主要经济指标、盟市主要经济指标、全市主要经济指标走势图统计数据等内容。（其利格尔）

鄂尔多斯职业学院报

中共鄂尔多斯职业学院委员会、鄂尔多斯职业学院　编

16开　104页

内容提要：本资料为《鄂尔多斯职业学院报》合订本，汇编了2014年3月11日—2017年5月22日的《鄂尔多斯职业学院报》，共分7卷，收集各类文章86篇、图片520幅，所选内容力求从校园建设、师生风貌、理论研究、文学艺术、社团活动等不同侧面，尽可能地展现我院校园文化创建工作的生动实践。（其利格尔）

健康鄂尔多斯周报（2012年合订本）

鄂尔多斯市爱卫办、鄂尔多斯市健康办、鄂尔多斯市健康城市研究会、《健康鄂尔多斯》周报编辑部　编

2013年1月

8开　283页

内容提要：本资料主要包括2012年"健康鄂尔多斯"专题的普及权威健康知识、倡导文明健康生活、树立正确营养理念、养成良好饮食习惯、创建国际健康城市、打造健康鄂尔多斯等内容。（其利格尔）

伊金霍洛旗财政简报（2011年第1期）

伊金霍洛旗财政局　编

2011年1月

32开　408页

内容提要：本简报主要包括2011年1—12月伊金霍洛旗财政收支预算执行情况分析、2011年10月财政总收入分级次和分税种图表、伊金霍洛旗财政收支执行情况表、财政动态和简讯、财政部加强规范性文件的制定及管理等内容。（其利格尔）

伊金霍洛旗财政简报（2011年第12期）

伊金霍洛旗财政局　编

2011年12月

32开　33页

内容提要：本财政简报主要包括2011年11月伊金霍洛旗财政收支预算执行情况分析、2011年11月财政收入分级次和分税种图表、伊金霍洛旗财政收支执行情况表等内容。（嘎拉贝日汗）

伊金霍洛旗统计月报（2013年第3期）

2013年3月

16开　11页

内容提要：本月报主要统计2013年伊金霍洛旗第一季度经济运行情况，并

列出了工业总产值、工业主要产品产量、固定资产投资房地产、地方财政总收入、地方财政支出数据。（其利格尔）

D 期 刊

不忘初心：康巴什新区人大工委副刊

　　杨小荣、温勇　主编
　　《鄂尔多斯》（月刊）杂志社　编
　　CN15-1037
　　16开　185页
　　内容提要：本刊主要包括康巴什新区人大工委工作要点，领导讲话，交流发言，视察调研报告、信息，2017年大事记和工作图片等内容。（其利格尔）

不忘初心：康巴什新区人大工委专刊

　　杨小荣、温勇　主编
　　《鄂尔多斯》（月刊）杂志社　主办
　　CN15-1037
　　16开　423页
　　内容提要：本刊主要包括康巴什新区人大工委组织沿革、工作综述、调研报告、代表述职、街道人大工作概述、信息选编、2012—2016年大事记和工作图片等内容。（其利格尔）

财政参阅（总第8期）

　　鄂尔多斯财政局　编
　　2005年8月
　　32开　28页
　　内容提要：本刊主要包括动态财政、局长论坛、专题报道、财政改革、社会保障、"三农"政策动向、财政短信、地方风采等内容。（其利格尔）

常春科普（2019年第2期）

　　贺存贵、刘赫宇　主编
　　伊金霍洛旗常春科普作家协会　主办
　　2019年
　　16开　48页
　　内容提要：本刊是由伊金霍洛旗常春科普作家协会主办刊发的内部刊物，主要由特约专稿、农牧林水、保健养生、文化、旅游、百科、笔耕园地等内容组成。（嘎拉贝日汗）

成吉思汗研究（2013年第1期）

　　敖日格勒　主编
　　鄂尔多斯市成吉思汗研究院、鄂尔多斯市成吉思汗研究会　主办
　　2013年
　　16开　56页
　　内容提要：本刊是由鄂尔多斯市成吉思汗研究院和鄂尔多斯市成吉思汗研究会主办的刊物。本期主要内容有领导讲话、历史文化研究、成陵动态、成吉思汗陵旅游区十件大事等。（嘎拉贝日汗）

城川民族干部学校学刊（2020年第1期）

　　焦健　主编
　　鄂尔多斯市鄂托克前旗城川镇城川

民族干部学院　主办

（蒙连）内资11-19036/K

2020年4月

16开　79页

内容提要：本刊内容分为要闻、红色坐标、工作导航、教培集锦、亮点采撷、科研交流、民族团结、教师阵地、学员园地、红色文化鉴赏10个部分。（嘎拉贝日汗）

党史旗志资料通讯（1984年第1期）

党史旗志征编办公室　主编

中共中央伊金霍洛旗委员会　主办

1984年7月

16开　39页

内容提要：本刊收录了《伊金霍洛旗革命斗争大事记（初稿）》《新庙农会、蒙古自治分会组织及活动》两篇文章。（嘎拉贝日汗）

党史旗志资料通讯（1984年第2期）

党史旗志征编办公室　主编

中共中央伊金霍洛旗委员会　主办

1984年7月

16开　49页

内容提要：本刊收录了《奇全禧学习与任职》《三·二六"事变中的奇全禧》《去绥远领饷》《协议后的行动》《郡王旗"八·五"起义》等文章。（嘎拉贝日汗）

党史旗志资料通讯（1984年第4期）

党史旗志征编办公室　主编

中共中央伊金霍洛旗委员会　主办

1984年9月

16开　52页

内容提要：本刊收录了关于解放扎萨克旗的调查资料。从解放前扎旗与伊东工委的联系、解放扎旗前的形势与兵力部署、解放扎旗的经过、解放扎旗后处理善后情况、对扎旗解放性质的结语等方面介绍了解放札萨克旗的过程。（嘎拉贝日汗）

党史旗志资料通讯（1984年第5期）

党史旗志征编办公室　主编

中共中央伊金霍洛旗委员会　主办

1984年9月

16开　40页

内容提要：本刊内容分为成吉思汗史略、成吉思汗蒙古汗国形成以前的社会形势、成吉思汗统一诸部落建立蒙古国家、成吉思汗的战争疆域、成陵内墙壁画的内容简介等13个部分。（嘎拉贝日汗）

党史旗志资料通讯（1984年第6期）

党史旗志征编办公室　主编

中共中央伊金霍洛旗委员会　主办

1984年10月

16开　43页

内容提要：本期刊收录了《郡王旗历届人民代表会议记实（1950—1958年）》《扎萨克旗历届人民代表会议记实（1950—1958年）》等两篇文章。（嘎拉贝日汗）

党史旗志资料通讯（1984年第7期）

党史旗志征编办公室　主编
中共中央伊金霍洛旗委员会　主办
1984年10月
16开　47页

内容提要：本刊主要收录《伊金霍洛旗历届人民代表会议记实（1959—1983年）》，分为第三届第二次人民代表会议、第四届第一次人民代表会议、第四届第二次人民代表会议、第五届第一次人民代表会议、第五届第二次人民代表会议、第七届第一次人民代表会议、第八届第一次人民代表会议、第八届第二次人民代表会议、第八届第三次人民代表会议九个部分。（嘎拉贝日汗）

党史旗志资料通讯（1984年第8期）

党史旗志征编办公室　主编
中共中央伊金霍洛旗委员会　主办
1984年11月
16开　28页

内容提要：本刊收录了《中共郡王旗委员会历届党代会议汇编（1955—1958年）》《中共扎萨克旗委员会历届党代会议汇编（1955—1958年）》两篇文章。（嘎拉贝日汗）

党史旗志资料通讯（1984年第9期）

党史旗志征编办公室　主编
中共中央伊金霍洛旗委员会　主办
1984年11月
16开　33页

内容提要：本刊介绍了中共伊金霍洛旗委员会历届党代会议，分别为中共伊金霍洛旗委员会第三届第一次党员代表会议、中共伊金霍洛旗委员会第三届第二次党员代表会议、中共伊金霍洛旗委员会第四届第一次党员代表会议、中共伊金霍洛旗委员会第五届第一次党员代表会议、中共伊金霍洛旗委员会第六届第一次党员代表会议、中共伊金霍洛旗委员会第七届第一次党员代表会议。（嘎拉贝日汗）

党史旗志资料通讯（1985年第3期）

党史旗志征编办公室　编
中共中央伊金霍洛旗委员会　主办
1985年2月
16开　37页

内容提要：本刊收录了《左翼中旗——郡王旗（历史部分）资料》，主要从历史沿革、建置沿革、郡王旗的放垦等对郡王旗进行介绍。（嘎拉贝日汗）

党史旗志资料通讯（1985年第5期）

党史旗志征编办公室、档案馆　主编
中共中央伊金霍洛旗委员会　主办
1985年4月
16开　55页

内容提要：本刊收录了《右翼前末旗——札萨克旗（部分资料）》《札萨克旗旗委和政府内部机构建置情况（1949—1953）》两部分资料。（嘎拉贝日汗）

党史旗志资料通讯（1985年第7期）

  党史旗志征编办公室、档案馆　主编

  中共中央伊金霍洛旗委员会　主办

  1985年7月

  16开　32页

  内容提要：本刊从成陵诸祭、祭敖包、祭灶三个方面介绍了蒙古族风俗。（嘎拉贝日汗）

档案之友（1996年第2期）

  乔布英　主编

  伊克昭盟档案局、伊克昭盟档案学会　主办

  16开　14页

  内容提要：本刊内容分为96国际档案大会专栏、人间真情、散记、诗歌、简讯、档案馆园地、兰台短波、知识窗、歌曲九个部分。（嘎拉贝日汗）

档案之友（1997年第1期）

  乔布英　主编

  伊克昭盟档案局、伊克昭盟档案学会　主办

  16开　16页

  内容提要：本刊内容分为领导科学、档案论坛、企业档案工作、档案馆园地、机关档案工作、东西南北、知识窗七个部分。（嘎拉贝日汗）

档案之友（1997年第2期）

  乔布英　主编

  伊克昭盟档案局、伊克昭盟档案学会　主办

  16开　12页

  内容提要：本刊内容分为综述、学术动态、简讯、信息动态、档案论坛、档案馆园地、档案趣闻七个部分，从不同角度反映了伊克昭盟档案工作取得的成绩和档案事业发展的进程。（嘎拉贝日汗）

档案之友（1997年第3期）

  乔布英　主编

  伊克昭盟档案局、伊克昭盟档案学会　主办

  16开　11页

  内容提要：本刊内容分为本刊要闻、本刊讯、扶贫短讯、业务指导专栏、简讯、机关档案工作、档案论坛七个部分。（嘎拉贝日汗）

档案之友（1998年第2期）

  乔布英　主编

  伊克昭盟档案局、伊克昭盟档案学会　主办

  16开　14页

  内容提要：本刊收录了《浅谈在市场经济环境下如何做好档案的开放利用工作》《加强编研，服务社会》《提高机关档案意识　拓宽档案服务领域》《伊盟档案局开展"国际档案周"活动》《达旗档案馆被认定为自治区特级档案馆》《伊盟农牧学校档案工作目标管理认定为自治区级》六篇文章。（嘎拉贝日汗）

档案之友（1998年第3期）

乔布英 主编

伊克昭盟档案局、伊克昭盟档案学会 主办

16开 21页

内容提要：本刊内容包括法治园地、乡镇企业档案、农牧业科技档案、村级建档、论坛、简讯六个部分。（嘎拉贝日汗）

鄂尔多斯（1997年第2期）

鄂尔多斯市文学艺术界联合会 编

CN15-1004/C

1997年2月

16开 9.00元

内容提要：本刊为文学类期刊，主要分为中篇小说、短篇小说、散文、诗歌、报告文学等栏目。（荷梅）

鄂尔多斯小说精选（2005年第1期）

郝至远 主编

鄂尔多斯杂志社 主办

CN15—1037/I

2005年5月

16开 10.00元

内容提要：本刊收录万方《一一之吻》、李治邦《官差》、张悦然《坚琴，白骨精》、石钟山《仕与途》等作品。（荷梅）

鄂尔多斯工运（2001年第4期）

伊盟工会 编

2001年4月

16开 20页

内容提要：本刊是由伊克昭盟工会主办刊发的内部期刊，主要内容包括工作研究、纪实报道、政策法规、民主管理、文件选登、简讯、知识窗口等。（嘎拉贝日汗）

鄂尔多斯工作（2020年1—2月）

高连山 主编

中共鄂尔多斯市委员会、中共鄂尔多斯市委办公室、中共鄂尔多斯市委政研室 主办

（蒙连）内资11-19007/K

2020年5月

16开 79页

内容提要：本刊分为重要言论、特稿、两会专题、推动高质量发展、乡村振兴、脱贫攻坚、调查研究、党的建设、民族团结、深化改革、统计分析11个部分。（嘎拉贝日汗）

鄂尔多斯检察（2016年第1期）

佘爱平 主编

鄂尔多斯市检察官协会 主办

2016年4月

16开 64页

内容提要：本刊收录了关于中央、自治区有关检察院的政策内容，国内检察工作动态以及鄂尔多斯市检察工作的报道。（嘎拉贝日汗）

鄂尔多斯警察（2008年第1期）

杨福山 主编

鄂尔多斯市公安局、鄂尔多斯市公安局文学艺术联合会　主办

2008年10月

16开　53页

内容提要：本刊分为热点追踪·北京奥运、一线传真、三基风采、大案回访、警界人物、妙笔生花、前沿风采七个部分。（嘎拉贝日汗）

鄂尔多斯人大（2021年第3期）

樊俊平　主编

鄂尔多斯市人大常委会办公室　主办

（蒙连）内资11-21019/k

2021年5月

16开　52页

内容提要：本刊是由鄂尔多斯人大常委会办公室主办的内部刊物，分为大要闻、特稿、专题关注、机关建设、研究探讨、大事记等部分。（嘎拉贝日汗）

鄂尔多斯社会保障（2021年第1期）

贾桂林　主编

鄂尔多斯市人民政府办公厅、鄂尔多斯市社会保障协会　主办

（蒙连）内资11-19033/k

2021年2月　双月刊

16开　40页

内容提要：本刊是由鄂尔多斯市人民政府办公厅主管、鄂尔多斯市社会保障协会主办的内部期刊，主要有政策法规、综合要闻、法律服务、信息点击等内容。（嘎拉贝日汗）

鄂尔多斯社会科学（2016年第5期）

李洪波　主编

鄂尔多斯市社会科学联合会、鄂尔多斯市社会科学院　主办

蒙刊号1510026

2016年10月

16开　64页

内容提要：本刊分为本期首语、调查研究、党的建设、法治天下、人文史话、随感杂谈、书苑漫步、健康养生、社科动态、社科知识10个部分。（嘎拉贝日汗）

鄂尔多斯社会科学（2021年第1期）

王云　主编

鄂尔多斯市社会科学联合会、鄂尔多斯市社会科学院　主办

2021年第1期　双月刊

蒙刊号1510026

2021年2月

16开　64页

内容提要：本刊分为决战脱贫攻坚、铸牢中华民族共同体意识、生态优先与绿色发展、党的建设、黄河文化与高质量发展、调查研究、学习思考、历史钩沉、社科动态、公益广告10个部分。（嘎拉贝日汗）

鄂尔多斯诗词（2010年第1期）

康润清　主编

鄂尔多斯市诗词学会　编著

内新图准字〔2008〕41号

2010年3月

32开　106页

内容提要：本刊收录了以用格律创作的诗、词、曲、联、赋为主，兼及自由体新诗、书法、摄影、篆刻等作品。（库布其）

鄂尔多斯诗词（2011年第2期）

康润清　主编

鄂尔多斯市诗词学会　编著

15-283/C

2011年6月

32开　130页

内容提要：本刊收录了以用格律创作的诗、词、曲、联、赋为主，兼及自由体新诗、书法、摄影、篆刻等作品。（其利格尔）

鄂尔多斯诗词（2012年第3期）

康润清　主编

鄂尔多斯市诗词学会　编

2012年10月

32开　130页

内容提要：本刊分市外来鸿、天骄清韵、书法集珍、古风撷韵、草原新韵、诗韵杂谈六个部分，汇编了唱响主旋律、具有健康向上的思想和情真格高的艺术性、反映社会生活的格律诗，自由体新诗，短小精悍的诗词理论、点评，书法，绘画，摄影，篆刻等作品。（其利格尔）

鄂尔多斯诗词（2014年第3期）

康润清　主编

鄂尔多斯市诗词学会　编著

鄂尔多斯市诗词学会书会

2014年9月

32开　130页

内容提要：本刊分市外来鸿、天骄清韵、书法集珍、古风撷韵、草原新韵、诗韵杂谈六个部分，汇编了唱响主旋律、具有健康向上的思想和情真格高的艺术性、反映社会生活的格律诗，自由体新诗，短小精悍的诗词理论、点评，书法，绘画，摄影，篆刻等作品。（其利格尔）

鄂尔多斯诗词（2015年第1期）

康润清　主编

鄂尔多斯市诗词学会　编

2015年3月

32开　130页

内容提要：本刊分市外来鸿、天骄清韵、书法集珍、古风撷韵、草原新韵、诗韵杂谈六个部分，汇编了唱响主旋律、具有健康向上的思想和情真格高的艺术性、反映社会生活的格律诗，自由体新诗，短小精悍的诗词理论、点评，书法，绘画，摄影，篆刻等作品。（其利格尔）

鄂尔多斯诗词（2016年第2期）

康润清　主编

鄂尔多斯市诗词协会　主办

2016年6月

32开

内容提要：本刊以精选鄂尔多斯诗

词为主要内容，分为纪念"七一"、市外来鸿、天骄清韵、书法集珍、草原新韵、诗韵杂谈等部分。（嘎拉贝日汗）

鄂尔多斯诗词（2017年第2期）

苏怀亮　主编

（蒙刊字）1510001

2017年6月

16开　64页

内容提要：本刊是由感事抒怀、山水之间等栏目构成。（其利格尔）

鄂尔多斯市财政收支分析（2015年第12期）

鄂尔多斯市财政局　编

2015年12月

32开　34页

内容提要：本刊主要包括鄂尔多斯市财政收支预算执行情况分析、2015年12月全市财政收支预算执行情况表、2015年12月内蒙古自治区财政收支分地区执行情况表、财经链接等2015年12月鄂尔多斯市财政收支分析数据。（其利格尔）

鄂尔多斯市财政收支分析（2017年第1期）

鄂尔多斯市财政局　编

2017年1月

32开　18页

内容提要：本刊主要包括鄂尔多斯市财政收支预算执行情况分析、2017年1月全市财政收支预算执行情况表、2017年1月内蒙古自治区财政收支分地区执行情况表等。（嘎拉贝日汗）

鄂尔多斯市财政收支分析（2017年第2期）

鄂尔多斯市财政局　编

2017年2月

32开　26页

内容提要：本刊主要包括鄂尔多斯市财政收支预算执行情况分析、2017年2月全市财政收支预算执行情况表、2017年2月内蒙古自治区财政收支分地区执行情况表等。（嘎拉贝日汗）

鄂尔多斯文化（2011年第6期）

张发　主编

鄂尔多斯文化编辑部　主办

2011年12月

16开

内容提要：本刊坚持为社会主义服务的方向，坚持以马克思列宁主义、毛泽东思想和邓小平理论为指导，贯彻"百花齐放、百家争鸣"和"古为今用、洋为中用"的方针，坚持实事求是、理论与实际相结合的严谨学风，传播先进的科学文化知识，弘扬民族优秀科学文化，促进国际科学文化交流，探索防灾科技教育、教学及管理诸方面的规律，活跃教学与科研的学术风气，为教学与科研服务。（荷梅）

鄂尔多斯文化（2018年第1期）

张发　主编

鄂尔多斯市文化新闻出版广电局　主办

2018年8月

16开　56页

内容提要：本刊主要以展现鄂尔多斯文化为主，分为卷首语、工作部署、精品力作、大型活动、亮点报道、文化纪要、文博研究、图书馆业、文艺创作九个部分。（嘎拉贝日汗）

鄂尔多斯文化旅游博物馆专刊（总第2期）

鄂尔多斯博物馆　编

2019年2月

16开　248页

内容提要：本刊包括馆际联盟、宣传教育、展览陈列、藏品保护、考古发现、博物馆建设、文博心得、工作纪实等内容，是有关鄂尔多斯文化旅游博物馆的指南性读物。（其利格尔）

鄂尔多斯文秘（2013年第4期）

王新刚　主编

2013年8月

16开　40页

内容提要：本刊分为文件选登、伊泰论坛、肃纪整风、队伍建设、督促检查、调查研究、信访工作、秘书技能、求真务实、学习修养、公文诊所、大漠小议、问题解答、保密知识、动态信息、其他16个部分。（嘎拉贝日汗）

鄂尔多斯文学季刊增刊

乌雅泰　主编

《鄂尔多斯报》社　主办

CN15-1037

1987年8月

16开　124页　1.00元

内容提要：本刊是由内蒙古伊克昭盟文学艺术界联合会编的季节性刊物。本期是主要为庆祝内蒙古自治区成立40周年而出版的增刊，由4篇中篇小说和1首诗歌组成。（嘎拉贝日汗）

鄂尔多斯文艺（1980年第2期）

鄂尔多斯文艺编辑部　主编

伊盟文联　主办

1980年12月1日

16开　0.30元

内容提要：本刊主要收录文学新人、名作名家的歌曲、戏剧等作品。（荷梅）

鄂尔多斯物业（2020年第3期）

乔海玲　主编

鄂尔多斯市住房和城乡建设局、鄂尔多斯市物业管理协会、鄂尔多斯市海舟文化传媒有限公司　主办

2020年

16开　80页

内容提要：本刊分为卷首语、协会之窗、企业风采三个部分。企业风采部分介绍了维邦物业、智慧物业、明喆物业、城投享祐物业等十多家物业企业。（嘎拉贝日汗）

鄂尔多斯学研究（2019年第2期）

奇·朝鲁　主编

鄂尔多斯学研究会　主办

（蒙连）内资11-19018/K

2019年6月

16开　88页

内容提要：本刊分为祖国华诞70年、文化研究、鄂尔多斯律师、鄂尔多斯历史、鄂尔多斯人物、研究会动态六个部分。（嘎拉贝日汗）

鄂尔多斯政协（2017年第2期）

孙树华　主编

鄂尔多斯政协　主办

2017年7月

16开　57页

内容提要：本刊的主要内容有市政协党组织召开中心组学习会议传达学习《习近平总书记在省部级主要领导干部专题研讨班上的重要讲话》等。（嘎拉贝日汗）

扶贫鄂尔多斯

鄂尔多斯市扶贫开发领导小组办公室、鄂尔多斯市扶贫基金会筹建小组　编

2008年10月

16开　40页

内容提要：本刊由鄂尔多斯市扶贫开发领导小组办公室、鄂尔多斯市扶贫基金会筹建小组主办，主要包括成就与展望、条例与法规、旗区扶贫开发、工作动态等内容。（嘎拉贝日汗）

高原风纪（2018）（创刊号）

崔莹　主编

中共鄂尔多斯市纪律检查委员会、鄂尔多斯市监察委员会　主办

2018年4月

16开　61页

内容提要：本刊为向全市各级纪检监察机关发放的内部学习交流季刊，内容包括中央、自治区及市、旗重要会议精神、先进经验总结，以及意识形态工作方面的理论文章，同时还将全市纪检监察系统工作动态、学习成果、体会认识等收录在内，为全市党员干部搭建了一个交流传播思想文化的平台。（嘎拉贝日汗）

红色摇篮（第1期）

贺存贵　主编

伊金霍洛旗延安精神研究会会刊　主办

2014年3月

16开　88页

内容提要：本刊由伊金霍洛旗延安精神研究会主办。期刊主旨是以弘扬延安精神传播优良传统、紧密联系实际以及服务地区发展，并期望通过宣传和探讨延安精神在新时代的内涵和价值，推动地区各项事业的发展。（嘎拉贝日汗）

聚焦蒙西（总第7期）

内蒙古蒙西高新技术集团有限公司、内蒙古蒙西建设投资集团有限公司　编

2019年10月

12开　83页

内容提要：本刊是由内蒙古蒙西高

新技术集团有限公司、内蒙古蒙西建设投资集团有限公司主办的内部期刊,由聚焦、特稿、蒙西人、身边的蒙西文化、一家人、分享、消息树、拾萃等部分组成。(嘎拉贝日汗)

金纽带(2014年第3期)

张增强　主编

鄂尔多斯农商银行　主办

2014年8月

16开　76页

内容提要:本刊由鄂尔多斯农商银行主办,主要包括新闻播报、支行动态、产品宣传、企业文化、前沿、法律在线、文苑等部分。(嘎拉贝日汗)

康巴什(2012年第3期)

王春霞　主编

康巴什新区党工委、康巴什新区管委会　主办

15-249/C

2012年9月

16开　80页

内容提要:本刊包括聚焦、论坛、人物、倾城、视野、纵论、社会、文化、图说康巴什、经典语录10个部分,重点介绍康巴什区各方面发展情况。(嘎拉贝日汗)

康巴什(2014年第2期)

王春霞　主编

康巴什新区党工委、康巴什新区管委会　主办

15-249/C

2014年6月

16开　105页

内容提要:本刊包括聚焦、论坛、人物、倾城、视野、纵论、社会、文化、图说康巴什、经典语录10个部分,重点介绍康巴什区各方面发展情况。(嘎拉贝日汗)

康巴什教育(2020年第4期)

刘美茹　主编

康巴什区教育体育局、康巴什区教育发展研究中心　主办

2020年

16开　76页

内容提要:本刊包括卷首开言、专题报道、焦点对话、校长论坛、案例展示、专家评论、反思心得、成果总结八个部分,重点介绍康巴什地区教育的整体状况。(嘎拉贝日汗)

康巴什社会科学(2014年第2期)

安一宁　主编

康巴什新区党工委、康巴什新区管委会　主办

2016年

16开　61页

内容提要:本刊由康巴什新区党工委和康巴什新区管委会主办,内容涵盖时政、党建、文明、社会、经济等几个领域。(嘎拉贝日汗)

老科协会刊（2017年第1期）

关文秀　主编

伊金霍洛旗老科技工作者协会　主办

2017年11月

16开　48页

内容提要：本刊为伊金霍洛旗老科技工作者协会会刊，包括刊首语、十九大专题、服务"三农"、工作部署、调研视察、医疗保健、文化百科、法治视界、笔耕园地九个部分。（嘎拉贝日汗）

绿色鄂尔多斯（2013年第1期）

贺丽萍　主编

鄂尔多斯市林业局　主办

2013年4月

16开　44页

内容提要：本刊是鄂尔多斯市林业局主办的刊物，主要包括聚焦、特别关注、林业要闻、生态文化等内容。（嘎拉贝日汗）

平安·法治鄂尔多斯（2009年第2期）

刘建国、赵强　主编

鄂尔多斯市平安建设领导小组办公室、鄂尔多斯市依法治市领导小组办公室　主办

16开　44页

内容提要：本刊内容分为卷首语、重要信息、科学发展、工作研究、经验交流、工作动态、信息快讯、法律法规八个部分，主要反映鄂尔多斯市平安建设相关工作情况。（嘎拉贝日汗）

圣地清风（2016年第2期）

王齐兵　主编

中共伊金霍洛旗纪律检查委员会、伊金霍洛旗监察局　主办

2016年12月

16开　56页

内容提要：本刊是由中共伊金霍洛旗纪律检查委员会、伊金霍洛旗监察局主办的内部期刊，主要包括要闻采摘、工作研究、学思践悟、信息荟萃、文摘阅读、读书思廉等部分。（嘎拉贝日汗）

天骄（2013年秋季）

高利　主编

中共伊金霍洛旗委宣传部、伊金霍洛旗文联　主办

2013年11月

16开　124页

内容提要：本刊主要以充分展示伊金霍洛旗近年来的经济和社会各项事业又好又快发展及精神文明建设所取得的丰硕成果为内容。（嘎拉贝日汗）

信用鄂尔多斯

鄂尔多斯信用建设促进会　编

双月刊

2010年1月第1期

16开　87页

内容提要：本刊主要包括卷首语、鄂尔多斯市信用建设促进会工作专版、河套文化、企业诚信经营专题、创建文明城市专题、专家讲坛、诚信导航台、诚信企业俱乐部等部分。（嘎拉贝日汗）

伊金霍洛教育（2015年4月）

呼美莲　主编

伊金霍洛旗教育局、伊金霍洛旗教研室　主办

2015年4月

16开　64页

内容提要：本刊分为教育视点、特别关注、校长论坛、课研领悟、教海拾贝等部分。（嘎拉贝日汗）

伊金霍洛旗（2006年特刊）

伊金霍洛旗新闻中心　编

32开　129页

内容提要：本刊共由三个部分组成：其一为决策思路，共3篇文章；其二为辉煌"十五"回望，共5篇文章；其三为"十一五"展望，共16篇文章。（荷梅）

伊金霍洛旗法治通讯（2002年第6期）

伊金霍洛旗普法依法治旗办公室　编

2002年9月

16开　7页

内容提要：本刊由鄂尔多斯市伊金霍洛旗普法依法治旗办公室刊发，主要包括法律短讯、法律知识、典型案例等内容。（嘎拉贝日汗）

伊金霍洛旗商务动态（2012年第1期）

白相飞　主编

伊金霍洛旗商务局　主办

2012年

16开　17页

内容提要：本刊由伊金霍洛旗商务局主办，主要包括业务工作、招商引资、重点项目、党建工作、商务信息等内容。（嘎拉贝日汗）

伊克昭科技（1988年第2期）

孙宝荣　主编

内蒙古伊克昭盟科技处、《伊克昭科技》编辑部　主办

1988年5月

16开　65页

内容提要：本刊是由内蒙古伊克昭盟科技处主办刊发的关于伊克昭盟关于科技政策、科学管理、研究资源开发的刊物。（嘎拉贝日汗）

伊盟储蓄（第七期）

中国人民银行伊克昭盟中心支行　编

1984年4月

8开　2页

内容提要：本报主要记述了关于伊克昭盟经济、金融以及储蓄方面的内容。（嘎拉贝日汗）

伊盟组工通讯（2004年第4期）

伊盟党委组织部研究室　主编

《鄂尔多斯日报》社　主办

16开　31页

内容提要：本刊是由中共伊克昭盟委员会组织部主办的内部期刊，主要包括组工言论、组工论坛、工作研究、工作综述、文件选登等内容。（嘎拉贝日汗）

E 特种载体资料

1921—2011红色旗帜·光辉历程 伊金霍洛旗庆祝建党90周年暨创先争优活动文艺晚会

中共伊金霍洛旗委员会、伊金霍洛旗人民政府 主办

2011年

内容提要：本资料以光盘形式记录了由中共伊金霍洛旗委员会、伊金霍洛旗人民政府主办的《1921—2011红色旗帜·光辉历程》《伊金霍洛旗庆祝建党90周年暨创先争优活动》文艺晚会的全过程。（嘎拉贝日汗）

唱响准格尔

中共准格尔旗委员会、准格尔旗人民政府 策划

中国音乐家音像出版社

ISBN 978-7-88090-565-6

16开 280.00元

内容提要：本资料为音像资料，分为A碟《我爱准格尔》、B碟《漫瀚调精选》、C碟《魅力准格尔》三个部分，收录了《准格尔之夜》《漫瀚调唱将亲亲来》《准格尔人》等30多首歌曲。（荷梅）

成吉思汗陵旅游区

东联集团、内蒙古成吉思汗陵有限公司 编著

16开 6页

内容提要：本资料以图文并茂的方式介绍了春季查干苏鲁克大典、夏季淖尔大典、秋季斯日格大典、冬季达斯玛大典、成吉思汗旅游文化周、那达慕会场、双骏马术俱乐部、布拉克浩特酒店、鄂尔多斯婚礼。（嘎拉贝日汗）

达拉特塞外燎原展览馆

达拉特塞外燎原展览馆 编

32开 6页

内容提要：本资料主要介绍达拉特旗的塞外燎原展览馆及展览内容、文玩烟具、周燎原先生的书法篆刻、手工艺品、馆藏珍品、古董照相机、老望远镜、经典小人书、古董刀剑等内容。（嘎拉贝日汗）

大角牛梦工厂

16开

内容提要：本片是由鄂尔多斯东胜天风动漫有限公司与央视动画有限公司合作出品的一部动画巨制，将《小牛向前冲》的主要角色大角牛、牛丫丫、小飞侠、牛魔王等重新定义、重新包装，建立了一种新的人物关系和风格样式。通过有趣幽默的故事，小观众可以了解到做人的真谛以及安全、健康、环保等方面知识。（嘎拉贝日汗）

德善草原大美前旗

鄂托克前旗文化旅游广电局 编

16开 2页

内容提要：本资料主要介绍美丽富饶的鄂托克前旗一日游、两日游、自驾游旅游线路、大沙头生态文化旅游区、大汗行宫生态旅游区、鄂尔多斯文化旅游村等内容。（嘎拉贝日汗）

东胜区图书馆

东胜区图书馆　编

32开　10页

内容提要：本资料主要介绍东胜区图书馆的情况。东胜区图书馆位于风景秀丽的母亲公园东南角，是东胜区政府投资兴建的大型现代化文化设施，设计藏书容量100万册，读者坐席900余个，系国家县级一级图书馆。（嘎拉贝日汗）

都兰迪雅

鄂尔多斯市都兰迪雅商务发展有限公司、鄂尔多斯市伊金霍洛旗蒙古源流文化产业园区都兰迪雅牧场　编

32开　6页

内容提要：本资料主要介绍都兰迪雅企业整体概况。该公司是一家以发扬蒙古族文化和旅游结合为核心理念，致力传播蒙古族文化的综合性企业，创建于2004年。创建以来，该公司以创造研发高质量的蒙古族文化产品，深入挖掘鄂尔多斯特产，将蒙古族文化融合到传统的羊绒工业中，获得了一定程度的发展。（嘎拉贝日汗）

杜宏同志先进事迹报告会——"两学一做"学习教育重点内容

鄂尔多斯市委组织部、鄂尔多斯市委宣传部、鄂尔多斯市军分区政治部　编

2016年6月

内容提要：本资料以光盘形式记录了以"杜宏同志先进事迹报告会"为主题的"两学一做"学习教育重点内容报告会影像。（嘎拉贝日汗）

鄂尔多斯八字胡

鄂尔多斯市八字胡民族商贸有限公司　编

16开　6页

内容提要：本资料为鄂尔多斯市八字胡民族商贸有限公司的宣传资料，主要介绍该公司的概况，创始人制作的民族精品，创始人收藏的鄂尔多斯蒙古族传统民族用品、生活用具、宗教用品、头饰、服饰、银器、木器等。（嘎拉贝日汗）

鄂尔多斯风：鄂尔多斯经典歌曲集萃

深圳音像公司

ISBN 978-7-88531-628-0

内容提要：本专辑分为A、B两部分。A部分收录了16首鄂尔多斯经典歌曲，B部分收录了17首鄂尔多斯经典歌曲，共收录33首。（荷梅）

鄂尔多斯歌曲精品专辑

鄂尔多斯市人民政府外事办公室、鄂尔多斯市人民对外友好协会　编

内蒙古文化音像出版社

64开

内容提要：本专辑精选与鄂尔多斯相关的歌曲，整体展现美丽富饶的鄂尔多斯的风采。主要包括《鄂尔多斯》《金杯》《天堂》《成吉思汗的两匹骏马》《鄂尔多斯情》《六十棵榆树》《蓝色的云》等17首歌。（嘎拉贝日汗）

鄂尔多斯金曲——献给全区精神文明建设经验交流会

伊克昭盟党委宣传部　编

1999年9月

内容提要：本CD收录了鄂尔多斯市乌兰牧骑歌颂中国共产党、中华人民共和国的红色歌曲。（荷梅）

鄂尔多斯情（金曲典藏）VCD

伊克昭盟文化局、华韵影视文化传播公司、鄂尔多斯电视台、伊盟文艺创作研究所　编

中国唱片总公司

ISRC CN-A01-99-379-00

2000年代

内容提要：本专辑为音像资料，分为创作歌曲专辑、民歌专辑两部分，共收录《鄂尔多斯情》《世上最甜蜜的歌谣》《金杯》等30首歌曲。（荷梅）

鄂尔多斯市纪念改革开放三十周年"走向世界的鄂尔多斯"贺年有奖明信片

中共鄂尔多斯市委宣传部、鄂尔多斯市邮政局　编

2008年

内容提要：本组明信片是为了纪念改革开放三十周年而特制，由以成吉思汗陵景区、康巴什新区广场夜景、鄂尔多斯博物馆、鄂尔多斯图书馆、鄂尔多斯民族剧院为图片背景的5张明信片组成。（嘎拉贝日汗）

鄂尔多斯市伊希旅行社

鄂尔多斯市伊希旅行社　编

16开　32页

内容提要：本资料主要介绍了鄂尔多斯市伊希旅行社整体情况，以及旅行社的业绩、特点等内容。（嘎拉贝日汗）

鄂尔多斯舞画片

天津美术出版社

1956年11月

32开　0.03元

内容提要：本画片是由傅自立摄影的中央歌舞团演出的舞蹈照片。（荷梅）

鄂尔多斯一家人

中共鄂尔多斯市委宣传部、鄂尔多斯市文化新闻出版广电局、鄂尔多斯市演出服务中心　出品

内容提要：本片为鄂尔多斯市形象宣传片。本片通过生动形象的镜头和故事，向观众展示鄂尔多斯城市的基本信息、特色及亮点，包括地理位置、历史背景、行政区划、自然风光、历史文化、民俗传统，以及城市在经济、科技、教育、交通等方面的优势和成就。

同时，本片还描绘了城市的发展蓝图，阐述了城市的未来发展规划、发展战略和目标定位，传播了城市的形象口号、品牌定位等，展示了城市的精神风貌和独特魅力。（荷梅）

恩格贝沙漠（贵宾）限量纪念品

尺寸：20cm×20cm

1999年12月

内容提要：本纪念品是恩格贝沙漠（贵宾）限量纪念品，共制作150件，其中100件为限量编号，锦盒精装，附收藏证书，另有50件用作简装备份。（荷梅）

国礼瓷

鄂尔多斯市国礼瓷有限公司　编

16开

内容提要：本资料为鄂尔多斯市国礼瓷有限公司宣传册，主要介绍了鄂尔多斯市国礼瓷有限公司整体概况、技术创新、文化创意、科学管理及公司的陶瓷产品等内容。（嘎拉贝日汗）

可爱的鄂托克是我们——永远的思念

中共鄂托克旗委员会、鄂托克旗人民政府　策划

内蒙古文化音像出版社

ISBN 978-7-88324-092-1

32开　20页

内容提要：本资料为歌曲CD，分为CD-1、CD-2，共收入16首关于鄂托克的歌曲。（荷梅）

每周一课学党章

中共伊金霍洛旗委员会"两学一做"学习教育协调小组、伊金霍洛旗委组织部、党员教育中心制作　编

内容提要：本资料以光盘形式记录了中共伊金霍洛旗委员会每周一开展学习"两学一做"学习教育的内容。（嘎拉贝日汗）

蒙古国流行乐天后阿茹娜呼市演唱会

曲歌文化　主办

曲歌服饰　赞助

2014年5月

32开　2页

内容提要：本资料是由曲歌文化传媒公司主办的关于宣传阿茹娜在呼和浩特市的演唱会的宣传单，主要内容包括演唱会基本信息，歌手简介，歌手的个人信息、演唱会主题、演唱会节目单、购票信息和优惠政策等详细信息，通过阅读歌手演唱会宣传单，歌迷可以全面了解演唱会的相关信息，提前做好观看演唱会的准备。（嘎拉贝日汗）

蒙古源流旅游攻略

中共鄂尔多斯蒙古源流文化产业园区工作委员会　编

64开　8页

内容提要：本资料主要介绍坐落于一代天骄成吉思汗的汗陵所在地的鄂尔多斯市伊金霍洛旗的蒙古源流文化产业区整体概况。蒙古源流是国家AAAA级旅游景区，其文化产业区分为文化、旅游、

影视三大功能区。园区以蒙元文化为背景，以草原文明发展历程为主线，以现代影视文化为引领。（嘎拉贝日汗）

牧名优品

内蒙古牧名食品有限责任公司　编

内容提要：本资料为内蒙古牧名食品公司的宣传册，介绍了内蒙古牧名食品有限责任公司的基本信息、公司的主要产品、牧名食品的生产工艺和质量控制体系，阐述了其价值观和社会责任感，彰显了公司的以客户为中心、诚信经营、创新发展的理念；展示了其企业文化和团队精神等内容，可以使人全面了解内蒙古牧名食品有限责任公司的品牌形象、产品质量和服务保障，增强对牧名优品的信任和认可。（嘎拉贝日汗）

内蒙古·鄂尔多斯野生动物园

16开

内容提要：本资料是一张鄂尔多斯野生动物园的宣传单。鄂尔多斯野生动物园是国家AAAA级旅游景区，按功能划分为门区（商业区）、科普休闲区、雨林冒险区、非洲大裂谷、亚洲猛禽区以及工作管理区，同时配套动物医院、生态餐厅、游客服务中心等服务设施。（嘎拉贝日汗）

内蒙古草原情：内蒙古经典草原歌曲集萃

深圳音像公司

ISBN 978-7-88531-629-7

内容提要：本专辑分为A、B两部分，分别收录了15首内蒙古经典草原歌曲，共30首。（荷梅）

内蒙古达拉特旗树林乡副乡长、妇联主任王果香

拍摄者：施长江

尺寸：20cm×15cm

类别：黑白

内容提要：本资料为内蒙古达拉特旗树林乡副乡长、妇联主任王果香扛着树苗的老照片。王果香带领群众同荒漠斗争十余年，植树25万株，开辟水旱地、果园水草地870多公顷，使该乡摆脱了过去难以生存的贫困状态，走出富裕之路；当年王果香应邀在联合国日内瓦防治荒漠会议上做了关于治沙造林的报告，受到各国代表称赞。（荷梅）

内蒙古乌审旗乌审召公社社员子弟在学校学习地球仪

拍摄者：新华记者

尺寸：15cm×11cm

类别：黑白

1973年8月

内容提要：本资料是乌审旗乌审召公社社员子弟在学校课堂上学习地球仪的照片，反映了内蒙古自治区乌审旗乌审召公社教育事业迅速发展的状况。（荷梅）

内蒙古自治区鄂尔多斯市达拉特旗大树湾渡口浮桥

尺寸：5.5cm×3.5cm

类别：黑白

内容提要：本资料为拍摄鄂尔多斯市达拉特旗大树湾渡口浮桥的老照片。（荷梅）

内蒙古自治区鄂尔多斯市达拉特旗西包线大树湾渡口

尺寸：6cm×6cm

类别：黑白

内容提要：本资料为拍摄鄂尔多斯市达拉特旗西包线大树湾渡口的老照片。（荷梅）

千秋之缘——蒙古族女高音歌唱家额棋木格独唱音乐会

鄂尔多斯市歌舞剧团　主办

北京索龙歌文化传播公司　承办

2011年12月

16开　6页

内容提要：本资料为蒙古族女高音歌唱家额棋木格独唱音乐会的宣传册。内容包括演唱会节目信息及嘉宾信息，如本次独唱音乐会的特邀嘉宾有那顺、额尔德尼、巴图门德、敖特根其其格等。友情演出嘉宾有乌日娜、奇·苏亚拉、莫日根、孟克、奥特尔组合等。（嘎拉贝日汗）

全旗第三届职工运动会昭君镇代表队合影

天外天摄影

尺寸：30.4cm×15.1cm

类别：彩色

2008年5月

内容提要：本资料为2008年5月25日昭君镇代表队在内蒙古自治区鄂尔多斯市达拉特旗第三届职工运动会上合影留念的老照片。（荷梅）

沙漠绿洲有氧小城养生之地——恩格贝

鄂尔多斯市恩格贝沙漠生态旅游文化有限责任公司　编

2016年6月

16开　4页

内容提要：本资料为鄂尔多斯市恩格贝沙漠生态旅游文化有限责任公司的旅游业务宣传册，主要包括沙漠旅游生态养生地恩格贝、爱国主义教育基地、植树绿化基地、野e族恩格贝沙漠培训中心、饮食住宿简介等几个板块。（嘎拉贝日汗）

神奇的鄂尔多斯（DVD）

鄂尔多斯市人民政府外事办公室、鄂尔多斯学研究会　策划

中国广播音像出版社

ISBN 7-88002-094-2

2004年

32开　138.00元

内容提要：本专辑为一碟一册，以全景式、立体式展示了历史鄂尔多斯、魅力鄂尔多斯、今日鄂尔多斯等各方面内容。（荷梅）

天骄圣地——民族精品

鄂尔多斯市成吉思汗文化旅游实业发展有限公司　编

32开　6页

内容提要：本资料为鄂尔多斯市成吉思汗文化旅游实业有限公司印发的旅游业务宣传册。鄂尔多斯市成吉思汗文化旅游实业发展有限公司是隶属于成陵管委会的营利性机构，在鄂尔多斯机场、康巴什新区均设有分公司，本宣传册在重点宣传成吉思汗文化旅游相关内容同时也对该公司具体业务做了介绍。（嘎拉贝日汗）

我身边的党员——伊金霍洛旗十佳优秀共产党员颁奖典礼

中共伊金霍洛旗委员会、伊金霍洛旗人民政府　主办

主要内容：本资料以光盘形式记录了以"我身边的党员"为主题的伊金霍洛旗十佳优秀共产党员颁奖典礼的影像。（嘎拉贝日汗）

我们学校成立鄂尔多斯市广厦煤炭艺术团（蒙汉文）

尺寸：1cm×1cm

类别：彩色

内容提要：本资料为鄂尔多斯市广厦煤炭艺术团成立时拍照留念的现代艺术照片，由团长和团员们等十多人组成。（荷梅）

乌审旗达力文化产业发展有限公司

乌审旗达力文化产业发展有限公司　编

2016年9月

内容提要：本资料为首届鄂尔多斯文化产业博览交易会上的企业宣传材料之一，主要介绍乌审旗达力文化发展公司的民族民间工艺、现代工艺铸造、工艺雕刻、工艺研发、销售等。（嘎拉贝日汗）

伊金霍洛旗全域旅游总体规划

伊金霍洛旗旅游事业管理局　编

16开

内容提要：本资料为伊金霍洛旗全域旅游总体规划宣传册，主要包括伊金霍洛旗概况、伊金霍洛旗旅游简介、伊金霍洛旗重点旅游景区、伊金霍洛旗"1358"工作思路、成陵文化旅游区、苏布尔嘎草原旅游度假区等内容。（嘎拉贝日汗）

伊克昭盟盟长鄂尔多斯右翼后旗扎萨克亲王阿尔宾巴雅尔

尺寸：11cm×7.9cm

类别：黑白

内容提要：本资料为翻拍的伊克昭盟盟长鄂尔多斯右翼后旗扎萨克亲王阿尔宾巴雅尔的老照片。（荷梅）

伊蜜尔·蜂蜜

鄂尔多斯市金鹭伊蜜尔蜂产品有限公司　编

内容提要：本资料为鄂尔多斯市金鹭伊蜜尔蜂产品有限公司的宣传手册，主要包括该公司董事长李喜明信息、公司简介、生产加工信息、产品信息等。（嘎拉贝日汗）

紫云石阁

中国民间艺术家协会会员、中国民间文艺协会巴林石雕刻艺术委员会委员　编

64开　8页

内容提要：本资料主要介绍了鄂尔多斯市东胜区的紫云石阁整体概况及业务，其中包括对巴林石、鸡血石、冻石、福州工艺精雕摆件、各种印章、手镯等产品的介绍。（嘎拉贝日汗）

走进鄂尔多斯植物园探索神奇植物世界传递自然保护理念

鄂尔多斯植物园　编

32开　6页

内容提要：本资料为鄂尔多斯植物园的宣传册。鄂尔多斯植物园是国家第二批森林康养试点建设单位，是集"植物保护、科普教育、休闲娱乐"于一体的市民综合活动场地。（嘎拉贝日汗）

醉美乡村

鄂托克前旗文化旅游广电局　编

64开

内容提要：本资料是由鄂托克前旗文化与旅游广电局共同编写的介绍鄂托克前旗的手册，内容主要以介绍鄂托克旗敖勒召其镇、上海庙镇、城川镇、昂素镇等地为主。（嘎拉贝日汗）

索　引

A

阿尔寨石窟　292

阿尔寨石窟壁画　292

阿尔寨石窟回鹘蒙古文榜题研究　417

阿尔寨石窟遗址保护资料汇编　418

阿尔寨文化与幸福鄂托克——第二届鄂托克·阿尔寨文化高层论坛文集　52

阿勒腾席热镇居民办事一本通　483

阿勒腾席热镇网格化管理工作手册　52

阿勒腾席热镇住宅小区综合服务管理工作站工作手册　28

艾克夫 SL 系列长臂采煤机培训教材　52

爱的漠流　233

爱的一生——昌哈岱的故事　52

爱我鄂尔多斯·爱我伊金霍洛新风文明　484

爱在冰雪纷飞时　292

安健环管理制度汇编　484

安全警示教育手册　484

安全生产法规文件选编　484

安全生产法规文件选编（合订本）　484

安全生产法律法规宣传册　485

安全生产各项规定汇编　485

安全知识培训笔记　418

安源文学论文选　52

敖包的传说　53

傲慢与浪漫　53

奥运 2008 特刊——火炬接力城市专刊（鄂尔多斯）　53

B

巴盟乌拉特前旗乌拉山国储库扩建工程投标（文件） 486

巴图巴根在伊盟 293

巴音杭盖 234

八百年不熄的神灯——祭祀成吉思汗的鄂尔多斯蒙古族历史文化 293

八字步闲人诗集 233

八字风水学 53

八字起名学 53

把健康带回家 485

白金之泉 54

白色的源流 234

白塔 234

白玉刚同志工作文稿汇编（2015.2—2016.2） 485

百里长川诗歌选 234

百年东方——内蒙古鄂尔多斯东方路桥集团十年发展纪实 54

百年风云 293

百年光影——见证绿色乌审 418

百年长川 234

百味人生 235

百姓法律实用550问 7

伴你远行 235

榜样的力量 485

榜样的力量——全国公安系统先进典型事迹选编 485

傍河而居 235

包海山论文集 418

包联引领准格尔旗 486

保护和开发人类记忆——乔布英档案工作文选 419

堡垒先锋 486

报端印记 54

北方的时光 235

北方河流 293

北疆雄鹰 54

北京师范大学鄂尔多斯附属学校科技创新教育回眸 54

北望杨树村　54

鼻烟壶里的故事　55

比较研究与集成创新——鄂尔多斯学学科建设探索　235

笔墨缘　55

边锋毅诗词选集　418

边商　55

边走边唱　55

编织彩虹的人们　7

遍地传说　293

冰点　293

冰魂·雪梦　235

冰庐文钞　55

博源　29

博源煤化工管理制度操作流程业务流程汇编　486

博源煤化工管理制度操作流程预案汇编　486

补连塔煤矿"两学一做"学习教育常态化制度化党员十项示范工程　486

不惑之年话人生　419

不忘初心、牢记使命——鄂尔多斯电业局机关党委庆祝建党98周年系列活动　56

"不忘初心、牢记使命"鄂尔多斯市第二届农产品展洽会产品名录　56

"不忘初心、牢记使命"鄂尔多斯市第二届农产品展洽会活动指南　56

"不忘初心、牢记使命"伊金霍洛旗人民法院党员学习材料汇编　488

"不忘初心、牢记使命"主题教育文件精神摘编　487

"不忘初心、牢记使命"主题教育学习资料汇编　487

"不忘初心、牢记使命"主题教育学习典型先进事迹选编　487

"不忘初心、牢记使命"主题教育中共鄂尔多斯电业局委员会党员　读本（一）　488

"不忘初心、牢记使命"主题教育中共鄂尔多斯电业局委员会党员读本（二）　488

不忘初心、牢记使命辅助学习读本　7

不忘初心：康巴什新区人大工委副刊　640

不忘初心：康巴什新区人大工委专刊　640

布尔台煤矿本质安全管理信息系统使用指南　487

C

财苑情缘　57

财政部教科文司调研组伊金霍洛旗接待手册　488

财政参阅（总第8期）　640

财政发展纪实　29

财政与"三农"——鄂尔多斯市"十五"期间财政支持"三农"资料汇编　488

残疾人社区康复知识手册　419

沧桑人生　58

草产业与草原畜牧业　29

草原·城市·文化——康巴什论坛（2017）　58

草原春晓　236

草原的晨曦　236

草原的女儿——贺草坪与牧草种子学家李敏教授八十华诞　58

草原敦煌——阿尔寨石窟探秘　294

草原法律法规选编　8

草原孩子的歌　236

草原集报文集　419

草原建设的创举——乌审旗的草库伦　377

草原圣火：乌审旗天然气开发利用纪事　489

草原胜地鄂尔多斯　294

草原是挥动的天空　236

草原丝路·草原丝路康镇　58

测绘法律法规文件汇编　489

曾是大庙的地方　294

产业扶贫政策汇编　489

长臂式采煤设备电控技术　56

长城内外　238

长城内外皆故乡　56

长河共渡　56

长河落日　238

长毛兔信息预测及饲养管理　57

长三角改革发展参鉴　57

常春科普（2019年第2期）　640

常用法律法规选编　489

常用法律法规政策选编　489

常用经济指标名词说语收揽 57

常用字探源 57

畅游美丽乡村乡约鄂尔多斯 419

唱响准格尔 653

晨暮集 236

沉默的鹅卵石 294

成本管理词典 58

成吉思汗：十三世纪的冒险之王 59

成吉思汗传奇 236

成吉思汗传说 294

成吉思汗风云录 295

成吉思汗祭祀歌及鄂尔多斯歌来源 295

成吉思汗祭祀全书 59

成吉思汗祭祀史略 59

成吉思汗军事思想 60

成吉思汗廉政思想研究论文集 60

成吉思汗陵 295

成吉思汗陵旅游区 653

成吉思汗陵史话 420

成吉思汗陵与鄂尔多斯 419

成吉思汗秘史 295

成吉思汗评传 60

成吉思汗守灵人史记 60

成吉思汗文化论集 419

成吉思汗文化与伊金霍洛——伊金霍洛旗2009成吉思汗文化论坛文集 60

成吉思汗文化与伊金霍洛——伊金霍洛2010成吉思汗文化论坛文集 61

成吉思汗文化与伊金霍洛——伊金霍洛2011成吉思汗文化论坛文集 61

成吉思汗研究（2013年第1期） 640

成吉思汗在中原的后裔 295

成吉思汗箴言选辑 420

成吉思汗中外画集 296

成就梦想的沃土·培育人才的摇篮 61

成就圆满人生的智慧 237

成长　237

成长的烦恼——初中生校园故事　490

城川民族干部学校学刊（2020年第1期）　640

城川民族干部学院　61

城川民族干部学院"现场讲解词"汇编　61

"城发杯"中国门球冠军赛内蒙古分赛区决赛暨第四届全区门球锦标赛秩序册（2013年）　490

城管法律进万家·管好城市靠大家　490

城管宣传手册　420

城市建设管理部分法律法规文件汇编　490

城市让生活更幸福　490

城乡建设"六五"普法法律法规汇编　491

城乡统筹与乡镇城市化——罕台镇的快速城市化之路　29

彳亍实录——一个"借干"的"四清"日记　7

抽屉年华　62

仇钱　62

出塞曲　62

出塞曲系列之甘泉故事　62

初十三班、高七班《跨世纪》同学聚会纪念册（原鄂三中初十三班、高七班）　62

畜群草库伦水利建设经验汇编　604

川上　237

穿越　296

穿云破雾的太阳　62

传奇东胜　420

窗外事儿　237

创建全国文明城市·创建全国文明旗县宣传手册　491

创建全国文明城市市民手册　420

创建全国文明城市市民须知　63

创新创业相关政策汇编　491

创新点亮不老人生　296

创业者风采——记鄂尔多斯蒙古族企业家　296

创造食品安全大环境·呵护幸福健康小家庭　63

锤音集——李忠英格律诗词　296

春风的足迹　238

春歌秋曲——鄂尔多斯电视台作品集萃　63

春归库布其　238

春华秋实　421

春华秋实·国土情　63

春华秋实——八十载回忆录　64

春华秋实（党建·综合篇）　7

春季部分个人求职意向信息汇总（2020）　63

春天来了　238

醇香奶啤酒　64

重新认识沙漠　377

重新认识沙漠　377

雌性的原野　296

从北向南　297

从数字看发展——2010年全区各旗县主要经济指标情况　29

从政提醒：党员干部不能做的150件事　64

促进民营经济高质量发展文件汇编（2019年度）　491

促进民营经济高质量发展文件汇编（2020年度）　491

村东那座老油坊　237

寸草生晖　492

D

达拉特发电厂志　421

达拉特风采（风貌篇）　64

达拉特风采（风情篇）　65

达拉特风采（风韵篇）　65

达拉特金色与绿色变奏曲　238

达拉特经济开发区　65

达拉特年鉴（2005）　421

达拉特年鉴（2006）　421

达拉特年鉴（2007）　422

达拉特年鉴（2008）　422

达拉特年鉴（2009）　422

达拉特年鉴（2010） 422
达拉特年鉴（2011） 422
达拉特年鉴（2012） 423
达拉特年鉴（2013） 423
达拉特年鉴（2014） 423
达拉特年鉴（2015） 423
达拉特年鉴（2017） 423
达拉特年鉴（2018） 423
达拉特年鉴（2020） 424
达拉特旗2010年人口普查资料 4
达拉特旗创园宣传册 65
达拉特旗地名文化 297
达拉特旗耕地与科学施肥 378
达拉特旗教育志 65
达拉特旗旗情宣传手册 65
达拉特旗气象灾害防御规划 492
达拉特旗商务投资一览通 29
达拉特旗水利水保志 492
达拉特旗五十年（1949—1999） 424
达拉特旗政协志（1955—2009） 297
达拉特旗志 297
达拉特塞外燎原展览馆 653
达拉特脱贫攻坚好故事（2018—2020） 66
达拉特文史（第一辑） 297
达拉特文史（第二辑） 298
达拉特文史（第六辑） 298
达拉特文史（第七辑） 298
达拉特文史（第八辑） 298
达拉特文史（第九辑） 298
达拉特文史（第十辑）：走出家乡的达旗人 299
达拉特文史（第十一辑）：芳华岁月——达拉特中学回眸 299
达拉特响沙文集 66
大爱鄂尔多斯——鄂尔多斯市红十字会专刊 66

大地集 239

大地之光 299

大地之子 66

大鄂尔多斯 421

大风 239

大河人家 299

大河上下 239

大角牛梦工厂 653

大力神 67

大路工业园 67

大美鄂尔多斯 299

大美伊金霍洛 67

大漠赤子·民族精英——吴占东纪念文集 300

大漠孤烟直 67

大漠明珠——乌审召 424

大漠奇迹——杭锦旗穿沙公路建设纪实 492

大漠奇迹：亿利治沙哲学 378

大漠情思 300

大漠英雄榜 67

大漠长歌——一部杭锦旗的近代生态百科全书 424

大漠忠魂 239

大气污染防治手册 493

大沙头生态文化旅游区 493

"大物流"助推呼包鄂协同发展 66

大型群众性活动安全保卫基础教程 67

大学生就业指南 493

"大学习大调研大宣讲推动大落实"学习资料汇编 492

带你绕开谣言陷阱 68

戴东辉摄影作品集 68

丹心化雨 300

丹心无限：建言篇 493

当代民族问题研究 68

党的群众路线教育实践活动关键词（一） 493

党的群众路线教育实践活动宣传手册　493

党恩润民心　494

党风廉政建设常用知识 100 题　494

党风廉政建设法规文件汇编　494

党建领航·幸福巴音高勒　68

党建引领构建和谐社区　495

党旗飘飘——新时期鄂尔多斯党的建设　8

党旗飘扬·时代先锋　68

党旗在飘扬　党员在行动——康巴什新区"两学一做"学习教育工作纪实　8

党史旗志资料通讯（1984 年第 1 期）　641

党史旗志资料通讯（1984 年第 2 期）　641

党史旗志资料通讯（1984 年第 4 期）　641

党史旗志资料通讯（1984 年第 5 期）　641

党史旗志资料通讯（1984 年第 6 期）　641

党史旗志资料通讯（1984 年第 7 期）　642

党史旗志资料通讯（1984 年第 8 期）　642

党史旗志资料通讯（1984 年第 9 期）　642

党史旗志资料通讯（1985 年第 3 期）　642

党史旗志资料通讯（1985 年第 5 期）　642

党史旗志资料通讯（1985 年第 7 期）　643

党务工作实用手册　494

党员干部宣讲教材　68

党员干部应知应会知识手册　494

党员教育辅导讲座　8

党员领导干部理论知识　8

党员群众面对面——鄂尔多斯市委党的群众路线教育实践活动学习宣讲手册
　　（总册）　69

党员先进性教育活动宣传手册　8

党员学党章学理论读本　494

党员学习材料　495

党政领导干部选拔任用工作条例　495

党支部标准化规范化建设工作实用手册　495

党支部标准化建设手册　495

档案法律法规宣传册　495

档案之友（1996年第2期）　643

档案之友（1997年第1期）　643

档案之友（1997年第2期）　643

档案之友（1997年第3期）　643

档案之友（1998年第2期）　643

档案之友（1998年第3期）　644

导游实务与礼仪　69

导游伊金霍洛　69

道德的洗礼　69

道德讲堂壹（经典篇）　69

道德讲堂贰（吟诵篇）　70

道德讲堂叁（故事篇）　70

道德讲堂肆（三字经）　70

道路交通安全常识选编　496

道路运输法律法规汇编　496

地方病防治知识手册　496

地方财政支农实证论要　70

地方税收征收管理创新规范论　496

地方学研究（第一辑）　424

地方学研究（第四辑）　425

地方学与鄂尔多斯发展研讨会暨鄂尔多斯学研究会成立八周年庆典专辑　425

地理环境演变研究的理论与实践——鄂尔多斯地区晚第四纪以来地理环境演变研究　378

地学空间信息三维建模与可视化——鄂尔多斯盆地及相关领域的实践　378

地域文化的资源与开发　300

地质画卷　301

地质神韵——内蒙古鄂托克旗地质公园　300

地质灾害避险应急手册　496

德善草原大美前旗　653

德育课程之文明礼仪规范　70

低渗透储层油藏描述核心问题研究——以鄂尔多斯盆地川口油田为例　379

低渗透油藏复杂结构井开采技术与应用——以鄂尔多斯盆地吴起薛岔区为例　379

671

低渗透油气田概论——迅速崛起的鄂尔多斯盆地 379

低碳生活的具体操作 496

滴水藏海——校园每周寄语集锦 239

抵达与返回 301

砥砺前行（报告发言篇） 9

第二次全国污染源普查宣传手册 497

第二届鄂尔多斯国际那达慕大会暨内蒙古自治区首届体育大会嘉宾接待服务指南 497

第二届鄂尔多斯文化学术研讨会暨魅力鄂尔多斯高层学术论坛论文集 425

第二届内蒙古"草原英才"高层次人才合作交流会暨呼包鄂人才创新创业周鄂尔多斯主会场活动资料汇编（一） 497

第二届内蒙古"草原英才"高层次人才合作交流会暨呼包鄂人才创新创业周鄂尔多斯主会场活动资料汇编（二） 497

第三届园区企业安全生产管理创新与操作技能大赛成果作品集 70

第三届中国新型煤化工国际峰会 70

第三届中国中医药民族医药信息大会论文集 71

第三十七计 240

第三只眼睛看东方（媒体卷） 71

第十届全国少数民族传统体育运动会安全保卫培训基础理论教程 71

第十届全国少数民族传统体育运动会常用电话号码簿 425

第十届全国少数民族传统体育运动会各民族传统节日与风俗禁忌 71

第十届全国少数民族传统体育运动会交通安保工作纪实 71

第十届全国少数民族传统体育运动会康巴什新区城市志愿者通用知识读本 72

第十届中蒙新闻论坛接待手册 497

第十届中蒙新闻论坛日程安排 497

第十届中蒙新闻论坛资料汇编 498

第十一届亚洲艺术节 72

第十一届亚洲艺术节暨第四届鄂尔多斯国际文化节：走进鄂尔多斯国际美术大展 425

第一道年轮 72

点一盏心灯 301

电花集——达拉特发电厂文学作品集 301

电视解说词散论 240

调查河套报告书 301

调查研究建言录 72

调研报告·决策参考（2015年合订本） 9

跌宕牤牛河 72

东联蒙古王 73

东联现代中学 73

东胜大文化 73

东胜地区建设工程材料预算价格 498

东胜旅游 73

东胜旅游指南 73

东胜情怀 73

东胜情缘 74

东胜区2018年度党政领导班子工作总结县处级领导干部述职述廉报告集 74

东胜区城镇职工基本医疗保险政策解答 498

东胜区创建"平安畅通县区"文件资料汇编 498

东胜区客运分局精彩回顾 74

东胜区气象灾害防御规划 498

东胜区森林草原防火宣传手册 426

东胜区图书馆 654

东胜区图书馆史（1979—2018） 74

东胜商人 74

东胜生活指南 75

东胜市城市建设和管理暂行规定 75

东胜市地名志 301

东胜市工商企事业地图附录 75

东胜市公安局巡警大队简介（1997） 75

东胜市志 302

东胜统计年鉴（2000—2005） 426

东胜文明花开别样红 75

东胜文史资料（第六辑） 302

东胜文史资料（第八辑） 302

东胜文史资料（第十辑）第一卷：东胜史话 302

东胜文史资料（第十辑）第二卷：文学史存 302

东胜文史资料（第十辑）第三卷：高原风情 302

东胜文史资料（第十辑）第四卷：胜州笔谈 303

东胜文史资料（第十辑）第五卷：议政建言 303

东胜文史资料（第十一辑）第一卷：画说东胜 303

东胜文物志 303

东胜县公安局交警大队内部管理制度、办法、职责汇编 498

东胜县公安局巡警大队基础数字汇集（1997） 499

东胜县公安局巡警大队晋升自治区盟市旗县（市、区）机关档案工作目标管理一级文件续编集 499

东胜县公安局巡警大队荣誉集 499

东胜县农牧业生产普查资料（1966） 75

东胜县审计局档案管理晋升自治区特级单位材料汇编 499

动物防疫法律法规汇编 499

动物防疫与实验室监测技术培训教材 76

动物疫病防控知识手册 500

都兰迪雅 654

毒品的危害与预防 500

独酌秋韵 76

杜宏同志先进事迹报告会——"两学一做"学习教育重点内容 654

短信情诗300首 240

多彩的夕阳 76

多梦的高原 303

E

厄尔呼特·宝山文集 76

鄂电（2016） 78

鄂电（2019） 78

鄂尔多斯 76

鄂尔多斯1943 240

鄂尔多斯26个怎么看 500

鄂尔多斯·走向世界 79

鄂尔多斯（1997年第2期） 644

鄂尔多斯：我心中的太阳 102

鄂尔多斯奥陶纪地层岩石岩相古地理 379

鄂尔多斯八字胡 654

鄂尔多斯百家企业　30

鄂尔多斯报社社志　79

鄂尔多斯本土企业的文化个性　240

鄂尔多斯博物馆免费开放纪实　79

鄂尔多斯财政历史文物史话　304

鄂尔多斯财政年鉴（2011）　426

鄂尔多斯财政年鉴（2017）　426

鄂尔多斯财政年鉴（2018）　426

鄂尔多斯财政制度选编（2002—2008）　500

鄂尔多斯草原生态快速恢复技术研究与实践应用　380

鄂尔多斯草原文化　79

鄂尔多斯草原与纳米结构SiO_2　380

鄂尔多斯城市文化景观论　79

鄂尔多斯城韵　426

鄂尔多斯传奇故事　241

鄂尔多斯创作歌曲选　80

鄂尔多斯大辞典　427

鄂尔多斯大环保　9

鄂尔多斯大剧院　80

鄂尔多斯大牛地气田致密砂岩气成藏理论与勘探实践　304

鄂尔多斯党校70年　9

鄂尔多斯党校的理论情愫　30

鄂尔多斯党校教师风采　9

鄂尔多斯地区沙漠化及其控制问题　80

鄂尔多斯地区早古生代岩相古地理　304

鄂尔多斯地台西缘及南缘寒武纪地层及三叶虫动物群　380

鄂尔多斯地质韵语　380

鄂尔多斯的敖包　80

鄂尔多斯的风暴　241

鄂尔多斯的社会变革　501

鄂尔多斯的文博人：鄂尔多斯文博事业发展历程回顾　304

鄂尔多斯电力系统继电保护及安全自动装置调度运行管理规程　80

鄂尔多斯电网调度管理规程　81

鄂尔多斯电网二〇一九年运行方式　501

鄂尔多斯电网图集（2016）　30

鄂尔多斯电业局1990—2004年电力生产典型事故案例汇编　502

鄂尔多斯电业局2017年度落实"两个责任"重点工作记录本　9

鄂尔多斯电业局"不忘初心、牢记使命"主题教育融媒体专题报道　81

鄂尔多斯电业局"十二五"总体规划（讨论稿）　81

鄂尔多斯电业局服务资料汇编　81

鄂尔多斯电业局管理制度汇编　81

鄂尔多斯电业局规章制度汇编（第一册）　502

鄂尔多斯电业局规章制度汇编（第二册）　502

鄂尔多斯电业局规章制度汇编（第八册）　502

鄂尔多斯电业局廉洁风险防控手册　82

鄂尔多斯电业局落实"两个责任"业廉融合风险防控手册　502

鄂尔多斯电业局统计年鉴（2006）　427

鄂尔多斯电业志（1998—2007）　427

鄂尔多斯东胜　82

鄂尔多斯东胜投资指南　82

鄂尔多斯短调民歌　305

鄂尔多斯二次跨越　10

鄂尔多斯发展的实践与思考　82

鄂尔多斯发展论——纪念改革开放三十周年　305

鄂尔多斯法院案例选编　502

鄂尔多斯方言成语词典　427

鄂尔多斯放歌　82

鄂尔多斯非公经济40年（1978—2018）　82

鄂尔多斯非公经济报（2020.1—2020.12合订本）　637

鄂尔多斯非物质文化遗产馆提质改造工程平面设计、空间设计、装置设计、施工图纸、展品清单方案　503

鄂尔多斯非遗馆第一、第三板块展陈设计施工图　83

鄂尔多斯风：鄂尔多斯经典歌曲集萃　654

鄂尔多斯风暴　77

鄂尔多斯风情　4

鄂尔多斯风情：赵凯黑白画集　427

鄂尔多斯风情录　83

鄂尔多斯风俗礼仪　428

鄂尔多斯风俗录：守护和祭祀成吉思汗的神秘部落　441

鄂尔多斯风云（一）　319

鄂尔多斯烽火　305

鄂尔多斯扶贫志　428

鄂尔多斯改革开放三十年（1978—2008）　10

鄂尔多斯高原北部生态水文演变与水功能区管理红线　381

鄂尔多斯高原及其邻区历史地理研究　305

鄂尔多斯高原碱湖螺旋藻　381

鄂尔多斯高原砒砂岩区植被时空格局与生态承载力　381

鄂尔多斯高原上的明珠——巴拉贡镇　83

鄂尔多斯高原维管植物　381

鄂尔多斯高原盐沼湿地遗鸥繁殖地生态景观保护研究　381

鄂尔多斯高原野生维管植物图鉴　382

鄂尔多斯歌曲精品专辑　654

鄂尔多斯歌舞的由来　83

鄂尔多斯革命斗争史料　306

鄂尔多斯革命老区　241

鄂尔多斯革命老区（续篇）　241

鄂尔多斯革命史　306

鄂尔多斯革命史集　428

鄂尔多斯革命与建设　83

鄂尔多斯工运（2001年第4期）　644

鄂尔多斯工作（2020年1—2月）　644

鄂尔多斯公安大型安保工作纪实（2017）　78

鄂尔多斯公共资源交易工作规程　10

鄂尔多斯公共资源交易制度建设文库　10

鄂尔多斯公园广场　83

鄂尔多斯古树名木　306

鄂尔多斯古岩溶气藏地质特征及成藏富集规律　382

鄂尔多斯光辉60年　428

鄂尔多斯广播电台简介　503

鄂尔多斯国际那达慕——首届鄂尔多斯国际那达慕大会暨内蒙古自治区第七届
　少数民族传统体育运动会　84

鄂尔多斯国际那达慕大会系列企业文化交流联谊会特刊　84

鄂尔多斯国家地质公园导游手册　84

鄂尔多斯汉语方言集　241

鄂尔多斯汉语方言俗语集　241

鄂尔多斯花卉　382

鄂尔多斯辉煌60年　428

鄂尔多斯婚礼　84

鄂尔多斯婚礼　84

鄂尔多斯婚礼　85

鄂尔多斯婚礼　85

鄂尔多斯婚礼文化资料汇编　85

鄂尔多斯及周边旗县区经济社会发展研究　30

鄂尔多斯集团纪事　31

鄂尔多斯集团考察　429

鄂尔多斯记忆：中华人民共和国第十届少数民族传统体育运动会　85

鄂尔多斯祭奠赞祝　429

鄂尔多斯检察（2016年第1期）　644

鄂尔多斯检察六十年　10

鄂尔多斯江苏工业园区　85

鄂尔多斯江苏工业园区机关工作制度汇编　503

鄂尔多斯江苏工业园区圣圆煤化工基地考察大路工业园区日程安排　503

鄂尔多斯江苏工业园区投资指南　86

鄂尔多斯骄子：传奇郭三祥　306

鄂尔多斯教育信息合订本（2010.7—2010.12）　503

鄂尔多斯解放演义　242

鄂尔多斯金曲——献给全区精神文明建设经验交流会　655

鄂尔多斯金融产品手册　504

鄂尔多斯经济调查手册（2013年一季度）　31

鄂尔多斯经济发展概论　31

鄂尔多斯经济发展论纲　31

鄂尔多斯经济发展研究　31

鄂尔多斯经济跨越发展简论　32

鄂尔多斯经济论丛（财政篇）　32

鄂尔多斯经济论丛（城建篇）　32

鄂尔多斯经济论丛（畜牧篇）　32

鄂尔多斯经济论丛（第三产业篇）　32

鄂尔多斯经济论丛（非国有经济篇）　33

鄂尔多斯经济论丛（工业篇）　33

鄂尔多斯经济论丛（金融篇）　33

鄂尔多斯经济论丛（科技篇）　33

鄂尔多斯经济论丛（农业篇）　33

鄂尔多斯经济论丛（旗市篇）　33

鄂尔多斯经济论丛（生态篇）　34

鄂尔多斯经济论丛（水利水保篇）　34

鄂尔多斯经济论丛（税务篇）　34

鄂尔多斯经济社会调查年鉴（2007）　429

鄂尔多斯经济社会调查年鉴（2008）　429

鄂尔多斯经济社会调查年鉴（2011）　430

鄂尔多斯经济社会调查年鉴（2012）　429

鄂尔多斯经济社会调查年鉴（2013）　430

鄂尔多斯经济现象研究成果荟萃　86

鄂尔多斯经济研究　34

鄂尔多斯精神文明建设之路　86

鄂尔多斯警察（2008年第1期）　644

鄂尔多斯酒场笑话　242

鄂尔多斯康巴什新区户外广告规划（2011）　444

鄂尔多斯空港物流园区党工委中心组学习读本（第一辑）　86

鄂尔多斯空港物流园区招商引资产业方向与支持政策　86

鄂尔多斯恐龙寻踪——引领我们步入恐龙年代　87

鄂尔多斯跨越——伊克昭盟回眸二十年　430

鄂尔多斯快车　242

鄂尔多斯矿区煤炭物流网络系统化研究　4

鄂尔多斯历代书目索引　442

鄂尔多斯历史大事要略　306

鄂尔多斯历史管窥　307

鄂尔多斯历史文化读本　307

鄂尔多斯历史沿革四言长歌　307

鄂尔多斯历史研究　307

鄂尔多斯历史与文化　307

鄂尔多斯林业　87

鄂尔多斯林业（理论与实践）　87

鄂尔多斯林业（思考与实践）　87

鄂尔多斯林业科学技术数据库　87

鄂尔多斯林业可持续发展战略研究　504

鄂尔多斯林业实情记录　88

鄂尔多斯林业系列技术　88

鄂尔多斯林业有害生物防治实务全书　382

鄂尔多斯林业志　88

鄂尔多斯骆驼　242

鄂尔多斯旅行记　242

鄂尔多斯旅游　89

鄂尔多斯旅游大观　430

鄂尔多斯旅游抖音营销方案（2018）　501

鄂尔多斯旅游发展模式研究　34

鄂尔多斯旅游手册　504

鄂尔多斯旅游通览　89

鄂尔多斯旅游招商引资项目册　504

鄂尔多斯旅游指南　89

鄂尔多斯漫瀚调　89

鄂尔多斯煤·电·高载能　89

鄂尔多斯美——旅游景区导游词精选　89

鄂尔多斯蒙古王爷——沙克都尔扎布　307

鄂尔多斯蒙古姓氏　90

鄂尔多斯蒙古族妇女头饰追溯　430

鄂尔多斯蒙古族民间故事　308

鄂尔多斯蜜源植物　383

鄂尔多斯民歌　431

鄂尔多斯民歌的由来　246

鄂尔多斯民歌集萃　431

鄂尔多斯民间采风　90

鄂尔多斯民间歌曲　77

鄂尔多斯民间歌曲选　77

鄂尔多斯民间故事　242

鄂尔多斯民间故事　243

鄂尔多斯民间故事集萃　243

鄂尔多斯民间音乐简述　90

鄂尔多斯民间幽默笑话故事集锦　246

鄂尔多斯民俗集萃　90

鄂尔多斯民俗研究　90

鄂尔多斯民谚　308

鄂尔多斯模式研究　91

鄂尔多斯模式研究与探索　441

鄂尔多斯牧草生产与利用技术　383

鄂尔多斯年鉴（2002—2003）　431

鄂尔多斯年鉴（2004—2005）　431

鄂尔多斯年鉴（2006—2007）　431

鄂尔多斯年鉴（2008）　431

鄂尔多斯年鉴（2009）　432

鄂尔多斯年鉴（2010）　432

鄂尔多斯年鉴（2012）　432

鄂尔多斯鸟类　432

鄂尔多斯柠条　383

鄂尔多斯农牧交错区域研究（1697—1945）——以准噶尔旗为中心　432

鄂尔多斯农牧业十三五招商引资项目　504

鄂尔多斯配电产品技术交流　11

鄂尔多斯盆地奥陶纪层序岩相古地理　383

鄂尔多斯盆地奥陶系沉积、古岩溶及储集特征　384

鄂尔多斯盆地奥陶系碳酸盐岩储层图集　384

鄂尔多斯盆地北部矿井沉积控压规律研究　384

鄂尔多斯盆地北部天然气耗散与成岩成矿效应　385

鄂尔多斯盆地储层横向预测技术　385

鄂尔多斯盆地大面积致密砂岩气成藏理论　308

鄂尔多斯盆地大牛地气田水平井压裂技术进展　385

鄂尔多斯盆地大牛地气田致密砂岩气藏勘探与开发关键技术　385

鄂尔多斯盆地大牛地气田致密砂岩气成藏理论与勘探实践　386

鄂尔多斯盆地地质剖面图集　386

鄂尔多斯盆地低渗透储层特征及开发参数设计——以甘谷驿油田长 6 油层组为例　386

鄂尔多斯盆地低渗透油气田开发技术　386

鄂尔多斯盆地低渗透油田地面工艺技术　386

鄂尔多斯盆地东北部层序地层及沉积体系分析——侏罗系富煤单元的形成、分布及预测基础　387

鄂尔多斯盆地东北部延长组长 9 油层组成藏条件与成藏特征　387

鄂尔多斯盆地东部奥陶系风化壳岩溶古地貌与储层特征　387

鄂尔多斯盆地东南部上古生界沉积储层与天然气富集规律　387

鄂尔多斯盆地东南部延长组湖盆致密砂岩储层层序地层与油气勘探　388

鄂尔多斯盆地东胜气田致密低渗透砂岩气藏精细描述　388

鄂尔多斯盆地非地震油气勘探　388

鄂尔多斯盆地构造体系控油作用研究　388

鄂尔多斯盆地构造演化与油气分布规律　389

鄂尔多斯盆地古生界含油气岩系有机 – 岩石学研究及天然气生成条件与评价　389

鄂尔多斯盆地黄土地区工程建设常见地质灾害研究　389

鄂尔多斯盆地黄土塬三维地震综合解释关键技术　390

鄂尔多斯盆地靖边气田开发技术与实践　390

鄂尔多斯盆地聚煤规律及煤炭资源评价　390

鄂尔多斯盆地矿产资源共生现状及油气开发战略　391

鄂尔多斯盆地煤系矿产赋存规律与资源评价　391

鄂尔多斯盆地煤铀协调开采扰动岩层多场耦合特征　391

鄂尔多斯盆地南部奥陶系生物礁滩分布与油气地质意义　392

鄂尔多斯盆地南部复杂构造区致密油藏储层特征及渗流规律　392

鄂尔多斯盆地南部中生界成油体系　392

鄂尔多斯盆地南缘地质剖面图集　392

鄂尔多斯盆地平凉期沉积构造演化及页岩气勘探潜力　392

鄂尔多斯盆地三叠纪延长组沉积期湖盆边界与底形及事件沉积研究 393

鄂尔多斯盆地三叠系延长组底面凹凸构造及其演化与油藏分布 393

鄂尔多斯盆地砂岩型铀矿成矿地质背景 393

鄂尔多斯盆地砂岩型铀矿成矿作用 394

鄂尔多斯盆地陕北地区低渗透砂岩储层特征及油藏富集规律 394

鄂尔多斯盆地深部流体地球化学研究 394

鄂尔多斯盆地特低渗透油田开发 394

鄂尔多斯盆地天然裂缝与注水诱导裂缝 395

鄂尔多斯盆地晚古生代以来古地磁研究 395

鄂尔多斯盆地晚三叠世沉积地质与油藏分布规律 393

鄂尔多斯盆地西南部延长组致密砂岩储层微观特征 395

鄂尔多斯盆地西南部长 8 沉积相及砂体展布 396

鄂尔多斯盆地西缘麻黄山探区延安组碎屑岩储层测井评价 308

鄂尔多斯盆地西缘掩冲带构造与油气 309

鄂尔多斯盆地下古生界海相碳酸盐岩油气地质与勘探 396

鄂尔多斯盆地延长组若干石油地质问题分析 396

鄂尔多斯盆地延长组长 7 段沉积期深水重力流沉积特征及物理模拟实验 396

鄂尔多斯盆地油气成藏规律与主控因素 397

鄂尔多斯盆地长 7 致密油成藏机理与富集规律 397

鄂尔多斯盆地致密砂岩气藏储层精细表征 397

鄂尔多斯盆地致密油勘探理论与技术 397

鄂尔多斯盆地致密油气开发工程工艺技术 397

鄂尔多斯盆地中部地区延长组低渗透致密岩性油藏评价 398

鄂尔多斯盆地中部砂体流体 – 岩石相互作用及其储层效应 398

鄂尔多斯盆地中南部延长组致密砂岩储层质量差异研究 398

鄂尔多斯盆地周缘寒武系典型地质剖面图集 399

鄂尔多斯品牌战略 442

鄂尔多斯企业文化论坛论文汇集（2006） 77

鄂尔多斯前沿问题研究（一） 35

鄂尔多斯青铜器 309

鄂尔多斯青铜器国际学术研讨会论文集 309

鄂尔多斯情（金曲典藏）VCD 655

鄂尔多斯情缘 243

鄂尔多斯情缘　433

鄂尔多斯人大（2021年第3期）　645

鄂尔多斯人手册　433

鄂尔多斯人物散记　309

鄂尔多斯日报社志　91

鄂尔多斯三智国学院　91

鄂尔多斯沙地草原生态系统定位观测与研究数据集　399

鄂尔多斯山的女儿　310

鄂尔多斯山歌　91

鄂尔多斯少年宫2018秋冬季招生简章　91

鄂尔多斯社会保障（2021年第1期）　645

鄂尔多斯社会保障体系概要·社会保险经办机构工作人员上岗培训讲义　91

鄂尔多斯社会管理及创新论文集　11

鄂尔多斯社会科学（2016年第5期）　645

鄂尔多斯社会科学（2021年第1期）　645

鄂尔多斯社科优秀论文选（第三辑）　78

鄂尔多斯摄影作品选（一）　433

鄂尔多斯深盆气研究　399

鄂尔多斯生态建设历程　399

鄂尔多斯生态口述史　310

鄂尔多斯生态研究　441

鄂尔多斯生态研讨——治理·开发·经济　92

《鄂尔多斯盛开文明花》文明单位经验选编　501

鄂尔多斯诗词（2010年第1期）　645

鄂尔多斯诗词（2011年第2期）　646

鄂尔多斯诗词（2012年第3期）　646

鄂尔多斯诗词（2014年第3期）　646

鄂尔多斯诗词（2015年第1期）　646

鄂尔多斯诗词（2016年第2期）　646

鄂尔多斯诗词（2017年第2期）　647

鄂尔多斯诗选　243

鄂尔多斯十年　433

鄂尔多斯史海钩沉　310

鄂尔多斯史海凭栏　310

鄂尔多斯史话　310

鄂尔多斯史论集　92

鄂尔多斯史诗　243

鄂尔多斯史叶　310

鄂尔多斯史札　311

鄂尔多斯史志研究文稿（第一册）　311

鄂尔多斯史志研究文稿（第二册）　311

鄂尔多斯史志研究文稿（第三册）　311

鄂尔多斯史志研究文稿（第四册）　311

鄂尔多斯史志研究文稿（第五册）　312

鄂尔多斯史志研究文稿（第六册）　312

鄂尔多斯市1949—2012年畜牧业文献汇编　505

鄂尔多斯市2009年度公务员统计、人才资源统计和工资统计汇编资料　94

鄂尔多斯市2013年网络宣传集锦　521

鄂尔多斯市2016—2017学年度中小学生优秀作文集　92

鄂尔多斯市2019年脱贫攻坚"回头看"产业扶贫问题清单　506

鄂尔多斯市2019年脱贫攻坚"回头看"达拉特旗问题清单　506

鄂尔多斯市2019年脱贫攻坚"回头看"东胜区问题清单　506

鄂尔多斯市2019年脱贫攻坚"回头看"鄂托克旗问题清单　506

鄂尔多斯市2019年脱贫攻坚"回头看"杭锦旗问题清单　506

鄂尔多斯市2019年脱贫攻坚"回头看"基本医疗问题清单　506

鄂尔多斯市2019年脱贫攻坚"回头看"金融扶贫问题清单　507

鄂尔多斯市2019年脱贫攻坚"回头看"伊金霍洛旗问题清单　507

鄂尔多斯市2019年脱贫攻坚"回头看"准格尔旗问题清单　507

鄂尔多斯市"两会"专题资料汇编　505

鄂尔多斯市"庆奥运·促和谐"直属单位职工运动会秩序册　505

鄂尔多斯市"三严三实"专题教育领导干部党课讲稿选编　505

鄂尔多斯市"迎祖国60大庆"直属单位职工运动会秩序册　505

鄂尔多斯市安全生产工作文件汇编　507

鄂尔多斯市摆脱贫困的实践　92

鄂尔多斯市包联驻村工作"一村一队"名册　507

鄂尔多斯市包联驻村工作应知应会读本　507

鄂尔多斯市本级行政事业单位财务管理制度汇编 508
鄂尔多斯市财政收支分析（2015年第12期） 647
鄂尔多斯市财政收支分析（2017年第1期） 647
鄂尔多斯市财政收支分析（2017年第2期） 647
鄂尔多斯市草原确权承包工作手册 508
鄂尔多斯市成吉思汗文化旅游实业发展有限公司 92
鄂尔多斯市城建档案馆指南 93
鄂尔多斯市城市园林绿化条例 508
鄂尔多斯市城乡建设工作导则汇编 508
鄂尔多斯市城乡建设工作制度汇编 509
鄂尔多斯市城乡居民基本医疗保险暂行办法 509
鄂尔多斯市创建第五届全国文明城市实地点位台账 509
鄂尔多斯市创建国家公共文化服务体系示范区 509
鄂尔多斯市创建国家公共文化服务体系示范区宣传手册 509
鄂尔多斯市创建国家可持续发展议程创新示范区汇报提纲及相关材料 509
鄂尔多斯市创建国家园林城市基础资料 510
鄂尔多斯市创建国家园林城市申报资料 510
鄂尔多斯市创建国家园林城市申报资料分册·等级评价 510
鄂尔多斯市创建国家园林城市申报资料分册·节能减排 510
鄂尔多斯市创建国家园林城市申报资料分册·居住小区 511
鄂尔多斯市创建国家园林城市申报资料分册·生态建设 511
鄂尔多斯市创建国家园林城市申报资料分册·生物多样性保护 511
鄂尔多斯市创建国家园林城市申报资料分册·湿地资源 511
鄂尔多斯市创建国家园林城市申报资料分册·污水处理 511
鄂尔多斯市创建国家园林城市申报资料分册·宣传动员 512
鄂尔多斯市创建全国民族团结进步示范市工作手册 512
鄂尔多斯市创建自治区级园林城市申报资料·组织管理 514
鄂尔多斯市创建自治区级园林城市申报资料·规划册（六） 512
鄂尔多斯市创建自治区级园林城市申报资料·科技论文册（七） 512
鄂尔多斯市创建自治区级园林城市申报资料·古树名木重点树木册（九） 512
鄂尔多斯市创建自治区级园林城市申报资料·公园广场册（十） 513
鄂尔多斯市创建自治区级园林城市申报资料·道路绿化册（十一） 513
鄂尔多斯市创建自治区级园林城市申报资料·居住小区单位庭院册（十二） 513

鄂尔多斯市创建自治区级园林城市申报资料·生态建设册（十三） 513

鄂尔多斯市创建自治区级园林城市申报资料·市政建设册（十四） 513

鄂尔多斯市大气污染防治条例 514

鄂尔多斯市党的群众路线教育实践活动辅导读本 514

鄂尔多斯市党政领导班子2013年度总结报告及领导班子成员述职报告集 93

鄂尔多斯市档案局文件 514

鄂尔多斯市档案志 4

鄂尔多斯市道路运输管理局道路运输安全知识进校园、进社区、进企业系列活动（校园篇） 93

鄂尔多斯市地方税务局成立20周年（1994—2014） 433

鄂尔多斯市地名文化学术研讨会会序册 514

鄂尔多斯市地名文化学术研讨会论文集 514

鄂尔多斯市地税局印刷有关《中华人民共和国环境保护税法》和《关于扩大水资源税收改革试点方案》的学习培训材料 515

鄂尔多斯市地税系统处科级干部上海交通大学综合能力提升研修班学习体会汇编 93

鄂尔多斯市地下管线管理办法 93

鄂尔多斯市等33市（地州盟）经济社会发展研究 94

鄂尔多斯市第二次土地调查图集 312

鄂尔多斯市第二届少数民族传统体育运动会秩序册 515

鄂尔多斯市第三届人民代表大会第四次会议代表建议、批评和意见原件及答复件汇编 515

鄂尔多斯市第三中学 515

鄂尔多斯市第四届人民代表大会第二次会议文件汇编（一） 515

鄂尔多斯市第四人民医院 516

鄂尔多斯市第一届人民代表大会第一次会议文件汇编 517

鄂尔多斯市第一届人民代表大会第四次会议简报汇编 517

鄂尔多斯市第一届人民代表大会第七次会议文件汇编 516

鄂尔多斯市第一届人民代表大会第八次会议简报汇编 516

鄂尔多斯市第一届人民代表大会第八次会议文件汇编 516

鄂尔多斯市电力工业运行情况简报（第一季度）（2020） 501

鄂尔多斯市电商年报 517

鄂尔多斯市东方路桥集团 94

鄂尔多斯市动物防疫工作应急预案 517

鄂尔多斯市动物疫病防控手册 517

鄂尔多斯市发改委"8337"发展思路学习读本 518

鄂尔多斯市发展低碳经济的金融支持研究 35

鄂尔多斯市发展和改革委员会规划及课题研究报告汇编 94

鄂尔多斯市反邪教志愿者工作指导手册 518

鄂尔多斯市嘎查村"两委"换届选举工作手册 518

鄂尔多斯市改革开放三十年重要文件选编 518

鄂尔多斯市高等院校国有企业开发区（园区）非公有制企业社会组织党建工作手册 518

鄂尔多斯市个体私营经济基层党组织"两学一做"现场观摩会材料汇编 518

鄂尔多斯市个体私营经济基层党组织典型示范建设材料汇编 519

鄂尔多斯市工商行政管理机关行政执法办案指南 519

鄂尔多斯市公安交通管理志 312

鄂尔多斯市公安科技信息化十大典型案例（1） 519

鄂尔多斯市公路路政管理人员工作手册 519

鄂尔多斯市公务员统计·人才资源统计·工资统计2012年度汇编资料 519

鄂尔多斯市公务员统计·人才资源统计·工资统计2014年度汇编资料 520

鄂尔多斯市广播电视台规章制度汇编 520

鄂尔多斯市规划局信息化"十二五"发展规划 35

鄂尔多斯市国家税务志（1994—2018） 433

鄂尔多斯市国民经济和社会发展第十二个五年规划纲要 94

鄂尔多斯市国土资源局工作制度和工作规程汇编 520

鄂尔多斯市红十字会红十字基层组织建设宣传手册 520

鄂尔多斯市环保系统党员干部廉政纪律学习手册 520

鄂尔多斯市环境保护条例 521

鄂尔多斯市惠民政策文件汇编：千名党员领导干部"下基层、保增长、惠民生"活动宣讲教材 521

鄂尔多斯市机构信息汇编 434

鄂尔多斯市绩效管理培训 35

鄂尔多斯市疾病预防控制中心志（1950—2015） 434

鄂尔多斯市纪念改革开放三十周年"走向世界的鄂尔多斯"贺年有奖明信片 655

鄂尔多斯市检察志 312

鄂尔多斯市交通运输管理处党的群众路线教育实践活动第一环节文件汇编 521

鄂尔多斯市教育系统安全检查体系（试行） 521

鄂尔多斯市教育志 94

鄂尔多斯市教职工书画作品集 522

鄂尔多斯市街道社区党建工作实务——政策篇 522

鄂尔多斯市经济高质量发展战略 36

鄂尔多斯市精准脱贫三年攻坚行动方案（2018—2020） 522

鄂尔多斯市就医指南 95

鄂尔多斯市居民防空防灾应急手册 522

鄂尔多斯市居民健康教育知识手册 399

鄂尔多斯市康巴什区第一届人民代表大会第二次会议代表建议、批评和意见
　原件及答复件汇编 523

鄂尔多斯市科技概览 95

鄂尔多斯市联系服务群众"三到两强"工作手册 523

鄂尔多斯市联系服务群众暨"三到"服务经验做法选编 11

鄂尔多斯市林木种质资源普查实施方案 95

鄂尔多斯市绿色环保2009—2038小记者征文优秀作品集 95

鄂尔多斯市蒙古族中学学校文化建设纲要 523

鄂尔多斯市蒙古族中学志 313

鄂尔多斯市蒙古族中学志（1956—2016） 313

鄂尔多斯市民礼仪教育指导手册 96

鄂尔多斯市民委系统2010年调研论文集 96

鄂尔多斯市民委系统2011年调研报告集 96

鄂尔多斯市民文明手册 523

鄂尔多斯市年度政协协商建议汇编（2018—2019） 523

鄂尔多斯市农村牧区人居环境治理条例 524

鄂尔多斯市农牧局"不忘初心、牢记使命"主题教育成果汇编 524

鄂尔多斯市农牧学校三十周年校庆校友录（1978—2008） 96

鄂尔多斯市农牧业 96

鄂尔多斯市农牧业经济"三区"发展规划（摘编） 524

鄂尔多斯市农作物绿色高产高效栽培技术 400

鄂尔多斯市气象灾害防御规划 400

鄂尔多斯市青春山新城区基础设施建设工程燃气工程初步设计 96

鄂尔多斯市情及重点融资项目手册　524
鄂尔多斯市情手册（2015）　434
鄂尔多斯市情手册（2019）　434
鄂尔多斯市全域旅游发展征求意见会相关材料汇编　97
鄂尔多斯市人才工作实践与探索　525
鄂尔多斯市人大常委会财经委2015年工作制度汇编　525
鄂尔多斯市人大常委会工作回顾暨展望（2001—2010）　11
鄂尔多斯市人大工作制度汇编　97
鄂尔多斯市人大系统第十二届职工运动会观摩点简介　525
鄂尔多斯市人居环境发展报告　97
鄂尔多斯市人民代表大会及其常务委员会年鉴（2018）　435
鄂尔多斯市人民代表大会及其常务委员会年鉴（2019）　435
鄂尔多斯市人民政府办公厅档案管理晋升自治区特级先进单位材料汇编　525
鄂尔多斯市人民政府办公厅档案利用效益和社会效益实例汇编　526
鄂尔多斯市人民政府办公厅简介（1958.5—2001.11）　526
鄂尔多斯市人民政府组织沿革（1958—2001）　435
鄂尔多斯市森林公安志（1948—2008）　435
鄂尔多斯市森林资源动态　400
鄂尔多斯市少数民族文化交流中心　526
鄂尔多斯市社会工作发展历程　97
鄂尔多斯市社会工作发展论坛优秀论文集　526
鄂尔多斯市社区党组织建设指导手册　526
鄂尔多斯市深化医药卫生体制改革文件汇编（2013.1—2016.2）　527
鄂尔多斯市生态扶贫应知应会知识手册　527
鄂尔多斯市生态农业建设　36
鄂尔多斯市市直单位推行会计集中核算工作资料汇编　527
鄂尔多斯市书法作品集　527
鄂尔多斯市税收快报（2020.11）　638
鄂尔多斯市税收快报（2020.3）　637
鄂尔多斯市税收快报（2020.5）　637
鄂尔多斯市税收快报（2020.6）　637
鄂尔多斯市统计年鉴（2002）　436
鄂尔多斯市统计手册（2019年）　440

鄂尔多斯市统计手册（2020年） 440

鄂尔多斯市统计月报（2011.9） 638

鄂尔多斯市统计月报（2013.3） 638

鄂尔多斯市统计月报（2019.12） 639

鄂尔多斯市图书馆 78

鄂尔多斯市土地例行督票工作资料汇编——责任人处理篇 527

鄂尔多斯市土地志 313

鄂尔多斯市土地资源与利用 400

鄂尔多斯市推行新型农村牧区合作医疗工作指南 528

鄂尔多斯市脱贫攻坚纪实 528

鄂尔多斯市脱贫攻坚文学作品选集 528

鄂尔多斯市脱贫攻坚文艺作品集 243

鄂尔多斯市脱贫攻坚应知应会手册 528

鄂尔多斯市脱贫攻坚政策文件汇编 528

鄂尔多斯市脱贫攻坚政策知识汇编 529

鄂尔多斯市脱贫攻坚制度政策汇编 529

鄂尔多斯市委办公厅各科室工作职责及2017年重点工作 529

鄂尔多斯市委督查工作文选 97

鄂尔多斯市文化和旅游"十四五"发展规划（纲要·初稿） 529

鄂尔多斯市文明市民读本 97

鄂尔多斯市文明行为促进条例 529

鄂尔多斯市沃泰园林绿化有限责任公司二级资质申报材料 530

鄂尔多斯市乌审旗煤层气开发利用规划 530

鄂尔多斯市无党派人士"不忘合作初心　继续携手前进"主题教育培训班学员手册 530

鄂尔多斯市物流园区建设投资有限公司规章制度汇编 98

鄂尔多斯市消费维权法律法规汇编 530

鄂尔多斯市新闻素材汇编 530

鄂尔多斯市学习贯彻党的十九届四中全会精神理论阐释作品集 98

鄂尔多斯市伊金霍洛旗札萨克设施农业生态园区建设项目可行性研究报告 530

鄂尔多斯市伊希旅行社 655

鄂尔多斯市应对新型冠状病毒感染的肺炎疫情法治防控四十诀 401

鄂尔多斯市优质农产品名录 98

鄂尔多斯市原任副地级以上离退休老干部一行赴伊金霍洛旗视察接待
　　手册　530
鄂尔多斯市在职党员志愿者进社区工作手册　531
鄂尔多斯市造林总场植物园规划设计　98
鄂尔多斯市造林总场志　98
鄂尔多斯市政务服务指南　435
鄂尔多斯市政协书画院院士美术书法作品集　531
鄂尔多斯市政协四届三次会议提案及办理复函选编　531
鄂尔多斯市政协一届二次会议三次会议提案暨办理情况选编　531
鄂尔多斯市直机关第七届"体彩杯"职工运动会秩序册　531
鄂尔多斯市直属单位第四届职工运动会秩序册　532
鄂尔多斯市直属单位第五届职工运动会秩序册　532
鄂尔多斯市直属机关单位和各旗区常用电话号码簿　532
鄂尔多斯市职工服务中心服务指南　532
鄂尔多斯市中级人民法院软件操作手册汇编　533
鄂尔多斯市中级人民法院制度汇编　99
鄂尔多斯市中小学生获奖作文选（2004）　99
鄂尔多斯市中小学生获奖作文选（2005）　99
鄂尔多斯市中心城区供水保障与台格庙矿区开发协调研究工作大纲　533
鄂尔多斯市重点儿科专科　99
鄂尔多斯市重要金融政策汇编　533
鄂尔多斯市住建委"三到"服务活动　533
鄂尔多斯市转型发展学习资料汇编　533
鄂尔多斯市总工会会员普惠卡服务指南　35
鄂尔多斯式青铜器　313
鄂尔多斯式青铜器造型艺术研究　314
鄂尔多斯书法集　77
鄂尔多斯书法作品集（一）　100
鄂尔多斯书画作品集　100
鄂尔多斯水利志　401
鄂尔多斯水土保持工作手册　36
鄂尔多斯水土保持技术手册　36
鄂尔多斯四季歌　314

鄂尔多斯四季赏花·夏季赏花度假暨"马兰花开锦·醉美鄂前旗"系列文旅活动会序册　534
鄂尔多斯寺观教堂　2
鄂尔多斯寺院大全　2
鄂尔多斯拓荒者的故事　314
鄂尔多斯天地人　442
鄂尔多斯天骄美食（2017）　100
鄂尔多斯通公众多媒体信息网　100
鄂尔多斯通史稿　244
鄂尔多斯统计年鉴（2003）　436
鄂尔多斯统计年鉴（2004）　436
鄂尔多斯统计年鉴（2005）　436
鄂尔多斯统计年鉴（2006）　436
鄂尔多斯统计年鉴（2007）　437
鄂尔多斯统计年鉴（2008）　437
鄂尔多斯统计年鉴（2009）　437
鄂尔多斯统计年鉴（2010）　437
鄂尔多斯统计年鉴（2011）　437
鄂尔多斯统计年鉴（2012）　437
鄂尔多斯统计年鉴（2013）　438
鄂尔多斯统计年鉴（2014）　438
鄂尔多斯统计年鉴（2015）　438
鄂尔多斯统计年鉴（2016）　438
鄂尔多斯统计年鉴（2017）　438
鄂尔多斯统计年鉴（2018）　439
鄂尔多斯统计年鉴（2019）　439
鄂尔多斯统计年鉴（2020）　439
鄂尔多斯统计手册（2006年）　439
鄂尔多斯统计手册（2007年）　439
鄂尔多斯统计手册（2008年）　440
鄂尔多斯统计手册（2009年）　440
鄂尔多斯统计手册（2014年）　440
鄂尔多斯统计手册（2017年）　440

鄂尔多斯统一战线优秀论文汇编（2012） 500

鄂尔多斯统一战线优秀论文汇编（2014） 500

鄂尔多斯统战人物风采 100

鄂尔多斯统战志 534

鄂尔多斯投资交通旅游服务指南 534

鄂尔多斯投资指南 534

鄂尔多斯退牧还草快速恢复草原生态技术 401

鄂尔多斯晚三叠世盆地沉积层序与油气成藏 401

鄂尔多斯王公记 314

鄂尔多斯往事 314

鄂尔多斯未来财经研究 100

鄂尔多斯温暖全世界 101

鄂尔多斯文博事业五十五年 101

鄂尔多斯文化 101

鄂尔多斯文化 101

鄂尔多斯文化（2011年第6期） 647

鄂尔多斯文化（2018年第1期） 647

鄂尔多斯文化经典 101

鄂尔多斯文化论文集 441

鄂尔多斯文化旅游博物馆专刊（总第2期） 648

鄂尔多斯文化研究 314

鄂尔多斯文化遗产 102

鄂尔多斯文化遗产 102

鄂尔多斯文化之旅 444

鄂尔多斯文秘（2013年第4期） 648

鄂尔多斯文史资料（第一辑） 315

鄂尔多斯文史资料（第二辑） 315

鄂尔多斯文史资料（第三辑）：忆父辈往事 315

鄂尔多斯文史资料（第四辑）：兵团岁月 315

鄂尔多斯文史资料（第五辑）：我的回忆——在鄂尔多斯成长的一名科技人员自述 316

鄂尔多斯文史资料（第六辑）：老马识途记——怀念马丕峰 316

鄂尔多斯文史资料（第七辑）：企业之光（上） 316

鄂尔多斯文史资料（第八辑）：肝胆昭高原 316

鄂尔多斯文史资料（第九辑）：一个支边者的足迹 316

鄂尔多斯文史资料（第十辑）：红色记忆 317

鄂尔多斯文史资料（第十三辑）：鄂尔多斯改革开放记忆 317

鄂尔多斯文史资料（第十四辑）：走在时代前列的人们 317

鄂尔多斯文物考古文集 317

鄂尔多斯文物考古文集（第二辑） 317

鄂尔多斯文学季刊增刊 648

鄂尔多斯文艺（1980年第2期） 648

鄂尔多斯舞 441

鄂尔多斯舞画片 655

鄂尔多斯物业（2020年第3期） 648

鄂尔多斯西部民歌 102

鄂尔多斯西缘前陆盆地油气地质 401

鄂尔多斯西缘与西南缘深部结构与构造 401

鄂尔多斯乡风文明大行动指导手册 534

鄂尔多斯项目介绍文化产业园 102

鄂尔多斯小说精选（2005年第1期） 644

鄂尔多斯小说选 244

鄂尔多斯小说选 244

鄂尔多斯笑话 244

鄂尔多斯笑话 244

鄂尔多斯笑话 245

鄂尔多斯笑话 245

鄂尔多斯修复寺庙今往汇总 2

鄂尔多斯学概论 103

鄂尔多斯学论丛 103

鄂尔多斯学研究 442

鄂尔多斯学研究2017年论文集 444

鄂尔多斯学研究（2019年第2期） 648

鄂尔多斯学研究会2016年论文集 443

鄂尔多斯学研究文选（2002—2004） 442

鄂尔多斯学研究文选（2005） 443

鄂尔多斯学研究文选（2006） 443

鄂尔多斯学研讨论文集（2002—2005） 443

鄂尔多斯岩画 318

鄂尔多斯研究文集（第一辑） 245

鄂尔多斯盐业史 443

鄂尔多斯演义 245

鄂尔多斯谚语 245

鄂尔多斯羊绒衫厂 103

鄂尔多斯一家人 655

鄂尔多斯饮食 103

鄂尔多斯英烈：纪念解放伊盟牺牲的勇士 318

鄂尔多斯英烈传 318

鄂尔多斯优秀精神品质 11

鄂尔多斯游记（2017） 103

鄂尔多斯园林绿化论文集（2015） 104

鄂尔多斯园林植物 402

鄂尔多斯增刊（文学集） 245

鄂尔多斯长城 318

鄂尔多斯珍稀濒危植物 319

鄂尔多斯政务·商务（政府名片） 535

鄂尔多斯政协（2017年第2期） 649

鄂尔多斯政研（2017） 12

鄂尔多斯政研（2018） 12

鄂尔多斯政研决策参考 12

鄂尔多斯之恋 246

鄂尔多斯知识大辞典 444

鄂尔多斯职业学院报 639

鄂尔多斯职业学院深入推进全面从严治党纪律作风建设手册 535

鄂尔多斯植物志 104

鄂尔多斯植物志 104

鄂尔多斯植物志补编 105

鄂尔多斯植物资源 402

鄂尔多斯志愿服务信息管理系统操作手册（续） 535

鄂尔多斯中东部晚古生代古地理及优质储层发育控因　319

鄂尔多斯周缘活动断裂系　402

鄂尔多斯综合保税区　30

鄂尔多斯走进新世纪　105

鄂托克表情　445

鄂托克改革　105

鄂托克经济社会调查年鉴（2013—2017）　445

鄂托克恐龙足迹——引领我们探索远古世界　319

鄂托克民间故事　246

鄂托克旗2017年国民经济和社会发展统计公报　535

鄂托克旗发展与改革（2012年第1期）　536

鄂托克旗非物质文化遗产　105

鄂托克旗公安局晋升自治区一级档案管理材料汇编　536

鄂托克旗国土资源局"两学一做"学习教育制度汇编　536

鄂托克旗建档立卡贫困户应知手册　536

鄂托克旗教育志（1778—2009）　106

鄂托克旗科学技术局服务手册　536

鄂托克旗历届各界人民代表大会简要概况（1951—1983）　536

鄂托克旗粮油商品流转统计资料汇编（1966—1985）　537

鄂托克旗民族综合职业中学简介　106

鄂托克旗年鉴（2009—2010）　445

鄂托克旗年鉴（2011—2012）　445

鄂托克旗年鉴（2013—2014）　446

鄂托克旗农村牧区环境综合管理指导手册　537

鄂托克旗农牧民法律知识手册　537

鄂托克旗气象灾害防御规划　537

鄂托克旗市民文明手册　537

鄂托克旗文化志（1949—2010）　106

鄂托克文史资料（第一辑）　446

鄂托克旗文史资料（第二辑）：鄂托克旗三百年二三事　446

鄂托克旗文史资料（第三辑）：鄂托克旗蒙古族祭祀文化　446

鄂托克旗文史资料（第四辑）：远去的记忆　446

鄂托克旗文史资料（第五辑）：鄂托克往事（一）　447

鄂托克旗文史资料（第六辑）：鄂托克往事（二） 447

鄂托克旗文史资料（第七辑）：鄂托克旗当代人物（一） 447

鄂托克旗文物志 319

鄂托克旗邮电志 320

鄂托克旗园林 106

鄂托克旗园林 106

鄂托克旗政协志 320

鄂托克旗志 320

鄂托克旗抓党建促脱贫攻坚工作手册 538

鄂托克前旗2010年人口普查资料 5

鄂托克前旗草地植物 447

鄂托克前旗大数据中心 36

鄂托克前旗地下水"总量控制、定额管理"试点改革工作 538

鄂托克前旗多规合一智慧服务系统 538

鄂托克前旗法院志 448

鄂托克前旗法院制度汇编 12

鄂托克前旗革命史略 320

鄂托克前旗红色旅游 106

鄂托克前旗辉煌的二十年（1980—2000） 448

鄂托克前旗旅游手绘地图 107

鄂托克前旗民间故事 320

鄂托克前旗年鉴（2000） 448

鄂托克前旗年鉴（2019） 449

鄂托克前旗农村牧区"两站两员"交通安全宣传教育读本 12

鄂托克前旗气象灾害防御规划 538

鄂托克前旗圣火祭祀 449

鄂托克前旗水利规范文件选编 538

鄂托克前旗水利科技成果简介 538

鄂托克前旗水利科技论文选编（第一辑） 539

鄂托克前旗乡村振兴示范嘎查村（党建星） 37

鄂托克前旗乡村振兴示范嘎查村（富裕星） 37

鄂托克前旗乡村振兴示范嘎查村（和谐星） 37

鄂托克前旗乡村振兴示范嘎查村（美丽星） 37

鄂托克前旗乡村振兴示范嘎查村（文明星） 37

鄂托克前旗盐业志 448

鄂托克前旗野生鸟类 403

鄂托克前旗志 449

鄂托克前旗志（1991—2009） 449

鄂托克深度之旅 449

鄂托克生物资源 403

鄂托克树魂 403

鄂托克野生鸟类 403

恩格贝沙漠（贵宾）限量纪念品 656

恩格贝沙漠科学馆展区巡览 403

恩格贝生态示范区品牌建设及文化产业发展研究 403

二次创业文汇 539

二十年 107

二月春风 107

F

"发现美好·记录幸福"网络征集大赛作品集 107

发展党员工作手册 12

发展经济学与鄂尔多斯经济发展 37

法撼边地 246

法律法规汇编（普法辅导教材） 13

法律法规选编 13

法律服务手册 450

法税收执手册 539

帆影 247

反家庭暴力法宣传手册 539

反邪教知识读本 107

芳草留香：委员篇 539

防范电信诈骗 540

防范电信诈骗犯罪指导手册 540

防范电信诈骗宣传手册 540

防治荒漠化中的绿色鄂尔多斯 404

房地产一体化管理税收业务文件汇编　540

放飞　321

放飞的高原　249

飞花逐梦：鄂尔多斯电影剧本选　107

飞翔的诗章　321

非公党团组织建设礼仪规范暨解说词选编　540

非公经济和社会组织党务工作手册　38

纷飞的思绪　107

奋斗的青春最幸福——"青春·奋斗·幸福"主题青年演讲比赛演讲稿　540

奋进春秋谱——鄂尔多斯改革开放40年大事记　450

奋进的历程　108

奋进之路——包神铁路集团企业文化建设专辑　108

奋进中的伊金霍洛旗工商业联合会（总商会）　38

奋进中的准格尔城市园林　108

风采回眸　541

风尘独舞　321

风骨篇　247

风过有痕　321

风景这边独好　247

风流今朝：杭锦人物　321

风流晚宴　108

风沙危害及其治理　404

风生水起　247

风生水起达拉特　450

风俗风情　248

风习娱游　248

风雪扎萨克　247

风雨过后艳阳天　321

风雨人生路　108

风雨伊东：揭秘鄂尔多斯能源发展变局　248

风雨征程（1960—2000）　541

风中歌谣　248

峰翠毅然　109

烽火美人　248

烽云印记·伊金霍洛　109

冯峰文辑　322

凤鸣高岗　109

奉献者之歌：献给中国共产党建党七十周年　541

傅金栓学画作品　109

扶贫鄂尔多斯　649

扶贫手册　541

抚摸岁月　249

府地凤凰　109

辅控运行规程化学运行部分　38

妇女维权手册　541

负重的双翼——当今教育之反思　249

附中人讲附中故事　109

富民五送·服务三农　541

G

嘎查村务公开手册　542

嘎日迪夫的故事　440

改革·让城市生活更加美好　110

改革开放40周年鄂尔多斯统一战线2018年度优秀论文汇编　542

概览鄂尔多斯　110

敢问库布其　249

感受今天　110

感受武汉　249

感悟平凡　249

感谢生活　110

干部保健联系手册　542

干部保健知识问答　542

干部工作政策法规选编　542

干部理论学习400题　13

干部理论学习问答　13

干部人事档案工作条例　110

干净做事·清白做人 110

钢铁雄心献人民 111

高分辨率层序地层学与河流相储层流动单元研究——以鄂尔多斯盆地大牛地气田为例 404

高位谋划·超前构筑·科学发展 542

高新区这一年 111

高血压疾病与健康 111

高玉良书法集 111

高原 高歌 高人 250

高原的脊梁 450

高原的脊梁（第五部） 450

高原的脊梁（第七部） 451

高原的星空——鄂尔多斯优秀科技人才风采录 250

高原风——徐兴邦散文选 111

高原风纪（2018）（创刊号） 649

高原礼赞 112

高原美韵 250

高原青枫 250

高原情 322

高原上盛开的马兰花——寻找最美交通人 543

高原舞巨龙 250

高原杂感集 112

戈壁的春天 322

歌语杭锦——杭锦牧歌歌词集 322

革命回忆录 112

革新奋进——鄂托克前旗全面深化改革掠影 112

葛根庙镇发展历程 112

各级党风廉政建设材料汇编 543

给世界一张名片 322

跟踪鄂尔多斯天然气 404

耕耘 322

耕者无疆 113

工伤保险宣传手册 543

工商物价法律法规实用手册　13

工作创新（2015）　113

工作的钥匙　113

工作制度汇编　543

工作制度汇编　543

公共行政概论　113

公民健康素养66条基本知识读本　544

公务卡用卡手册　544

公务员法律知识1000问　14

公务员行政许可法读本　544

公益文化润民心　113

公元7—9世纪鄂尔多斯高原人类经济活动与自然环境演变研究　323

公职人员学法考试学习参考资料（2005）　113

功垂后世　风范长存——深切怀念乌兰夫同志文集　323

供电企业技术标准汇编（第一册）基础标准（1）　544

供电企业技术标准汇编（第二册）基础标准（2）　544

供电企业技术标准汇编（第六册）设备标准（2）　544

供电企业技术标准汇编（第七册）设备标准（3）　545

供电企业技术标准汇编（第八册）设备标准（4）　545

供电企业技术标准汇编（第九册）设备标准（5）　545

供电企业技术标准汇编（第十一册）试验方法标准　545

供电企业技术标准汇编（第十二册）生产运行标准（1）　545

供电企业技术标准汇编（第十三册）生产运行（2）　546

供电企业技术标准汇编（第十四册）设计标准（3）　546

供电企业技术标准汇编（第十五册）生产运行标准（4）　546

供电企业技术标准汇编（第十六册）计量标准　546

供电企业技术标准汇编（第十七册）检修标准　546

供电企业技术标准汇编（第十九册）安全环保标准（2）　547

供电企业技术标准汇编（第二十册）供电质量标准计算机与信息标准　547

共青团鄂尔多斯市非公有制经济组织工作委员会第一次代表大会材料汇编　547

共青团鄂尔多斯市委员会"两学一做"口袋书　14

共青团员团费交纳手册　547

共同的记忆　114

共襄民族盛会　情暖天骄圣地　547

构建和谐鄂尔多斯　14

构建社会化党建新模式　推进城市基层党建上水平　547

构建社会主义和谐社会理论学习读本　548

孤岛　251

古代蒙古货币研究　114

古风今韵　251

古歌，或本原　323

古人不见今时月　251

古塬新韵　251

古韵歌吟十九大　451

故乡情　114

挂在树上的银幕　251

关爱后代·无私奉献　114

关爱生命·安全用药　114

关于进一步推进全市各领域党支部规范化建设的意见（试行）　548

关于五·七干校资料　548

观海拾贝——裴永锋自选集　115

冠心病的预防与日常保健　115

管见集　251

管窥录　115

贯彻实施《中共中央纪委关于严格禁止利用职务上的便利谋取不正当利益的若干规定》学习手册　548

光辉的足迹　115

光明磊落的一生——纪念十一世乌兰活佛　2

光荣与理想：伊盟人口与计划生育工作巡礼　5

规章制度汇编（行政管理制度）　548

郭氏蒙古通　252

郭银维书法集　116

国际交通员杨宝山的故事（第一辑）　115

国家　自治区　鄂尔多斯劳动和社会保障实用政策文件大全　14

国家　自治区　鄂尔多斯劳动和社会保障实用政策文件大全（2010年度续册）　15

国家是棵树　323

国家统计局鄂尔多斯调查队业务制度汇编　549

国礼瓷　656

国土资源部国土资源"十一五"规划纲要　451

国土资源及相关知识讲座　116

国务院关于进一步促进内蒙古经济社会又好又快发展的若干意见　549

国务院关于进一步促进内蒙古经济社会又好又快发展的若干意见学习读本　549

国学启蒙经典　116

国有资产管理法律法规汇编　549

国有资产管理政策法规选编（1989—2001）　549

果树栽培技术手册（苹果、梨树部分）　116

H

哈布图哈萨尔的花苏力德　252

哈日苏勒德威猛大祭　116

翰墨情深达拉特　116

瀚海凭栏——郝诚之作品集　252

瀚海清音　116

瀚海情　324

杭锦传统畜牧业　405

杭锦辉煌六十年　451

杭锦记忆　324

杭锦漫话　252

杭锦民歌　252

杭锦年鉴（2020）　452

杭锦旗《文物志》　325

杭锦旗旅游指南　117

杭锦旗年鉴（2015—2016）　452

杭锦旗农业科技推广志　38

杭锦旗气象灾害防御规划　550

杭锦旗水利志（送审稿）　452

杭锦旗统计年鉴（1998）　451

杭锦旗统计年鉴（2000）　451

杭锦旗志（1991—2010）　326

杭锦摄影作品选（一） 452
杭锦文史（第一辑） 324
杭锦文史（第二辑） 324
杭锦文史（第四辑） 324
杭锦文史（第十一辑） 324
杭锦文史资料（第五辑） 325
杭锦文史资料（第十二辑）：桃力民纪事 325
杭锦文史资料（第十三辑）：鄂尔多斯月饼文化散记 325
杭锦文史资料（第十四辑）：绿色阿门其 325
好人丁新民 117
好习惯成就学生 117
郝万忠 117
喝酒规则——冯春生小小说集之四 117
合理用药 科学预防——预防传染性非典型肺炎专家谈 120
何以奔流 253
和·效之道 119
和效大讲堂 118
和效鄂电——记录一个供电企业的文化管理足迹 118
和效鄂电（2017） 118
和效鄂电（2018） 118
和效风——鄂尔多斯电业局员工文学艺术作品集（壹） 118
和效风——鄂尔多斯电业局员工文学艺术作品集（贰） 119
和效风——鄂尔多斯电业局员工文学艺术作品集（叁） 119
和效风——鄂尔多斯电业局员工文学艺术作品集（肆） 119
和效人物故事（壹） 119
和效人物故事（贰） 119
和效人物故事（叁） 119
和谐东胜论 120
和谐房地产业论 120
和衷共济（调研视察篇） 15
河套地下革命斗争回忆录 253
河套平原与鄂尔多斯高原盐碱地常见植物图谱手册 405
河套人 405

河套史 326

河套往事 253

河套文化论文集（三） 120

河套新编 326

河韵 253

贺希格巴图诗集 253

贺政民小说选 254

贺政民自选集 254

黑界地 254

红橄榄 254

红柳河 254

红色摇篮（第1期） 649

红色准格尔 452

红腰带 120

虹宝音货币研究文集 121

侯氏家谱 326

呼包鄂协同发展领导干部读本 121

呼和蒙格勒文化传媒 453

花见 327

花一样的相逢 121

华章映晚霞 121

画说鄂尔多斯 453

画说健康99 121

画说森林防火 122

话说圪秋沟 327

话说准格尔 254

欢乐的鄂尔多斯婚礼 256

环保攻坚宣传手册 550

环境保护宣传教育材料（之一） 550

环境微生物学实验基础 405

幻海沧桑 122

荒漠化防治 405

"黄埔"归来暖心雁——鄂尔多斯市街道社区赴异地交流锻炼干部风采 551

黄凤岐五体千字文 122

黄河浪花 255

黄河情怀 255

黄河儿女 255

黄河上中游地区内蒙古自治区鄂尔多斯市机械化造林总场天然林资源保护工程实施方案 406

黄河水土保持生态工程建设管理 122

黄河听涛 122

黄河在咆哮——抗战中的鄂尔多斯 255

黄土高原地区综合治理开发研究：内蒙古伊金霍洛旗自然资源开发利用与土地沙漠化防治 406

灰腾梁 255

辉煌60年 123

回眸2009的鄂尔多斯 123

回眸2009年——新闻媒体上的鄂尔多斯市 124

回眸2011的鄂尔多斯 123

回眸2013的鄂尔多斯 123

回眸2013年对外宣传报道集锦 125

回眸2014年对外宣传报道集锦 125

回眸2015的鄂尔多斯 123

回眸2016的鄂尔多斯 124

回眸2017的鄂尔多斯 124

回眸2018的鄂尔多斯 124

回眸2021 15

回眸媒体眼中2016的鄂尔多斯 125

回眸与点评2010的鄂尔多斯 124

回旋与奏鸣 255

回忆鄂尔多斯解放战争 125

回忆伊盟解放战争 125

惠民文明手册 550

惠民政策 550

婚育新风进万家系列知识手册 551

魂牵梦绕的草原 256

魂兮归来 256

魂系桑梓 125

活人心 126

火的菽 256

火花集 126

货物与劳务税政策汇编（2017年度） 551

J

机动车驾驶人（考试题库） 126

机动车驾驶人道路安全和文明驾驶（考试题库） 126

机动车污染防治手册 551

机构编制工作手册 551

机构编制政策法规宣传手册 551

机关党建工作规程 552

机关档案管理升级材料汇编 552

机关档案目标管理升级材料汇编 552

机遇·挑战·对策——西部大开发与鄂尔多斯二次创业的思考 552

基层动物疫病防控知识手册 552

基层声音——画说百姓生活 126

基层声音——画说干群关系 127

基层声音——画说干群作风 127

基层声音——漫瀚新风新貌 127

激情之旅 327

吉祥福慧寺暨乌兰活佛（蒙汉对照） 2

集体合同实用手册 552

集体林权制度改革100问 553

几种常见动物疫病的危害及防控 128

计划生育工作手册（一） 406

计划生育药具知情选择告知书 553

记忆·伊金霍洛：60—70年代的记忆 453

记忆·伊金霍洛：80年代的记忆 454

记忆·伊金霍洛：90年代的记忆 454

记忆·伊金霍洛：六十年记忆 453

记忆·伊金霍洛：名家眼中的伊金霍洛　454

记忆的碎片　257

记者朝夕论　128

纪检监察审计文件选编　553

纪念改革开放30周年优秀统战论文汇编　553

纪念中国共产党成立八十周年党的知识竞赛500题　553

继往开来　128

祭祀成吉思汗的地方：鄂尔多斯——河套历史概述　327

价格鉴证价格监测工作适用手册　554

驾临鄂尔多斯　128

驾临乌审　顺旗自然——全域自驾旅游攻略　453

坚持政治引领·提高"两新"活力　554

艰苦创业　改革奋进——伊克昭盟农业科学研究所成立三十周年　128

艰难与辉煌——棋盘井煤矿五十年发展史　38

监督执纪问责核心法规　129

减轻企业负担工作文件汇编　129

减税降费工作方案及工作手册　554

减税降费问题答复汇编（一）　554

减税降费问题答复汇编（二）　555

检察知识手册　554

检察知识手册　554

见证——伊克昭盟老领导访谈录　257

见证（1992—2012）　257

见证草原　327

见证者录（1992—2012）　257

建设工程安全生产管理条例　555

建设工程安全生产管理资料汇编　555

建设工程文件汇编（1989—1994）　555

建设社会主义新牧区　555

建筑施工安全知识应知应会　129

健康·安全·环保·低碳科普画册　129

健康鄂尔多斯周报（2012年合订本）　639

健康人生12要素　129

健康膳食常识　406

健康素养66条　556

健康预报　257

健康长寿之秘　406

讲学习讲政治讲正气教育读本　556

交管12123　556

交流经验·共享成果　130

交通运政管理文件　556

教海悟道——教学艺术探索　130

教您如何正确选购食品药品　556

教学散文选　130

教育教学案例集锦　130

教育志　453

教子有方经验汇编　130

接待处长日记（1990—2012）　257

洁白的珍珠　256

结构转型与城乡统筹50题　556

解读鄂尔多斯　131

借你一双选购慧眼　131

今日内蒙古·伊克昭　131

今日内蒙古畜牧业画册　131

今日神东　131

今月曾经照古人　258

金光大道　132

金候书法集　132

金纽带（2014年第3期）　650

金秋科苑论坛（第十五辑）　132

金三角之光——东胜建市十周年回顾与展望（1983—1993）　38

金石梦　257

晋升自治区一级档案管理文件汇编　557

京煤机械　132

经典诵读　258

经济腾飞路——由高速增长转向高质量发展　458

经历　258

精美情诗100首　258

警民反诈·共创平安　132

警世格言集　258

静善文摘·"敬业奉献好人"事迹选编（一）　456

静善文摘·"身边好人"事迹选编（二）　457

静善文摘·《菜根谭》选读　455

静善文摘·《德慧文苑》短文汇编（一）　455

静善文摘·《德慧文苑》短文汇编（二）　455

静善文摘·《弟子规》《名贤集》解读　454

静善文摘·《官经》选读　455

静善文摘·《黄帝内经·素问》　456

静善文摘·《论语》中的成语解读　456

静善文摘·《千家诗》译注　455

静善文摘·《千字文》　454

静善文摘·《三字经》解读　454

静善文摘·《增广贤文》今读　457

静善文摘·《正经》选读　455

静善文摘·《之江新语》选读　454

静善文摘·《朱子家训》解读　455

静善文摘·初心不改自向阳　457

静善文摘·传统中医名家录　457

静善文摘·道德模范事迹选编　454

静善文摘·二十四节气与养生　457

静善文摘·红色家风　457

静善文摘·毛泽东诗词欣赏　456

静善文摘·名言警句书法辑　456

静善文摘·启迪心灵的小故事　456

静善文摘·群书治要360（一）　457

静善文摘·日常法律知识问答　456

静善文摘·中国古代家训选读　456

静善文摘·字的故事（一）　457

静善文摘·字的故事（二）　457

久恒美丽·荣耀人生　132

酒场语言集锦　133

旧乡　258

就业工作政策汇编　557

居民防火手册　557

居民生活垃圾分类科普手册　133

举报宣传　557

"巨力杯"——鄂尔多斯转型发展研讨会专辑　133

聚变康巴什　133

聚焦改革——伊金霍洛旗全面深化改革进行时　133

聚焦绿色乌审　458

聚焦蒙西（总第7期）　649

聚焦伊金霍洛——2017对外宣传报道集锦（第4季度）　557

聚焦伊金霍洛——2019下半年对外宣传报道集锦　558

聚焦伊金霍洛——2020上半年对外宣传报道集锦　558

聚焦伊金霍洛——2020下半年对外宣传报道集锦　558

聚能领跑：神东党建企业文化进行时　133

决胜脱贫攻坚　圆梦全面小康——全市离退休干部脱贫攻坚摄影作品集　15

决战冰河——杭锦旗抗凌抢险纪实　558

崛起的鄂尔多斯　559

崛起的苏里格　134

崛起的星座：鄂尔多斯·大步迈向城市化　559

崛起与辉煌　134

崛兴园地参天树　134

军民同心·共圆新梦　134

军事设施安全保密法治宣传手册　559

郡王府记忆　134

K

康巴什2012年外宣手册　134

康巴什（2012年第3期）　650

康巴什（2014年第2期）　650

康巴什处处有神奇　135

康巴什档案选编——杨云同志工作档案集（2017.9.26—2018.9.26） 15

康巴什供电分局急修中心简介 559

康巴什教育（2020年第4期） 650

康巴什旅游重点项目推介册 135

康巴什区第二期妇女干部专题培训会议材料 559

康巴什区家风家训故事选 135

康巴什区建设美丽乡村整治重点区域环境乱象"百日攻坚专项行动"宣传册 559

康巴什区居民安全手册 560

康巴什区委理论学习中心组2021年第六次集体学习会暨党史学习教育"第一课"专题研讨会研讨材料 15

康巴什区战疫文艺作品选 135

康巴什全面深化改革亮点 39

康巴什社会科学（2014年第2期） 650

康巴什生活手册 135

康巴什市民文明手册 560

康巴什统计年鉴 458

康巴什新区：草原上升起不落的太阳 458

康巴什新区城镇居民基本医疗保险政策解答 560

康巴什新区扶持第三产业发展优惠政策及奖励办法 560

康巴什新区共青团工作汇编手册（文件汇编） 560

康巴什新区农村土地承包经营权确权登记颁证和草原确权承包工作宣传手册 561

康巴什新区外宣手册 561

康巴什招商引资投资指南 39

康巴什政泰驾校机动车驾驶人科目一理论学习资料 561

康巴什智慧城市建设项目解决方案 135

康复普及读物（五）——成人智力障碍的康复 407

康润清诗词集 259

康润清诗选 259

考考什那 135

科技创新CEO特训营·鄂尔多斯学员手册 561

科技创新成果汇编（2012—2014年度） 561

科技创新政策汇编 561

科技干部技术职称文件汇编（第一集） 562

科技规划与计划　407

科技兴盟文件汇编（之一）　562

科技政策宣传手册　136

科普知识读本　136

科普知识汇编　407

科学发展·和谐发展·共同创造美好的明天·幸福的生活　562

科学发展中的康巴什医院　39

科学理论进万家　兴旗富民达小康——伊金霍洛旗农牧民理论教育教材　562

可爱的鄂尔多斯　136

可爱的鄂尔多斯（续篇）　136

可爱的鄂托克　136

可爱的鄂托克是我们——永远的思念　656

可爱的准格尔　136

渴望草原　137

口述历史——鄂尔多斯"独贵龙"与反洋教　327

苦乐人生　259

库布齐览胜　458

库布齐沙漠自然环境与综合治理　407

库布齐沙漠综合治理技术集成与示范建设科技支撑项目可行性研究报告　407

库布其沙梦　259

库布其沙漠治理经验新闻素材汇编　137

库布其与历史文化研究　328

库布其与世界　328

跨进新千年的马背民族　137

跨世纪的鄂托克　137

跨越——鄂尔多斯铁路摄影展　137

跨越的鄂尔多斯财政　39

跨越发展的鄂尔多斯公安　138

跨越式发展的鄂尔多斯　138

跨越式前进的准格尔——准旗"十五"回顾　16

会计法规选编　562

快乐老年　259

矿工健康管理手册　138

矿政管理文件汇编 563

L

来了？ 328
蓝色风景线 563
劳动和社会保障政策法规选编（一） 563
劳模风采 138
老科协会刊（2017年第1期） 651
老科协论文选 260
老年消费教育指导手册 563
老少两代话改革 17
老王说文 260
老一辈革命家与鄂尔多斯 139
老总知行录——尚一波作品选 139
烙印——南京知青与鄂尔多斯 260
李凤钢书画作品集 260
李子清局长在全区地税工作会议上的讲话（2000年12月28日） 139
犁田 328
理论、时事知识问答 564
理论热词面对面 16
理论文苑——党建研究成果集 139
理论学习读本（2009年） 16
理论学习读本（2010年） 16
理论学习读本（2011年） 16
理论学习要点（1997年） 563
理论学习要点（1998年） 564
理论学习要点（1999年） 564
历史的记忆 328
历史经验的价值与现实举措的启示——鄂尔多斯市"十二五"与"十三五"的若干问题评析 564
立足成长　着眼未来　走向优秀——伊金霍洛旗教师专业成长文集 140
立足成长　着眼未来　走向优秀——伊金霍洛旗乡村教育提升足迹 140
《联合国防治荒漠化公约》第十三次缔约方大会鄂尔多斯市筹备工作委员会

工作人员电话号码簿　565
《联合国防治荒漠化公约》第十三次缔约方大会鄂尔多斯市筹备工作委员会
　　食品安全保障监管工作手册　565
《联合国防治荒漠化公约》第十三次缔约方大会鄂尔多斯市筹备工作委员会
　　制度汇编　565
《联合国防治荒漠化公约》第十三次缔约方大会服务人员培训学习手册　566
《联合国防治荒漠化公约》第十三次缔约方大会服务指南　565
《联合国防治荒漠化公约》第十三次缔约方大会交通安保工作纪实　565
廉洁风险防控手册　566
廉洁教育手册　140
廉政法规知识竞赛学习读本　566
廉政书画作品集　140
　"两学一做"——鄂尔多斯在行动（党课讲稿篇）　567
　"两学一做"——鄂尔多斯在行动（经验做法篇）　566
　"两学一做"工作集锦　16
　"两学一做"平台操作手册　567
《两学一做思悟践》鄂尔多斯市纪委监委派驻市科技局纪检监察组在新闻
　　媒体上发表文章汇编　567
亮丽风景线上的璀璨明珠　转型发展　再铸辉煌——《鄂尔多斯日报》
　　贯彻落实市委三届五次全委会精神报道选编　567
嘹亮的军号声——内蒙古生产建设兵团驻屯杭锦旗纪实　328
林业30年　141
林业法律法规实用手册　141
林业法律知识手册　567
林业生态建设宣传手册　568
灵感与智悟　141
灵魂，始终在寻找一块安静的地方　329
领导干部报告个人有关事项指导手册　568
领导干部个人有关事项填报指南　568
领导干部网络舆情工作指南　568
领导国学智慧传习班讲义（首期班　二）　141
领导讲话及税务经验材料汇编　568
领导讲话及税务经验材料汇编（二）　568

717

领悟政协 141

流金岁月 142

流浪的云霓 260

流失在三轮车上的岁月 260

流水的生活——一个鄂尔多斯普通人家的经历和见闻 261

流星集 261

流星雨 261

留给历史的真实 142

留守儿童健康教育 569

留心偶得 142

留在草原上的红色足迹 459

柳沟村人 142

柳谦歌曲选 142

六胡州——鄂托克前旗唐代历史研究论文集 261

龙泉村 261

龙泉湾 262

龙泉湾轶事 262

龙山谣 262

禄马追溯 262

露天煤矿安全培训教材 569

露珠·绿叶·泥土的情怀 263

论地方学建设与发展——中国地方学建设与发展研究会文集 142

论文成果汇编（人文社会科学版）（第一卷） 569

裸坦的渴意 262

落日余晖 143

落实"两个责任"业廉融合风险防控手册 143

旅游饭店管理培训教程 143

旅游风景道·醉美鄂前旗 143

旅游工作手册 569

旅游胜地鄂尔多斯 143

律动康巴什 144

绿染大漠 263

绿色鄂尔多斯（2013年第1期） 651

绿色呼唤 144

绿色康巴什 144

绿色乌审 144

绿色乌审 144

绿色之光——鄂尔多斯林业生态建设聚焦 569

绿色之梦：鄂尔多斯生态纪实 145

绿水青山都是歌——画说鄂尔多斯市生态文明建设 407

绿野轻吹 145

绿韵鄂尔多斯 329

M

麻山通婚考 263

马背上的青铜帝国 329

马克思主义民族理论与党的民族政策 145

马兰花草原 145

马兰花开 145

马兰花开——师生文集 263

马兰诗集 263

蛮汉调研究 459

满巴扎仓 263

漫瀚调 145

漫瀚调传承与发展 146

漫瀚调放歌 329

漫瀚调艺术研究 146

漫瀚魂 146

漫瀚史话 264

漫瀚文化 459

漫漫丝路　泽遗百代——草原、海上丝绸之路文物精粹 329

漫游准格尔 146

毛乌素绿色传奇 264

毛乌素沙地乌审旗境内NDVI与环境因子的尺度响应 408

毛乌素沙区·天然柳湾林 146

毛乌素沙区自然条件及其改良利用 408

毛泽东同志关于民族问题的论述（供内部学习用） 1

毛主席语录 1

毛主席语录·毛泽东诗词（硬笔手抄本） 1

玫瑰河 264

玫瑰树 264

煤都破晓 265

煤海放歌 147

煤矿职工安全手册 147

煤炭工业的一面旗帜：内蒙古伊煤集团公司发展经验研究 147

每周一课学党章 656

美好的回忆 330

美丽的准格尔召 330

美丽鄂尔多斯 148

美丽鄂托克前旗 148

美丽富饶的鄂尔多斯 147

美丽富饶的鄂托克 148

美丽杭锦我的家 148

美丽神东——职工书画摄影作品集 148

美丽通惠魂季刊 148

美丽中国·全民环保宣传手册 571

美文美诵 149

魅力鄂尔多斯 459

魅力鄂尔多斯欢迎您 460

魅力鄂职 460

魅力康巴什 460

魅力响沙湾——李恩中摄影作品集 139

门前一卜槐 149

蒙古包：游牧文明的载体 149

蒙古部族服饰图典（第一卷） 460

蒙古部族服饰图典（第二卷） 461

蒙古风俗 330

蒙古国流行乐天后阿茹娜呼市演唱会 656

蒙古历史长卷 330

蒙古秘史 330

蒙古通 461

蒙古象棋 460

蒙古语速学手册 461

蒙古源流 265

蒙古源流 266

蒙古源流旅游攻略 656

蒙古源流文化产业园区 149

蒙古源流文化产业园区 149

蒙古源流文化产业园区 149

蒙古族村落及其音乐生活——鄂尔多斯都嘎敖包嘎查音乐生活的调查与研究 149

蒙古族风俗 150

蒙古族故事家朝格日布故事集 265

蒙古族婚礼歌 150

蒙古族禁忌汇编 265

蒙汉植物名称 266

蒙泰·2018鄂尔多斯国际马拉松官方手册 569

蒙西集团 150

蒙祥 150

蒙以养正·回归本源 150

蒙语会话三百句 151

梦的季节 151

迷人的恩格贝镇 151

秘苑探微 462

秘苑撷萃 461

面向新世纪再创新优势——盟委扩大会议精神学习资料汇编 570

灭火机使用须知 462

民风中的鄂尔多斯 264

民歌600首 151

民生幸福歌——共建共享美好生活 462

民心工程 151

民之所望·心之所向 17

民主进程——鄂尔多斯市"六代会"概览 17

民主生活会会前集中学习暨党组中心组第1次集中学习资料汇编(2020年度) 571

民族地区财政问题研究 151

民族史学概论(增订本) 152

民族团结进步创建工作知识问答手册 570

民族团结宣传册 570

民族舞剧《森吉德玛》管弦乐总谱 331

民族宗教蒙古语文工作文件汇编 570

民族宗教蒙古语文工作文件汇编 570

民族宗教蒙古语文工作文件汇编 571

"敏盖":内蒙古白绒山羊生产宝典(修订版) 152

"敏盖":内蒙古白绒山羊养殖技术百问百答 152

名城崛起论——与时俱进的鄂尔多斯市模式 462

名人养生格言 266

名师华章汇医海 152

名医就在身边——北京专家团长期入驻鄂尔多斯市第三人民医院 152

明码标价手册 571

模范人物先进事迹选编 153

末代王爷——奇忠义自传 331

陌野华章:强农富农手册 153

漠南情 331

漠南诗影集 266

漠南杏坛——鄂尔多斯市第一中学建校八十周年纪念文集 153

漠上风景线 331

漠野浮生 153

蓦然楼文集 153

墨香书院 153

默念的少年 266

木都柴达木村人居环境整治宣传手册 408

木凯淖尔 154

木石村庄 267

牧笔高原 267

牧笛文学作品精选(散文卷) 267

牧民日记 154

牧名优品 657

牧区"大寨"——乌审召 39

牧区大寨乌审召 39

牧人高歌颂改革 154

牧野 331

牧野清风 332

牧业诗影 267

暮年之歌 332

穆向阳诗选 154

N

纳林河春早 267

那顺德勒格尔传略 332

难忘的鄂尔多斯 332

难忘的记忆 332

难忘的历程——习仲勋延安岁月回访 155

难忘的岁月 155

内蒙古·鄂尔多斯野生动物园 657

内蒙古"8337"发展思路解读 155

内蒙古白绒山羊种羊场 571

内蒙古草原情：内蒙古经典草原歌曲集萃 657

内蒙古达拉特旗树林乡副乡长、妇联主任王果香 657

内蒙古党校　内蒙古行政学院学术报告集 155

内蒙古党校在职研究生毕业论文集 156

内蒙古东胜经济技术开发区 156

内蒙古鄂尔多斯地区主要农作物病虫草鼠害发生与控制 408

内蒙古鄂尔多斯高原自然资源与环境研究 409

内蒙古鄂尔多斯市第三次农牧业气候资源与区划 409

内蒙古鄂尔多斯市统计年鉴（2002） 462

内蒙古鄂尔多斯遗鸥国家级自然保护区总体规划 409

内蒙古鄂托克旗下白垩统恐龙足迹 332

内蒙古鄂托克旗综合农业区划 571

内蒙古鄂托克前旗水质评价一览表 572

内蒙古革命史　333
内蒙古杭锦旗国民经济统计资料（1976—1980）　40
内蒙古浩特环保工业发展有限责任公司企业概况　156
内蒙古清真寺　462
内蒙古沙漠资源　409
内蒙古沙漠资源及开发利用　410
内蒙古生态历程　156
内蒙古寺庙　3
内蒙古通史纲要　333
内蒙古文史资料（第二十八辑）：血雨腥风的年代——准格尔史料专辑　333
内蒙古文史资料（第四十三辑）：伊盟事变　334
内蒙古乌审旗图克镇　572
内蒙古乌审旗乌审召公社社员子弟在学校学习地球仪　657
内蒙古西部地区三十年代文学作品选　156
内蒙古西部资源富集区土地生态安全研究——以鄂尔多斯市东胜区为例　410
内蒙古县域经济发展的数量化探析与展望　572
内蒙古伊克昭盟地区沙质荒漠化与综合治理技术　410
内蒙古伊克昭盟民族工作大事记（献给中华人民共和国成立五十周年1949—1998）　17
内蒙古准格尔旗农业资源及合理开发利用研究　410
内蒙古准格尔旗资源遥感研究　463
内蒙古自治区1995年工业普查资料汇编（伊盟卷）　572
内蒙古自治区·鄂尔多斯市交通志（1996—2005）　333
内蒙古自治区安全生产条例　572
内蒙古自治区草原上已建水库鄂尔多斯市鄂托克旗八一水库整治方案　156
内蒙古自治区草原上已建水库鄂尔多斯市鄂托克旗布隆1#水库整治方案　157
内蒙古自治区草原上已建水库鄂尔多斯市鄂托克旗布隆2#水库整治方案　157
内蒙古自治区草原上已建水库鄂尔多斯市鄂托克旗海流图水库整治方案　157
内蒙古自治区草原上已建水库鄂尔多斯市鄂托克旗其劳图水库整治方案　157
内蒙古自治区草原上已建水库鄂尔多斯市乌审旗七一水库排查整治工作方案　157
内蒙古自治区草原上已建水库鄂尔多斯市乌审旗跃进水库整治方案　158
内蒙古自治区促进民族团结进步条例　573
内蒙古自治区档案局文件　573

内蒙古自治区第二届蒙商大会金融服务实体经济高质量发展政金企推进会发言材料汇编 573

内蒙古自治区第二届蒙商大会金融服务实体经济高质量发展政金企推进会政策汇编 573

内蒙古自治区鄂尔多斯市城市总体规划（2003—2020） 18

内蒙古自治区鄂尔多斯市达拉特旗大树湾渡口浮桥 657

内蒙古自治区鄂尔多斯市达拉特旗西包线大树湾渡口 658

内蒙古自治区鄂尔多斯市第一次全国污染源普查技术报告 574

内蒙古自治区鄂尔多斯市东胜区城市有形文化策划与研究 158

内蒙古自治区鄂尔多斯市造林总场森林分类区划界定报告（修订版） 158

内蒙古自治区鄂尔多斯市造林总场重点公益林区划界定报告 158

内蒙古自治区鄂尔多斯乌审园林 158

内蒙古自治区反家庭暴力条例 18

内蒙古自治区国家税务局金税三期工程（优化版1.0）业务操作手册 159

内蒙古自治区建筑工程综合预算定额——东胜地区单位估价表 463

内蒙古自治区节约用水条例 574

内蒙古自治区卷烟零售户订货目录册 463

内蒙古自治区落实生产经营单位安全生产主体责任暂行规定 40

内蒙古自治区史 333

内蒙古自治区新华书店志·鄂尔多斯市分卷（1951—2007） 159

内蒙古自治区伊金霍洛旗2010年人口普查资料 574

内蒙古自治区伊金霍洛旗国民经济统计资料汇编（1949—1962） 574

内蒙古自治区伊金霍洛旗农牧业生产统计资料汇编（1968—1970） 574

内蒙古自治区伊金霍洛旗一九九〇年第四次人口普查资料 5

内蒙古自治区伊克昭盟达拉特旗土壤 574

内蒙古自治区伊克昭盟第三次人口普查资料汇编 575

内蒙古自治区伊克昭盟国民经济统计资料汇编（1958—1962） 40

内蒙古自治区伊克昭盟林业志 463

内蒙古自治区伊克昭盟毛乌素沙地农牧业资源调查及区划 575

内蒙古自治区伊克昭盟农业环境质量报告书（初报） 575

内蒙古自治区伊克昭盟农作物主要病虫害 159

内蒙古自治区伊克昭盟一九九〇年人口普查资料 5

内蒙古自治区伊克昭盟伊金霍洛旗第三次人口普查手工汇总资料汇编 575

内蒙古自治区长城资源调查报告·鄂尔多斯-乌海卷　463
内蒙古自治区中小学地方课程教材蒙古族民俗常识　159
嫩绿的阳光　267
能源高地·开放新城——伊金霍洛　159
你是我的太阳　160
凝聚忠诚力量践行使命担当——"坚持政治建警　全面从严治警"教育整顿试点工作纪实　18
凝眸准格尔　464
凝望时光　268
凝心聚力　开拓奋进——全力谱写民族团结新篇章　5
凝心聚力　转型发展　创新创业　再铸辉煌　把鄂尔多斯建成祖国北疆亮丽风景线上的璀璨明珠——市委三届五次全委（扩大）会议精神解读　575
凝心聚力、创新服务——伊金霍洛旗委老干部工作转型发展纪实（2013—2014）　160
牛奶的选购与食用方法　160
农村牧区党员读本　18
农村牧区基层干部党员教育读本　18
农村牧区实用人才　160
农村牧区脱贫攻坚科技服务技术手册　19
农耕·游牧·碰撞·交融——鄂尔多斯通史陈列　334
农民工应了解的60种职业病及预防常识　576
农民进城就业100问（农民务工培训读本）　576
农牧金融发展与战略研究　160
农牧民法律知识读本　576
农牧民法律知识问答　161
农牧民工引导性培训读本　576
农牧民实用法律知识读本　576
农牧民实用技术培训读本　577
农牧民外出务工引导性培训教材　577
农牧区改革之路　577
农业普查福到农家　577
农业税收法规汇编（1981—1995）　578
农业税收法规汇编（1989—1991）　578

农业政策性金融理论与实践探索　161

暖水民歌　161

暖水长流　268

暖水镇　268

P

爬山歌　268

潘洁文学两卷集　161

培育和践行社会主义核心价值观　578

品味人生　268

品质三农　161

平安·法治鄂尔多斯（2009年第2期）　651

平安吉祥恩格贝　334

平安康巴什　578

平安伊金霍洛居民安全防范手册　578

蒲公英的梦想　162

铺路石子　269

Q

七角羊　269

七色空　334

七月雨　269

棋盘井指南　162

旗区风景线——协同发展的活力板块　464

旗委理论学习中心组2019年第八次集体学习会暨大学习大讨论集中研讨会材料汇编　578

旗委十五届43次常委（扩大）会议全旗经济运行暨重点项目建设情况材料汇编　579

旗委十五届46次常委（扩大）会议材料汇编　579

旗委中心组理论学习读本　162

旗委中心组理论学习读本（2011年）　162

企业风采录——挺起发展的脊梁　464

企业工资集体协商工作规程　579

企业工资集体协商工作手册 579

企业视觉识别系统 162

企业退休人员社会化管理服务工作手册 162

企业信用管理基础知识 163

契税手册 579

恰如其分的美好 163

千古黄河育大漠 163

千年风云第一人 335

千年伟人成吉思汗 335

千秋而立 163

千秋之缘——蒙古族女高音歌唱家额棋木格独唱音乐会 658

前进中的鄂尔多斯——伊克昭盟近四十年经济社会发展成就专辑 580

前进中的鄂托克前旗水利建设 580

前进中的伊克昭盟畜牧业 580

钱学森与沙产业——献给中国沙产业之父钱学森院士百年诞辰 335

潜心筑路铺坦途·砥砺共圆圣地梦 580

浅浅的脚印 335

强化服务意识提高执政能力宣讲内容选编（乡镇、村社版） 19

强旗富民准格尔 464

且行且思录 335

亲历东胜六十年 336

秦文平书法作品集 163

秦直道考察 336

勤学喜思笃行——纪检监察干部队伍建设年活动学习资料汇编 581

青草果园 164

青春放歌——学生风采录 164

青春誓言——国旗下的演讲 164

青春逐梦·扬帆起航·惜别思恩·明志行远 164

青苹果园——师生作品集 269

青涩 269

青铜时代 269

青铜祖先和草原后代 336

清唱剧：独贵龙的火炬 336

清风岛　164

清末鄂尔多斯基层社会控制研究　336

情系宝塔山　164

情系大漠的暴彦巴图　337

情系鄂尔多斯——南京知青插队鄂尔多斯50周年纪念图文集　270

情系鄂尔多斯作文大赛获奖作文选　270

情系黄土地　270

情依大松树　270

情溢鄂尔多斯　164

情与罪　270

情语　270

擎旗领跑——神华神东煤炭集团公司创先争优先锋谱　165

请到鄂尔多斯来　165

请您礼让斑马线文明交通　581

庆祝人民政协成立70周年理论研讨暨履职经验交流会优秀论文集　165

庆祝新中国成立60周年优秀统战论文汇编　581

庆祝新中国成立70周年与弘扬延安精神理论研讨会论文集　165

庆祝中国共产党成立90周年优秀统战论文汇编　581

穹庐　271

秋实集——《高原风》特刊　271

秋叶　337

求真务实团结拼搏DE哈巴格希　165

区队干部现场安全检查手册（四）　40

区域地质综合研究的方法与实践——鄂尔多斯盆地-秦岭造山带地质野外实习指导书　411

区域水资源高效利用与可持续发展关键技术研究——以国家能源重化工基地鄂尔多斯市为例　166

全秉荣散文选　271

全国百家大中型企业调查：鄂尔多斯羊绒衫厂　465

全国地方政协秘书长工作会议材料汇编　581

全国第21个税收宣传月地方税收宣传手册　581

全国电力行业职工桥牌锦标赛秩序册（2019年）　582

全国文明旗调研手册　582

全媒体看伊金霍洛 582

全面建设小康社会开创中国特色社会主义事业新局面——在中国共产党
　　第十六次全国代表大会上的报告 582

全面深化改革读本（2017年） 582

全民健康生活方式营养健康科普 411

全旗第三届职工运动会昭君镇代表队合影 658

全球论沙 411

全区少数民族传统手工艺品研发制作培训成果汇编 166

全市党的建设工作会议典型材料汇编 582

全市扶贫开发现场观摩会学习材料 166

全市建筑新材料　农村牧区人居环境治理　实用技术房地产楼盘展洽会暨住房
　　城乡建设70周年成就展纪念册 583

全市宣传思想工作会议学习资料汇编 583

全市组织工作会议暨农村牧区基层党组织建设工作现场会会序册 583

全羊颂 166

泉石庐诗集 271

群众文化工作手册 166

群众文化论文选 271

R

燃烧的梦 337

让爱住我家　家风家训故事文集（一） 166

让教育的灵魂舞动起来 167

让鸟儿飞——鄂尔多斯鸟类生态摄影作品集 167

热爱伊金霍洛·建设伊金霍洛宣传读本（一） 167

人大代表履职相关法律及解读 583

人防领域党纪法规辑要 584

人防应急宣传手册 584

人间神话：鄂尔多斯 465

人民币知识宣传 584

《人民防空法》学习材料 583

人生的味道 272

人生礼仪 167

人生预测实用手册　167

人文感赋——全秉荣诗词书画集　272

人在岁时——节气·节日·生肖大观　272

认清形势　明确任务　保持稳定　加快伊盟经济建设步伐　584

绒山羊养殖实用技术手册　168

润物无声——园丁风采录　168

S

萨岗箴言　272

萨拉乌苏：一河三园　337

萨拉乌苏论文集　465

塞北雄风：走进鄂尔多斯青铜器博物馆（2012）　168

塞北云　272

塞上花园　337

塞上忠魂　168

塞外村歌　272

塞外牧歌——办场纪事　273

塞外随笔　273

三哥侃事（第一集）　337

"三化"互动实现跨越式发展　19

"三讲"教育内部文件与资料汇编　19

三角洲相储层精细描述——以鄂尔多斯史家畔地区延长组为例　337

三送一提——"送政策　送技能　送健康　提素质"宣讲便民手册　584

三叶风　273

三只鸟风景　273

三字经·百家姓·千字文·古诗词·诸子百言　169

桑洁歌曲选　169

桑梓新风——鄂尔多斯市强农富民手册　584

扫黑除恶专项斗争宣传册　585

扫黑除恶专项斗争应知应会手册　585

扫黑除恶专项斗争政策解答　585

森吉德玛与野情谣　273

沙·梦　412

731

沙暴　273

沙海明月　274

沙棘　169

沙漠春天　465

沙漠地区药用植物资源　411

沙漠的治理　338

沙漠绿色经济　40

沙漠绿洲有氧小城养生之地——恩格贝　658

沙漠著绿：王文彪治沙团队的故事　274

沙原颂歌　338

沙韵·生态中华·艺术沙漠——百名艺术家库布其公益采风行　169

山歌作伴　338

山里人家　274

山路弯弯　338

山泉集　274

山羊绒毛学　169

山野风　169

闪光的足迹——鄂尔多斯市开展保持共产党员先进性教育活动典型事迹选粹　170

善行天下——走出你的沙漠　170

膳食营养与健康保健　465

商标管理法律法规汇编　585

上半年度优秀"五小"成果汇编（2015）　170

少爷人生路　465

舍饲养畜配套技术　411

舍饲养畜实用技术手册　19

设备维修中心党员领导干部常用党规党纪选编　585

社会保险办事服务指南　586

《社会保险法》相关法规汇编　586

社会保险实用文件汇编　170

社会主义好　170

社会主义精神文明建设学习材料：党的十三届四中全会以来党和国家领导人对精神文明建设的论述　586

社会主义市场经济理论大学习大讨论百题问答　586

社会主义市场经济理论大学习大讨论专题问答（1996年） 586

社会主义是干出来的——神府东胜区矿区开发建设者口述史 40

社区那些人儿 171

社区那些事儿 171

社区气象灾害避险指南 412

申报城市园林绿化企业资质材料（三级） 587

申报自治区级重点普通中专评估——自评报告 587

身边的法 171

深度聚焦（一） 20

深化教育改革·潜心立德树人 171

神的花园——诗词鄂尔多斯 171

神东安全文化典型案例（第一部） 172

神东安全文化典型案例（第二部） 172

神东故事 172

神东故事（2007） 172

神东煤炭分公司优秀专业技术论文与总结报告汇编（高级技师和技师） 172

神东煤炭分公司综采设备主要技术图纸彩绘手册 412

神东煤炭集团安全管理制度汇编 587

神东煤炭集团布尔台煤矿经营管理制度汇编（2010.7—2012.6） 587

神东煤炭集团公司党组织书记工作手册 173

神东煤炭集团公司管理提升活动学习宣传手册（第一册） 587

神东煤炭集团公司煤矿常用电气设备实用读本 173

神东煤炭集团公司煤矿管理人员业务知识读本（班、组长篇） 173

神东煤炭集团井下防爆开关使用手册 173

神东煤炭集团设备安全技术操作规程 174

神东天隆集团有限责任公司5年历程（2004—2009） 174

《神东之路》十六集大型文献纪录片 171

神华包神铁路有限责任公司年鉴（2002） 174

神华东胜精煤公司志（1984.7—1998.8） 466

神华集团党建史（神东篇） 174

神华集团神府东胜煤炭有限责任公司辉煌五年（1998—2003） 174

神华集团数字矿山规划研究 175

神华集团下属企业基本情况简明手册 587

神华军团进行曲（散文卷） 175

神华神东煤炭集团公司机电设备运行管理奖罚办法（试行） 175

神华神东煤炭集团公司机电事故案例分析手册（2010—2012） 175

神华职工征文选集 176

神龙玥 338

神秘的鄂尔多斯 176

神秘的沙漠 339

神奇阿尔寨——中国蒙古学·阿尔寨石窟国际学术研讨会文艺晚会节目单 176

神奇的鄂尔多斯（DVD） 658

神奇的鄂前旗 177

神奇的土地 339

神奇的准格尔 466

神奇准格尔 339

神圣的敖包 177

神圣的敖包 177

神圣的鄂尔多斯 176

神圣的煤 177

生产现场安全管理制度汇编 20

生活小百科书 466

生命的一片火光 339

生命工程 177

生命履痕 339

生命如树 340

生平纪实 340

生态蝶变曲——绿色发展的全球样板 466

生态文明科普手册 588

圣地清风（2016年第2期） 651

圣地新辉煌——伊金霍洛旗经济与社会发展回顾 177

圣地之魂·宝塔光照鄂尔多斯 467

师魂：我心中的上帝 274

诗度华年 340

诗歌旅程：一场心的行走 340

诗歌曲韵律例粹 178

诗花絮语　340

诗情时代　275

诗意鄂尔多斯　340

诗咏准格尔　275

十八大以来党规党纪党内文件学习汇编　588

十八大以来反"四风"法规制度选编（中央·内蒙古自治区·鄂尔多斯市）　588

十二连城传奇　275

十年　467

十年巨变话沧桑　178

十年铸辉煌——张双旺和他创办的伊盟煤炭集团公司　41

十一届三中全会以来培养选拔优秀年轻干部文献选编　178

石兰国画集　178

时代的脚本　588

时风掠影　275

时光低处的遥望　275

时光掠影　179

实施人才鄂尔多斯战略政策文件汇编　589

实现跨越——鄂尔多斯改革开放30年纪实　589

实用卫生法律法规选编　20

实用养生学　412

食品安全知识　412

食品安全知识手册　179

食品标签里的秘密　179

食品药品安全常识　179

食品药品安全手册　179

食品药品安全知识宣传手册　179

食品药品从业人员培训教材（药品和医疗器械）　589

史志　341

世纪霞光　180

世纪征程　180

世纪之交的鄂尔多斯财政——伊盟财政工作文集　41

世界传媒眼中的《成吉思汗法典及原论》　180

世界是这样温暖　180

世界银行中国黄土高原水土保持项目可行性研究报告（送审稿）　180

世界征服者：成吉思汗　341

世情滴翠　276

世情漫语　276

世情诗话　276

市对旗实绩考核材料汇编（2016年度）　589

市对伊金霍洛旗考核汇报材料汇编（2018年）　590

市委旗委全委会精神学习手册　590

市政协机关党员干部学习资料汇编　590

市直基层党组织常用党内法规文件汇编　590

市直基层党组织书记党建工作述职材料汇编（2015年度）　589

市直基层党组织书记党建工作述职材料汇编（2016年度）　590

市直宣传文化系统学习资料汇编　591

事业单位人事制度改革文件汇编　591

事业行政财务文件选编（上）　591

事业行政财务文件选编（下）　591

视觉与美——兴安·鄂尔多斯摄影作品集　180

试笔集　276

誓言在燃烧——报告文学集　276

守护正义历程回顾　181

守望相助·亮丽北疆——内蒙古鄂尔多斯70年成就系列报告汇编　591

首届鄂尔多斯文化产业博览交易会　181

首届王冠杯书法作品展作品集　181

书山有径·学海无涯——鄂尔多斯学研究会15年影集（2002—2017）　181

书香法苑——鄂尔多斯法院文学书画摄影作品集　181

蔬菜栽培管理技术　413

鼠疫防控技术操作手册（试行）　413

数据桃力民抗日根据地　181

数说"十二五"——鄂尔多斯市经济社会发展综述（2011—2015）　41

双头马骑士——阿斯哈牧人的城市化感受　341

水保、工程测量、水资源评价培训　413

水土保持科普知识读本　182

水资源与国民经济互动关系研究——以鄂尔多斯市为例　41

税法 182

税法培训讲义 20

税收法律法规汇编增补本（2011.3—2012.2） 592

《税收征管法》修订前后对照 592

税收征管工作文件汇编 592

税收政策法规汇编（2008.1—2009.4） 592

税收政策手册 592

税收政策宣传手册 593

税务绩效管理工作手册（2018） 20

瞬想沉思录 182

"思想再解放、笃行新发展理念、推动高质量发展大学习大讨论"学习资料 178

"四好农村路"之达拉特实践 588

"四良四改"养猪技术讲座 40

松风万里 276

苏布尔嘎镇农牧民应知宣传手册 593

苏怀亮散文选 277

苏里格气田储层动态评价与开发技术 413

苏里格气田开采特征与动态描述 413

苏里格天然气博物馆 182

苏里格致密砂岩气储层定量表征 413

绥远地区垦务档案选编 593

随感集 277

岁月 182

岁月的记忆 278

岁月情韵 277

岁月熔金 277

岁月如歌 277

岁月随想 341

岁月滩头 277

岁月悠悠忽吉图 183

岁月悠悠漫杂谈 278

碎玉拾零 183

T

踏歌行　183

太阳鸟　341

太阳石——故乡的曙光　278

探索·收获·展望——鄂尔多斯学十五周年纪念文集　467

碳酸盐岩层序地层学——以鄂尔多斯盆地为例　414

蹚过一千条河流　278

唐风　278

唐风新声韵　183

桃力民的兴衰　467

桃力民故事　183

桃力民学员手册　593

桃校春秋（1935—1985）　183

特低渗透砂岩油藏储层微观特征——以鄂尔多斯盆地延长组为例　342

特色组织工作成果　184

特一日记　279

腾飞的翅膀　184

腾飞的鄂尔多斯财政　41

体系管理手册　594

天唱——我的艺术人生　342

天道酬勤集　184

天鹅泪　279

天骄（2013年秋季）　651

天骄春晖　342

天骄风云：成吉思汗雕塑广场交响曲　342

天骄翰墨——鄂尔多斯市老年书画作品选集　185

天骄情韵　279

天骄圣地·伊金霍洛　184

天骄圣地·伊金霍洛旗　185

天骄圣地——民族精品　658

天骄圣地——伊金霍洛七网七业看伊旗　185

天骄圣地——印象伊金霍洛2011美术书法作品集　184

天骄诗歌集　185

天骄诗词集（续集） 185

天骄文明·德耀圣地 186

天骄之路：鄂尔多斯国际机场油画图卷 467

天籁的回音 279

天上没有铁丝网 279

天下准格尔 186

天之娇 186

铁律生威——作风建设有关规定汇编 594

挺进"十一五" 掀起"新风暴" 186

同心致远（提案篇） 20

同心筑梦新时代——鄂尔多斯市脱贫攻坚工作纪实 186

同义类近义类词语摘编 467

统计从业人员统计信用档案管理办法 186

统计系统优秀分析报告汇编（2018年） 595

统一战线优秀论文汇编（2010年） 595

投资鄂尔多斯 468

突围的鄂尔多斯财政 187

图说成吉思汗与蒙古族 342

图叙多彩 187

土地管理执法检查学习文件选编 594

土地规模经营模式及效果评价——以内蒙古鄂尔多斯市为例 42

土地矿产争议典型案例与处理依据（第二辑） 594

土地确权工作手册 594

土地增值税讲解 187

"土壤肥料"知识问答 187

土壤污染防治手册 595

团结奋进四十年——伊克昭盟经济社会发展成就 42

团结崛起的乌审 468

团聚活力·牵手未来 188

推进非公团建 激发青春活力 595

推行"三增三减"举措 优化政务服务环境 188

脱贫攻坚应知应会手册 595

W

外国人眼中的成吉思汗　343

外事涉外工作手册　595

完善鄂尔多斯市财政管理体制研究　188

晚报这十年　468

晚秋集　279

晚霞论文集　188

万千珍珠落玉盘　280

万象　595

王爱召之歌　280

王凤仪嘉言录　188

王凤仪言行录　188

往米年　280

往事记忆　343

忘不了的乌审——纪念赴鄂尔多斯插队四十周年　280

旺楚克事略　343

微道伊金霍洛　596

微笑的河流　189

违法业务处理大厅业务指南　596

卫生计生改革与发展文件汇编（2015）　596

卫生计生改革与发展文件汇编（2016）　596

卫生计生改革与发展文件汇编（2017）　596

卫生与健康教育手册　596

为党旗增辉·为国土添彩　596

为了孩子的明天　189

慰问信　189

温古诗选　189

温暖世界　骄子情怀——鄂尔多斯民营经济40年　42

文化产业投资指南　189

文化交响乐——守好各民族共有精神家园　468

文化体制改革文件材料汇编　597

文化新闻出版广电文物扶持政策汇编　597

文化伊金霍洛（传说篇） 190

文化伊金霍洛（地名篇） 190

文化伊金霍洛（美景篇） 190

文化伊金霍洛（美文篇） 190

文化伊金霍洛（民俗篇） 190

文化伊金霍洛（名人篇） 190

文化伊金霍洛（艺术篇） 191

文化伊金霍洛（影视篇） 191

文明风采录 191

文明旅游出行指南 191

文明市民手册 597

吻过额头的苍茫 343

问题与研究：鄂尔多斯法院硕士学位论文选（第一辑） 21

窝阔台伊金祭祀文化旅游研讨会文集 191

我从草原来 343

我的达拉特 343

我的鄂尔多斯 469

我的父亲我的家 192

我的回忆录 344

我的库布其 280

我的新闻体验 192

我的伊金霍洛 192

我和我的杭锦 280

我们的8年 192

我们的节日 192

我们的诗篇 192

我们学校成立鄂尔多斯市广厦煤炭艺术团（蒙汉文） 659

我们最喜爱的马克思和恩格斯名言 1

我热恋的故乡 281

我身边的党员——伊金霍洛旗十佳优秀共产党员颁奖典礼 659

我是五狼草原的君主 344

我喜爱的一本书征文选 192

我行我思 193

我眼中的鄂尔多斯现象　469

我与鄂尔多斯　193

我与鄂尔多斯学　193

我与工商——纪念工商行政管理机构恢复建制30周年　193

我与红领巾——康巴什区纪念中国少年先锋队建队70周年征文比赛获奖作文选集　281

我与我的杭锦情结　280

我在鄂尔多斯　344

沃野清流——鄂尔多斯诗歌选　193

乌敦朱拉剪纸艺术　469

乌海美术作品集　194

乌海书法篆刻作品集（第七集）——献给乌海建市三十周年　469

乌兰夫——革命传统教育读本　21

乌兰夫传略　344

乌兰夫回忆录　194

乌兰夫纪念诗词　281

乌兰夫论牧区工作　21

乌兰夫民族工作文选（第二次征求意见稿）　344

乌兰木伦煤矿档案管理制度汇编　597

乌兰木伦煤矿档案文件资料汇编　597

乌兰木伦镇工业旅游规划与发展　194

乌审激涌改革潮　21

乌审简史　345

乌审年鉴（2011）　469

乌审年鉴（2012）　469

乌审年鉴（2013）　470

乌审年鉴（2014）　470

乌审年鉴（2015）　470

乌审旗草业科技文集（一）　414

乌审旗畜牧业优化结构模型　598

乌审旗达力文化产业发展有限公司　659

乌审旗地名　470

乌审旗电影发行放映大事记　281

乌审旗粮食志　345

乌审旗林业发展战略规划报告　598

乌审旗林业志　345

乌审旗绵羊群结构优化方案　598

乌审旗农牧业志　345

乌审旗气象灾害防御规划　598

乌审旗人民代表大会志（1949—2012）　345

乌审旗沙地改造利用区划报告　598

乌审旗史志资料（第一辑）　346

乌审旗史志资料（第二辑）　346

乌审旗水资源利用规划报告　598

乌审旗文物志　346

乌审旗药物图鉴　471

乌审旗药用植物　414

乌审旗渔业规划　42

乌审旗政协志　346

乌审旗志　346

乌审旗种植业与多种经营发展战略规划　599

乌审诗歌选　281

乌审文史资料（第一辑）　346

乌审文史资料（第二辑）：乌审革命斗争史料选（上册）　347

乌审文史资料（第三辑）：乌审革命斗争史料选（中册）　347

乌审文史资料（第四辑）：乌审革命斗争史料选（下册）　347

乌审文史资料（第六辑）：乌审撷英　347

乌审文史资料（第八辑）：瀚海丹顶——乌审旗执政王公事略　347

乌审文史资料（第九辑）：乌审旗革命历史档案资料选编（1929—1949）　348

乌审乌兰牧骑　194

乌审写真　471

乌审召表情　348

乌审召牧民诗选　281

乌审召珍藏　348

五老风采　194

五年印迹　348

五月的鲜花·为青春绽放——共青团鄂尔多斯市非公有制经济组织先进事迹材料 599

物业管理法规条例宣传手册 599

物业管理条例 599

物业纠纷调处百问百答 599

X

西部大开发——鄂尔多斯简索 471

西部大开发鄂尔多斯博览 42

西部大开发干部读本 21

西部大开发决策回顾 195

西部高地——鄂尔多斯发展报告 43

西部骄傲·东胜 195

西部开发与特色经济规划 195

西部热土准格尔 195

西部人 195

西草地 282

西草地的火 349

西草地民间故事集 195

西村三四家 349

西鄂尔多斯国家级自然保护区珍稀植物图谱 414

西鄂尔多斯几种荒漠灌木的生物生态学特性研究 415

西皮流水 282

昔日梦幻——刘申易自选文集 349

锡尼喇嘛 349

习近平总书记关于民族宗教工作重要论述（摘编） 600

习近平总书记关于意识形态工作重要讲话选编 600

习养教育读本 196

喜迎党的十九大 庆祝自治区成立70周年鄂尔多斯统一战线优秀论文汇编 600

细说蒙古包 196

霞红一抹天——农村牧区基层组织建设工作文集 21

"下基层 进万家 心连心"第二个百日行动文件汇编 600

"下基层 进万家 心连心"第三次百日活动资料汇编 601

"下基层　进万家　心连心"宣传手册　601

"下基层　心连心"工作经验交流材料　600

"下基层、办实事、促统筹"主题实践活动宣传手册　601

鲜卑时代：拓跋力微　282

县乡政府债务风险及其防范机制实证论要（鄂尔多斯地方财政实证论要）　196

县域城乡统筹发展研究——基于鄂尔多斯市的经验　43

现代化亿吨矿区生产技术　196

现代生态型家庭牧场生产经营模式的探索　43

乡情如潮　349

乡土爱国主义教育读本：爱我伊克昭盟　471

乡土物语　284

相聚草原·社工论剑——国家治理体系和治理能力现代化进程中社会工作能力建设研讨会优秀成果及特色案例选编　196

庠序五载·教显育盛（2007—2012）　472

祥瑞阿尔寨·幸福鄂托克——首届鄂托克·阿尔寨文化高层论坛文集　197

响沙湾记忆（第二辑）　472

响沙湾记忆（第一辑）　471

想说就说想唱就唱　197

项目资料汇编（2006年）　603

项目资料汇编（2007年）　603

项目资料汇编（2008年）　603

项目资料汇编（2009年）　603

项目资料汇编（2010年）　603

消防安全知识手册　601

潇洒人生　197

小鼻烟壶里的大故事　197

小荷沐风　350

小诗度日　350

小作家优秀作文集（2015）　282

肖亦农小说选　198

斜阳集　198

携手共进三十年（1980—2010）　198

携手美德·成就未来　198

写在大地上的文章　199

"心"闻——包神铁路集团改革发展五年新闻实录　199

心潮——乔布英诗歌选　282

心潮——乔布英诗歌选（续）　282

心海情韵　199

心灵甘露（一）　199

心灵涛声　199

心路——鄂尔多斯学及其研究会十年历程　472

心路风景　200

心路如歌　283

心手相连·共同发展——鄂尔多斯对口支援兴安盟工作纪实　22

心香一缕——"魅力包神　美丽女工"　283

心语履痕　200

心语情韵　350

心约　350

心韵　350

新常态下的鄂尔多斯　200

新常态下鄂尔多斯市转型发展的思路研究　22

新常态下科学发展转型发展的鄂尔多斯研究　43

新概念医学健康教育讲座　200

新冠肺炎防控疫情工作手册　601

新花集——东胜地区创作诗歌选　350

新华社记者看神华　44

新家庭计划——家庭发展能力建设　415

新家庭计划——家庭发展能力建设系列读本（家庭文化篇）　415

新家庭计划——家庭发展能力建设系列读本（科学育儿篇）　415

新名贤集　200

新农合住院统筹报销政策　602

新企业所得税解读　201

新生活之歌　351

新时代鄂尔多斯笑话　351

新时代之歌　351

新税收政策法规汇（2009.5—2011.2）　22

新闻回眸——媒体眼中的鄂托克（五）　351

新闻行思　283

新闻絮语　283

新型冠状病毒感染的肺炎防控公众预防指南汇编　472

新译校注《蒙古源流》　283

新征管法学习辅导　22

信访宣传手册　602

信息概论　415

信用鄂尔多斯　651

刑事法治实践与发展研究　201

行销晨风合订本（2001—2002）　201

行吟集　284

行政执法手册　22

行政执法手册（理论篇）　23

行政执法依据汇编　201

行政执法与监督　201

行走鄂尔多斯——鄂尔多斯精品旅游线路　602

行走荒草地　284

兴泰集团简介　44

兴泰集团资格审查资料　602

杏花雨　202

杏林春满·慈济高原　202

杏坛春秋：鄂尔多斯市第一中学建校八十周年纪念册　202

杏坛余韵——刘风教育论集　202

幸福，一直都在……　202

幸福的味道　203

幸福的味道：康巴什新区第二小学"幸福教育"文集　284

幸福鄂托克　203

幸福了吗　203

幸好遇见你　284

畜牧业法律法规汇编　23

序跋文选　284

絮语华章　351

絮语情怀　351

宣传员手册（第一期）　23

薛家湾供电区电业志　415

学·悟·行——和效鄂电井冈山红色教育纪实　203

学府集　285

学习《关于建国以来党的若干历史问题的决议》辅导讲话　23

学习《毛泽东选集》第五卷部分名词解释和参考资料（供内部学习参考）　1

学习贯彻中央、自治区党委和市委关于统一战线系列重大决策部署论文汇编　602

学习手册　23

学习资料　602

学校德育与安全教程　602

学知行工会日志（2016）　472

寻找出口的河流　352

寻找毛乌素　352

寻踪忆语　203

迅速崛起的农区畜牧业强乡榆林子　204

Y

雅韵鄂尔多斯　352

严肃换届纪律文件资料选编　204

兖州煤业鄂尔多斯能化有限公司转龙湾煤矿项目筹建处文件汇编
　　（2011.3—2011.12）　204

眼下的牵牛花　285

砚兰江　204

羊绒衫编织设备与工艺　204

杨靖轩教育文集　205

阳光采购　604

阳光情　352

谣言粉碎机——让你远离谣言告别食品安全恐慌　604

药品流通监督管理办法（暂行）　医疗器械监督管理条例　医疗器械经营企业
　　监督管理办法　604

野草情韵　205

野潮集　285

宜居——伊金霍洛城市掠影　213

宜居伊金霍洛　213

一半海水　一半沙漠　285

一错再错　352

一代天骄　205

一滴海水——裴永锋自选集　205

一方水土准格尔　353

一个旗委书记的足迹　353

一个人的年代　285

一季度技术现场交流会资料（2021）　205

一九八八年伊克昭盟各级党政机关、群众团体和所属事业单位及企业管理部门机构、编制、实有人数统计资料汇编　604

一路歌声　353

一路小曲儿　206

一路走来（综合篇）　604

一年　286

一年志愿旅·一生志愿情　205

一片冰心在玉壶　206

一起学蒙语　286

一起走过的日子　206

"一心为民　科学发展"培训教育活动学习资料　605

伊化集团十五周年纪念　472

伊金霍洛　605

伊金霍洛教育（2015年4月）　652

伊金霍洛民歌　207

伊金霍洛年鉴（2008—2009）　473

伊金霍洛年鉴（2010—2011）　473

伊金霍洛年鉴（2014—2015）　473

伊金霍洛农村劳动力转移就业引导性培训读本　207

伊金霍洛旗2012年理论政策　606

伊金霍洛旗2013年"惠民五送"主题实践活动便民手册　606

伊金霍洛旗·六十年　473

伊金霍洛旗"两学一做"学习教育进行时　605

伊金霍洛旗"十一五"统计手册（2006—2010） 606

伊金霍洛旗（2006年特刊） 652

伊金霍洛旗财政简报（2011年第12期） 639

伊金霍洛旗财政简报（2011年第1期） 639

伊金霍洛旗财政收支分析 606

伊金霍洛旗残疾人康复服务指南 607

伊金霍洛旗城市水系建设报道集锦（2018） 206

伊金霍洛旗创建国家级食品安全示范县资料读本 607

伊金霍洛旗创建全国民族团结进步示范旗工作手册 607

伊金霍洛旗创建全国民族团结进步示范旗系列读本一：伊金霍洛旗民族团结
    进步风采 607

伊金霍洛旗创建全国民族团结进步示范旗系列读本二 607

伊金霍洛旗创建全国民族团结进步示范旗系列读本三 608

伊金霍洛旗创建全国民族团结进步示范旗系列读本四：伊金霍洛旗民族团结
    宣传手册 608

伊金霍洛旗创先争优活动辅导100问 207

伊金霍洛旗大学习大讨论调研成果汇编 608

伊金霍洛旗党史大事记（2002—2011） 207

伊金霍洛旗党委政府信访局宣传手册 608

伊金霍洛旗第九届学习使用蒙古语文模范集体、模范个人模范事迹申报材料 608

伊金霍洛旗第七届职工运动会秩序册 609

伊金霍洛旗第三批保持共产党员先进性教育活动学习材料 609

伊金霍洛旗第一中学建校三十五周年校友通讯录 473

伊金霍洛旗发展和改革局机关工作制度 609

伊金霍洛旗法治通讯（2002年第6期） 652

伊金霍洛旗法治政府建设成果汇编（强化考核评价和督促检查） 207

伊金霍洛旗妇女发展规划 伊金霍洛旗儿童发展规划宣传册（2011—2020） 609

伊金霍洛旗改革开放40年（1978—2018） 208

伊金霍洛旗国家税务局党的群众路线教育实践活动制度汇编 208

伊金霍洛旗国家税务局各项工作制度 609

伊金霍洛旗国民经济统计资料汇编（1966—1970） 44

伊金霍洛旗国民经济统计资料汇编（1971—1973） 44

伊金霍洛旗国民经济统计资料汇编（1974—1976） 45

伊金霍洛旗国民经济统计资料汇编（1977—1979） 45

伊金霍洛旗国土资源政策法规汇编 609

伊金霍洛旗国营霍洛林场森林经营方案（2018—2025） 416

伊金霍洛旗红十字会第四次会员代表大会会议材料 610

伊金霍洛旗惠农惠牧政策汇编 45

伊金霍洛旗机关党建十大品牌掠影 23

伊金霍洛旗基层宣传思想工作报道选编 610

伊金霍洛旗经济社会发展成就综述 208

伊金霍洛旗精品旅游线路 208

伊金霍洛旗精准扶贫惠农惠牧政策手册 610

伊金霍洛旗精准扶贫政策应知应会手册 610

伊金霍洛旗精准扶贫知识手册 610

伊金霍洛旗精准脱贫工作手册 610

伊金霍洛旗精准脱贫攻坚方案 611

伊金霍洛旗就业服务局宣传册 611

伊金霍洛旗决战决胜脱贫攻坚工作材料汇编 611

伊金霍洛旗矿区中学十周年校庆纪会（1991—2001） 209

伊金霍洛旗兰家塔富源煤炭有限责任公司煤矿露天技术改造修改初步设计
　说明书 611

伊金霍洛旗民生实事项目代表票决制材料汇编（讨论稿） 612

伊金霍洛旗那达慕·第十五届成吉思汗旅游文化周活动指南（2019年） 605

伊金霍洛旗农村劳动力转移就业引导性培训读本 612

伊金霍洛旗农村牧区党建工作 24

伊金霍洛旗气象灾害防御规划 612

伊金霍洛旗全域旅游宣传报道汇编（2016.7—2016.9） 612

伊金霍洛旗全域旅游总体规划 659

伊金霍洛旗人大代表风采录（回顾篇、理论篇、实践篇、文化篇） 209

伊金霍洛旗人大工作法律法规制度汇编 209

伊金霍洛旗人民政府各分管口2020年重点项目表 612

伊金霍洛旗山（沙）水林田湖草综合治理与绿色发展规划（2019—2035年）
　（报批稿） 613

伊金霍洛旗山（沙）水林田湖草综合治理与绿色发展建设项目（2019—2021年）
　实施方案 613

伊金霍洛旗商务动态（2012年第1期） 652

伊金霍洛旗蔬菜病虫害防治技术手册 613

伊金霍洛旗苏木乡镇人民代表大会换届选举资料选编 613

伊金霍洛旗统计月报（2013年第3期） 639

伊金霍洛旗脱贫攻坚报道集锦 209

伊金霍洛旗委"不忘初心、牢记使命"主题教育学习贯彻党的十九届四中全会精神专题研讨材料汇编 614

伊金霍洛旗文物志 209

伊金霍洛旗乡村振兴工作推进会发言材料汇编 614

伊金霍洛旗乡村振兴战略实施方案（2018—2022） 614

伊金霍洛旗校园艺术作品集萃 286

伊金霍洛旗以村民代表会议常设制为核心的"四权四制"组织体制和运行机制资料汇编 24

伊金霍洛旗园林 45

伊金霍洛旗园林绿化重点项目图册（2017年） 473

伊金霍洛旗政协文史资料（第五辑） 356

伊金霍洛旗志 474

伊金霍洛旗重大项目开复工建设报道集锦（2017） 206

伊金霍洛旗住房和城乡规划建设局党委党的群众路线教育实践活动学习材料汇编 614

伊金霍洛全域旅游地图 210

伊金霍洛全域旅游画册 210

伊金霍洛日记网言微语（2013年） 605

伊金霍洛史迹拾遗 474

伊金霍洛体育季宣传集锦 210

伊金霍洛统计年鉴（1995—2000） 474

伊金霍洛统计年鉴（2006） 474

伊金霍洛统计年鉴（2011—2015） 475

伊金霍洛统计年鉴（2016） 475

伊金霍洛投资 45

伊金霍洛文史资料（第二辑）：伊金霍洛旗教育 356

伊金霍洛文史资料（第一辑）：中国人民政治协商会议伊金霍洛旗委员会大事记（1959—1994） 355

伊金霍洛我的家　城市文明靠大家　614

伊金霍洛之春——2011年中国现代著名书画家书法作品展　210

伊克昭科技（1988年第2期）　652

伊克昭盟　475

伊克昭盟"八五""九五"期间财政统计资料（1991—2000）　615

伊克昭盟"三五"普法统考复习题　210

伊克昭盟财贸支援二农牧业生产重要资料统计　615

伊克昭盟财政志　44

伊克昭盟畜牧业经济统计资料（1949—1970）　210

伊克昭盟党委伊克昭盟行署各部门及群众团体工作职能汇编　615

伊克昭盟档案馆晋升自治区特级档案馆材料汇编（续编）　615

伊克昭盟档案馆升级材料汇编（续编）　615

伊克昭盟地方税收征管文件汇编　616

伊克昭盟地方税务局大事记（1994—1997）　616

伊克昭盟地方税务局全宗指南（1994—1998）　616

伊克昭盟地方税务局组织史（1994—1998）　616

伊克昭盟地名志　354

伊克昭盟的土地开垦　354

伊克昭盟电业局统计年鉴（1998）　475

伊克昭盟电业局统计年鉴（1999）　475

伊克昭盟电业局统计年鉴（2000）　476

伊克昭盟电影发行放映公司档案管理定级材料汇编　616

伊克昭盟法院志（1649—1996）　355

伊克昭盟改革开放经济建设大事记　45

伊克昭盟国民经济和社会发展简明统计资料（1949—1986）　5

伊克昭盟国民经济统计提要（1988）　48

伊克昭盟国民经济统计资料（1969）　46

伊克昭盟国民经济统计资料（1970）　46

伊克昭盟国民经济统计资料（1971）　46

伊克昭盟国民经济统计资料（1975）　46

伊克昭盟国民经济统计资料（1976）　46

伊克昭盟国民经济统计资料（1977）　46

伊克昭盟国民经济统计资料（1978）　47

伊克昭盟国民经济统计资料（1979） 47

伊克昭盟国民经济统计资料（1980） 47

伊克昭盟国民经济统计资料（1981） 47

伊克昭盟国民经济统计资料（1982） 47

伊克昭盟国民经济统计资料（1983） 48

伊克昭盟国民经济统计资料（1984） 48

伊克昭盟国民经济综合平衡统计资料（1952—1990） 48

伊克昭盟国土资源 476

伊克昭盟辉煌的五十年（1947—1996） 476

伊克昭盟检察分院档案管理晋升自治区特级先进单位续编材料汇编 617

伊克昭盟简介 355

伊克昭盟交通志 476

伊克昭盟教育志 210

伊克昭盟金融志 48

伊克昭盟经济技术协作项目 49

伊克昭盟林业普查资料（截至1980年底） 617

伊克昭盟盟长鄂尔多斯右翼后旗扎萨克亲王阿尔宾巴雅尔 659

伊克昭盟木本植物概论 49

伊克昭盟农业区划 49

伊克昭盟农业续志 617

伊克昭盟农业志（征求意见稿） 617

伊克昭盟旗市乡苏木概况 355

伊克昭盟社会统计资料汇编（1985） 48

伊克昭盟收费管理目录及收费标准 211

伊克昭盟水资源评价及利用 416

伊克昭盟税收征管改革文件汇编 617

伊克昭盟统计年鉴（1985） 476

伊克昭盟统计年鉴（1986） 476

伊克昭盟统计年鉴（1987） 477

伊克昭盟统计年鉴（1988） 477

伊克昭盟统计年鉴（1989） 477

伊克昭盟统计年鉴（1990） 477

伊克昭盟统计年鉴（1991） 477

伊克昭盟统计年鉴（1992） 477

伊克昭盟统计年鉴（1993） 478

伊克昭盟统计年鉴（1994） 478

伊克昭盟统计年鉴（1995） 478

伊克昭盟统计年鉴（1997） 478

伊克昭盟统计年鉴（1998） 478

伊克昭盟统计年鉴（2001） 479

伊克昭盟统一战线志 24

伊克昭盟土地管理局档案定级材料汇编 617

伊克昭盟土壤 355

伊克昭盟卫生防疫站档案工作目标管理认定材料汇编 618

伊克昭盟文化艺术志（资料本）——伊克昭盟文化史料之一 211

伊盟文化艺术大事记（资料本）——伊克昭盟文化史料之二 211

伊克昭盟戏曲志（资料本）——伊克昭盟文化史料之三 211

伊盟民族民间器乐集成（资料本）——伊克昭盟文化史料之四 211

伊克昭盟文学艺术工作者第二次代表大会资料汇编 618

伊克昭盟文学艺术工作者第三次代表大会资料汇编 618

伊克昭盟乡（苏木）干部素质优化研究报告 618

伊克昭盟乡级财政建设 49

伊克昭盟行政公署办公室基础数字汇编 618

伊克昭盟行政公署办公室全宗指南 619

伊克昭盟行政公署办公室统计基础数字汇编（1991—2001） 619

伊克昭盟行政公署大事记 619

伊克昭盟行政公署大事记续编（1998—2001） 619

伊克昭盟行政公署重要文件汇编（1949—1987） 619

伊克昭盟行政公署重要文件汇编（1988） 619

伊克昭盟行政公署组织沿革（1958—1997） 620

伊克昭盟医院档案工作目标管理材料汇编 620

伊克昭盟邮电志 479

伊克昭盟政协五十二年（1949—2001） 24

伊克昭盟政协志（1949—2001） 24

伊克昭盟志 354

伊克昭盟志（第一、二册） 353

伊克昭盟志（第三、四册） 353

伊克昭盟志（第五、六册） 354

伊克昭盟总揽 211

伊克昭文史资料（第一辑） 356

伊克昭文史资料（第二辑） 356

伊克昭文史资料（第三辑） 356

伊克昭文史资料（第四辑）：改革奋进的十年 357

伊克昭文史资料（第五辑） 357

伊克昭文史资料（第六辑）：教育史料专辑 357

伊克昭文史资料（第七辑）：科技史料专辑 357

伊克昭文史资料（第八辑） 357

伊克昭文史资料（第九辑）：工商经济史料专辑 358

伊克昭文史资料（第十辑） 358

伊克昭文史资料（第十一辑） 358

伊克昭文史资料（第十二辑） 358

伊盟财经学校423班同学录（1998—2008） 212

伊盟储蓄（第七期） 652

伊盟党校五十年（1949—1999） 25

伊盟档案局文件 620

伊盟地区电力系统调度管理规程 49

伊盟地税局基础数字汇编（续）（1995—1997） 620

伊盟地税局总揽（1994—1997） 621

伊盟地税直属征管局档案晋级汇报材料 621

伊盟妇女运动志（1949.10—1985.12） 25

伊盟革命斗争史料（第一辑） 358

伊盟革命斗争史料（第二辑） 358

伊盟革命斗争史料（第三辑） 359

伊盟革命斗争史料（第四辑） 359

伊盟革命斗争史料（第五辑） 359

伊盟革命斗争史料（第六辑） 359

伊盟革命斗争史料（第七辑） 359

伊盟革命斗争史料（第八辑） 359

伊盟革命斗争史料（第九辑）：伊盟公安史料专辑上册 359

伊盟革命斗争史料（第十辑） 360

伊盟革命回忆录（第一辑） 360

伊盟革命回忆录（第二辑） 360

伊盟革命回忆录（第三辑） 360

伊盟革命回忆录（第五辑） 360

伊盟革命回忆录（第六辑） 360

伊盟纪念十一届三中全会十周年理论讨论会论文集（1988） 620

伊盟技校二十年 479

伊盟交通辉煌五十年 50

伊盟蒙古族中学志（1956—1996） 212

伊盟农业技术经济效益评价汇编 50

伊盟社科优秀论文选（第一辑） 286

伊盟社科优秀论文选（第二辑） 286

伊盟师范四十年（1959—1999） 212

伊盟事件资料汇编（第一辑） 360

伊盟事件资料汇编（第二辑） 361

伊盟事件资料汇编（第三辑） 361

伊盟事件资料汇编（第四辑） 361

伊盟图书馆档案管理定级材料汇编 621

伊盟卫校四十年（1959—1999） 212

伊盟乌审旗草场资源调查报告 621

伊盟医药1997年第1期（总第6期） 212

伊盟组工通讯（2004年第4期） 652

伊蜜尔·蜂蜜 659

伊旗交管大队规章制度资料汇编 621

伊旗森林公安局宣传册 621

伊旗一中校友录（1959—1999） 213

伊希丹金旺吉拉诗选译 361

医疗纠纷调解·医学鉴定手册 622

医疗卫生法律法规汇编（第一册） 622

医疗卫生法律法规汇编 622

依法理财手册 50

以案说法 213

以党建带团建促共建全市个体私营经济组织党建带团建现场观摩推进会材料
　　汇编　622

以绿塑旗　绿色矿山建设　416

义务和责任学习宣传保密法手册　622

亿吨神东的记忆　213

忆景平同志光辉的一生　361

艺海拾贝——教职工文学艺术作品集　214

《易经》浅说　214

易燃易爆化学物品安全与管理　25

阴山千里雪　286

引领——城市基层党建工作纪实　25

饮食与健康　416

印象神华　214

应急预案手册　622

应知社会知识手册　623

迎宾卡　623

荧屏文荟——鄂尔多斯电视论文选　214

荧屏之声——电视专题节目解说词集锦　214

营造食品安全大环境　呵护幸福健康小家庭　479

影　287

硬笔书法教材　214

硬道理　623

拥抱太阳的人们　215

永恒的瞬间——内蒙古生产建设兵团驻屯杭锦旗图集　362

永远的成吉思汗——走进成吉思汗陵旅游区　362

永远怀念——云布龙画文集　215

咏叹集　215

用爱书写的诗行　215

用电宣传材料　623

用数字说话　216

用心服务·情系职工　216

友声同鸣集：学术交流与友情的记录　362

优秀调研成果汇编　623

优秀作文选　216

游遍鄂尔多斯　479

游黄河峡谷·品漫瀚文化　216

游戏·竞技——历史上的北方少数民族体育　216

游者手记　287

有凤来仪：白晓明新诗选集　362

有人敲门　362

有声的戈壁　362

有效课堂学习行动　216

有一条河，叫暖水　363

幼林花语——东胜区第一中学学生优秀作品集　288

淤地坝规划　217

渔业实用技术　217

愚智之间　287

与改革一路走来——东方人的二十年　217

与时代同行·与改革同行——伊金霍洛旗工商行政管理发展历程
　　（1949—2018）　624

与时代同行——《鄂尔多斯日报》20年获奖作品选集　479

与税同行的日子——成陵地税局大事记（2009—2013）　624

与天地共生——鄂尔多斯生态现象透析　217

语丝远近　363

语言保持及语言转用研究——基于鄂尔多斯市部分地区蒙古族语言状况
　　进行的社会语言学调查　287

玉泉喷绿　288

"遇见·伊金霍洛"2018中国（鄂尔多斯）户外大会媒体推广总结报告　624

元史演绎系列：成吉思汗陵史话　363

员工劳动管理手册　217

员工每日健康资讯（1—150期合订本）　624

员工培训手册　624

园林环卫工之歌　363

远祖的倾诉——鄂尔多斯青铜器　363

月亮正圆　364

月下情诗随风来　288

阅读——达拉特旗脱贫攻坚好故事（2018.1—2020.5） 624
阅读鄂尔多斯 218
云峰同志文稿选编 625
运动员村工作方案汇编 625
运政指挥及投诉中心工作手册 625
韵语心声 218

Z

再就业培训教材之一（法律法规篇） 25
再造秀美山川——全国水土保持生态文明县准格尔旗 218
在达尔扈特部落 288
在鄂尔多斯北边——阿斯哈村田野杂记 288
在鄂尔多斯盆地上 364
《在官法戒录》选译 218
在思想和行动之间 6
藏传佛教寺院美岱召五当召调查与研究 3
责任与情怀 219
怎样当好乡（苏木）干部（送审稿） 625
增强全民防范意识·创建平安伊金霍洛 626
展示新成就喜迎十八大 25
展翼·鄂尔多斯民航 219
绽放 290
张秉毅小说选 219
招商引资实用政策汇编（2014—2016） 626
朝霞灿烂夕阳红 626
昭君出塞 219
昭君坟传奇 364
哲学耕耘录 3
哲学研究与探讨 3
珍藏的感动：计划生育四十年 6
珍藏记忆 219
真诚善美 220
真情纪录——中天电视专题作品选 220

真实的故事 220

箴言慧语·雅质儒行——家长共读书感悟合集（一） 220

箴言慧语·雅质儒行——家长共读书感悟合集（二） 220

征占用林地知识手册 626

整党学习材料汇编 626

正是山花烂漫时 220

政府会计准则和会计制度（2018） 221

政府投资项目法规文件汇编 626

政府信息公开工作文件资料汇编 627

政协委员履职导引（工作制度篇）（2020年） 627

政协五年 25

政协协商建议委员意见建议社情民意信息2020年度汇编 627

政协伊金霍洛旗委员会志 480

政研微信息（2017年合订本） 26

政治理论知识 26

政治学习问答题解 627

知识的摇篮 221

职场疲劳的自我调养健康教育知识 221

职工劳动权益手册 480

职工手册 50

职业健康监督管理工作相关文件选编 221

职业培训工作政策文件汇编 221

只为明天更美好 222

纸阅读文库·乌审七篇：内蒙古卫视七集纪录片《蔚蓝的故乡·解读绿色乌审》插图解说词集 364

指间沙 289

制度汇编（一） 627

治理创新篇——打造善治鄂尔多斯 480

治学有绩·岁月无痕——鄂尔多斯学研究会10年影集 222

致密砂岩储层成岩作用及其与天然气成藏耦合关系——以鄂尔多斯盆地为例 364

智慧鄂尔多斯建设行动计划（2014） 628

智善服务·仁德使者 26

智胜的力量 222

中共鄂尔多斯市委办公厅工作制度汇编　628

中共鄂尔多斯市委党校 2015 届政治学二班通讯录　628

中共鄂尔多斯市委员会老干部局机关工作制度　628

中共鄂旗党史资料（第一辑）　365

中共鄂托克旗大事记——献给中国共产党成立八十周年　628

中共伊金霍洛旗党史大事记（1948—1989）　629

中共伊金霍洛旗党史大事记（1990—2001）　629

中共伊金霍洛旗委办公室制度汇编　629

中共伊金霍洛旗委理论学习中心组集中学习会研讨材料汇编　629

中共伊克昭盟党校毕业学员名录　629

中共伊克昭盟党校学员名录　630

中共伊克昭盟委和盟委办公室机关公文处理细则　630

中共伊盟党史大事记（征求意见稿）　480

中共伊盟党史资料档案目录　222

中共准格尔旗党史大事记（1929—1993）　630

中国·鄂尔多斯市政商领袖成长工程 2011 年度香港理工大学参访纪实　26

中国·内蒙古·鄂尔多斯影视拍摄区介绍　222

中国·内蒙古鄂尔多斯酒业集团　222

中国·伊金霍洛　631

中国北方侏罗系（V）鄂尔多斯地层区　416

中国地质工作报告　第二类　矿产普查勘探　第 4 号　内蒙伊克昭盟鄂托克旗棹子山煤田卡布其井田地质　416

中国鄂尔多斯　223

中国鄂尔多斯　223

中国革命和建设与中国共产党问答　631

中国共产党第十四次全国代表大会文件汇编　631

中国共产党第十九次全国代表大会会议精神学习读本　26

中国共产党东胜市第四次代表大会文件材料汇集　632

中国共产党鄂尔多斯市历史大事记（2001—2010）　481

中国共产党鄂托克旗历次代表大会简介（1956—1984）　632

中国共产党鄂托克旗历史（第一卷）（1933.10—1949.12）　365

《中国共产党纪律处分条例》核心条文学习一览表（2018 年）　631

中国共产党内蒙古自治区达拉特旗组织史资料（1935—1996）　365

中国共产党内蒙古自治区东胜市组织史资料（1936.3—1987.10） 365

中国共产党内蒙古自治区东胜市组织史资料续编（1988.1—1994.12） 365

中国共产党内蒙古自治区鄂托克旗组织史资料（1935—1987） 366

中国共产党内蒙古自治区鄂托克旗组织史资料（1987—1995） 366

中国共产党内蒙古自治区鄂托克前旗政治组织建设史资料
　（1988.1—2009.6） 366

中国共产党内蒙古自治区杭锦旗组织史资料（1949.10—1987.12） 366

中国共产党内蒙古自治区乌审旗组织史资料（1925—1987.10） 367

中国共产党内蒙古自治区伊金霍洛旗组织史资料（1937—1987） 366

中国共产党内蒙古自治区伊金霍洛旗组织史资料（第二卷）
　（1988.1—1997.9） 367

中国共产党内蒙古自治区伊克昭盟组织史资料（第一卷）
　（1925—1987.12） 367

中国共产党内蒙古自治区伊克昭盟组织史资料（第二卷）
　（1988.1—1994.12） 368

中国共产党内蒙古自治区伊克昭盟组织史资料（第三卷）
　（1995.1—1997.9） 368

中国共产党内蒙古自治区准格尔旗组织史资料（1927.8—1987.12） 368

中国共产党内蒙古自治区准格尔旗组织史资料（1988.1—1994.12） 368

中国共产党乌审旗党史大事记 629

中国共产党伊金霍洛旗第十二次代表大会文件汇编 632

中国共产党准格尔旗历次代表大会文献选编 27

中国共产党准格尔旗历史读本（1929—2010） 369

中国建设银行伊克昭盟分行机关大事记（1989—1999） 632

中国建设银行伊克昭盟分行盟行机关档案晋升自治区档案特级管理材料
　汇集 1 632

中国建设银行伊克昭盟分行盟行机关档案晋升自治区档案特级管理材料
　汇集 2 633

中国建设银行伊克昭盟分行组织沿革（1959—1999） 633

中国教育学会 2017 年度课堂教学展示与观摩系列活动暨第七届全国中小学校
　体育课教学观摩展示活动教案集 223

中国历史上的伟大王朝——元朝 223

中国绿色画报——走进"中国十佳绿色城市"伊金霍洛旗 481

中国民主同盟在鄂尔多斯的发展历程　27
中国民族地区经济社会调查报告（伊金霍洛旗卷）　50
中国农工民主党在鄂尔多斯的发展历程　27
中国人民政治协商会议第七届全国委员会提案选编　633
中国人民政治协商会议鄂尔多斯市第四届委员会第二次会议文件汇编　633
中国人民政治协商会议鄂托克旗委员会发展历程（1950—2015）　224
中国沙漠戈壁采风　369
中国少数民族历史人物志　369
中国神华神东安全生产责任制　50
中国神华神东本质安全管理知识手册　633
中国神华神东精益化管理指导手册（综采部分）　225
中国神华神东煤炭分公司——设备安全技术操作规程　51
中国神华神东设备维修中心　51
中国生态系统定位观测与研究数据集·草地与荒漠生态系统卷：内蒙古
　　鄂尔多斯站（2004—2006）　417
中国石油地质·鄂尔多斯盆地　369
中国天然气地质学（卷四）：鄂尔多斯盆地　370
中国新煤都　225
中国有个准格尔　370
中华名人与酒　225
中华劝世歌谣三百首　225
中华人民共和国安全生产法（2014年最新修正版）　634
《中华人民共和国档案法》宣传材料　630
中华人民共和国第十届少数民族传统体育运动会安保工作掠影　223
中华人民共和国第十届少数民族传统体育运动会安全出行手册　224
中华人民共和国第十届少数民族传统体育运动会赛前训练指南　224
中华人民共和国第十届少数民族传统体育运动会志愿者工作手册　224
中华人民共和国动物防疫法　27
中华人民共和国公共文化服务保障法　中华人民共和国公共图书馆法　27
中华人民共和国环境保护法　634
中华人民共和国老年人权益保障法　634
《中华人民共和国煤炭法》及煤炭法规汇编　630
《中华人民共和国民族区域自治法》学习材料　631

中华人民共和国食品安全法 2015 版　634

中华人民共和国统计法　中华人民共和国统计法实施条例　225

中华人民共和国文物保护法（2017 年修正本）　28

中华人民共和国消费者权益保护法　634

中华人民共和国新工会法　中华人民共和国妇女权益保障法　225

中华人民共和国药品管理法实施条例（2016）　226

中煤集团全国劳模风采　226

中外邪教认知　634

中西部的曙光——鄂尔多斯现象透析　51

中小学生守则解读本（2015 年修改）　226

中学生环保知识教育读本　634

中央、自治区、伊旗社会治安综合治理工作重要文件选编　635

中央关于保持共产党员先进性四个长效机制文件　635

中央企业数字档案馆建设与发展　226

中药饮片处方应付目录　226

中医事宜技术手册（刮痧篇）　226

众志成城——康巴什新区住建局创城工作掠影　227

重大动物疫情应急条例　635

周雨明诗选　289

周雨明诗选集　289

朱开沟——青铜时代早期遗址发掘报告　370

珠江社区居民手册　635

逐渐远去的往事：鄂尔多斯老检察官回忆录　227

逐梦青春——学生社团宣传册　227

住建系统适用党纪法规速查手册　635

驻村岁月（2018—2020）　28

祝福准格尔　227

转型的鄂尔多斯财政（2013—2015）　51

转型发展的鄂尔多斯　227

装点此河山：鄂尔多斯生态报告　289

壮丽 70 年·奋斗新时代　228

追梦　370

追求　289

追求卓越提升住建系统团队凝聚力　636

追寻绿色的梦　228

准噶尔史略　374

准格尔报社志　228

准格尔大峡谷——长河颂　364

准格尔的黎明　290

准格尔方言拾遗　228

准格尔风光　228

准格尔改革开放40年　370

准格尔剪纸　481

准格尔揽胜　481

准格尔旅游　636

准格尔旅游攻略　636

准格尔煤田含煤建造岩相古地理学研究　417

准格尔民间故事　290

准格尔民俗　228

准格尔能源公司志　371

准格尔年鉴（1992—2000）　371

准格尔年鉴（2001）　371

准格尔年鉴（2003）　371

准格尔年鉴（2004）　371

准格尔年鉴（2007）　371

准格尔年鉴（2008）　372

准格尔年鉴（2009）　372

准格尔年鉴（2010）　372

准格尔年鉴（2011—2012）　372

准格尔年鉴（2013）　372

准格尔年鉴（2014）　373

准格尔年鉴（2015—2016）　373

准格尔旗布尔陶亥治沙站森林经营方案　417

准格尔旗风俗　229

准格尔旗纪略　482

准格尔旗交通志　373

准格尔旗近代史话　373

准格尔旗旧志稿　482

准格尔旗科学技术协会志　482

准格尔旗龙口镇　神树坪郭氏家谱　373

准格尔旗民间故事　290

准格尔旗民间艺人苗玉工美术集成——艺海拾遗　374

准格尔旗气象灾害防御规划　636

准格尔旗统计年鉴（2003）　482

准格尔旗文化旅游项目推荐　229

准格尔旗扎萨克衙门档案基督宗教史料（汉文、蒙古文）　229

准格尔旗扎萨克衙门档案译编　482

准格尔旗志　482

准格尔旗中蒙医院　636

准格尔山曲儿　290

准格尔史略　374

准格尔书画集　229

准格尔颂歌　483

准格尔俗语谚语　291

准格尔往事　374

准格尔文史（第一辑）　374

准格尔文史（第三辑）　375

准格尔文史（第四辑）　375

准格尔文史（第五辑）　375

准格尔文史（第八辑）　375

准格尔文史（第九辑）　375

准格尔文史（第十辑）　376

准格尔文史（第十一辑）　376

准格尔文史（第十二辑）　376

资源繁荣与发展困境：以鄂尔多斯为例　6

资源富集地区县域经济可持续发展研究——以内蒙古乌审旗为例　417

紫金府　229

紫燕归来时　291

紫云石阁　660

自我保健——中老年养生保健知识简介之一　483

自我保健——中老年养生保健知识简介之二　483

自我保健——中老年养生保健知识简介之三　483

自治区党委第七巡视组巡视伊金霍洛宣传报道集锦　230

综合安全培训读本　636

综合理论学习问答　28

综合行政执法教程　230

走不出故土的情愫　376

走出内陆　291

走出你的沙漠　230

走过从前　230

走近绿色——东胜林业"十一五"回眸　291

走进东胜　230

走进鄂尔多斯植物园探索神奇植物世界传递自然保护理念　660

走进乌审　28

走进西部　230

走进西部（内蒙古卷）　231

走西口与漫瀚调　291

走向灿烂　231

走向繁荣与发展　231

走向辉煌——达拉特旗第一中学建校50周年纪念（1956—2006）　291

走向世界的鄂尔多斯　231

走向市场经济　51

走向天国第九台阶　292

走向新世纪的鄂托克　376

足迹流金（主席篇）　637

祖先的印记·鄂托克岩画　376

最爱鄂尔多斯文化旅游口袋书　231

最高人民法院指导性案例汇编（11—20批）　637

最美乡村故事——请到我们村里来　232

最新土地矿产法律政策知识手册　232

最言坛　290

醉美鄂前旗　232

醉美乡村 660

左手工作·右手健康 232

作家眼中的经济世界 232

做会呼吸的教育 233

做良心事·办公正案——鄂尔多斯市中级人民法院院训征集作品选 233

其他

0 至 3 岁育婴手册 51

1921—2011 红色旗帜·光辉历程 伊金霍洛旗庆祝建党 90 周年暨创先争优活动文艺晚会 653

2000—2012 年鄂尔多斯数据要情 4

2009—2011 年度科技创新成果汇编 377

2014 年伊金霍洛旗"三下乡"暨践行群众路线"惠民五送"主题实践活动惠民服务手册（科技下乡篇） 7

2014 年伊金霍洛旗"三下乡"暨践行群众路线"惠民五送"主题实践活动惠民服务手册（卫生下乡篇） 6

2014 年伊金霍洛旗"三下乡"暨践行群众路线"惠民五送"主题实践活动惠民服务手册（文化下乡篇） 6

365 个太阳 233

778 乌审旗特大暴雨的成因与移置研究 377

Hi，我是鄂尔多斯 52